愛機九六式艦戦の前で。
胴体に描かれた日の丸の大きさが、よくわかる。
このとき坂井は22歳であった。
(昭和14年6月頃、漢口基地)

夏の飛行服を着用した坂井二空曹。視力2.5を誇った目が鋭く光っている。
後方は十四空の九六式陸攻。(昭和14年9月、漢口基地)

南昌《なんしょう》攻撃に向かう途上、景勝の地「廬山《ろざん》」の上空を飛ぶ十二空の3-108号機は坂井機。
（昭和14年4月）

坂井二空曹機（3-107）と二番機。地上滑走中に内部に泥がつまるのを避けるため、
車輪カバーの後部がはずされている。（昭和14年6月）

大空のサムライ㊤

坂井三郎

講談社+α《プラスアルファ》文庫

著者から読者へ

坂井《さかい》三郎《さぶろう》

この記録は、英語版『SAMURAI』の題名で、アメリカ、カナダ、フィリピン……その他の国々で出版され、さらに、フランス語、フィンランド語にも訳されておりますが、戦争中、旧敵国の人たちは、日本の零戦《ゼロせん》を、魔もののようにおそれ、零戦を操縦する日本のパイロットは、血も涙もない、ただ敵を見れば本能的に襲いかかってくる猛獣のように考えていたということですが、『SAMURAI』を読んだことによって、私たち日本人が、やはり彼らと同じ人間であり、同じような気持で戦い、また、人間として同じようななやみを持ち、同じようにもののあわれを知る人たちであったことを知ったと言っています。

このことは、『SAMURAI』を読んだ旧敵国の人々からいただいたおびただしい手紙と、私を訪れる数多くの外国人の言葉の中から知ることができました。

私は、昭和八年五月、十六歳で海軍にはいり、戦艦「霧島《きりしま》」や「榛名《はるな》」の砲手《ほうしゅ》を経験してのち、選ばれて海軍戦闘機操縦者となりました。そして、昭和十三年、日華事変《にっかじへん》（日中戦争）で中支方面《ちゅうし》に初陣《ういじん》して以来、太平洋戦争の最後まで、各戦域に転戦し、かぞえきれないほどの戦闘に参加、空中戦によって四度も負傷しましたが、悪運に強いというのか、とうとう生き残ってしまいました。

飛行機乗りになることは、私の小さい頃からの夢でありました。たとえ、そのことが死につながる道であろうとも、それが私の初一念《しょいちねん》だったのです。だから私は、海軍の飛行機操縦者に選ばれたその日から、自分は、飛行機で死ぬのだと覚悟をきめておりました。覚悟というと、しかたなく、あきらめたような感じがしますが、そうではなくて、それは、男として私が選んだ唯一の道だったからなのです。

ところが、戦闘機操縦者になってからの私の考えは、ある時機に一大飛躍をいたしました。それは、名機零戦が私の愛機となり、祖国日本が太平洋戦争に突入したからです。

私は、零戦を信じて、太平洋戦争の空中戦の一戦一戦を戦い抜いてきました。そして、いつのまにか、零戦こそ我が命、零戦の操縦桿《そうじゅうかん》を握っているかぎり、どんな敵機にも負けないぞ、と考えるようになりました。これは、単なる自信というより、必勝の信念でした。

むかしから、馬行《ばこう》においては人馬一体《じんばいったい》、という言葉がありますが、戦闘機操縦術においてもまさにそのとおりで、ラバウルの空中戦で敵戦闘機とわたり合うとき、プロペラ軸の先端が自分のひたいであり、両翼の先端が両手の中指の先に感じるほど、零戦そのものが私自身になりきってしまいました。

海軍軍人として、戦いにのぞんで、日本を勝利に導くために死力をつくして戦うのは当然の義務なのでありますが、零戦を操縦して戦う私たちには、さらにもう一つの意地がありました。それは、みずから先進国と豪語《ごうご》する敵の飛行機と操縦者、とくに敵の戦闘機には、絶対に負けてはならない、たとえ総合力で日本が敗れることがあっても、われわれ戦闘機隊は負けてはならないという考えでした。これが日本海軍戦闘機乗りの心意気だったのです。

本書は、日本の栄光を信じて、二度とかえらない青春時代を、戦いと大空に賭《か》けて散っていった多くの戦友たちと私の記録でありますが、平和と科学の進歩した今日、この記録がどれほどの価値があるのか、私にはわかりませんが、あの時代の若者たちが、祖国を守るために示した精神力が、現代の日本人、とくに今日の若い人たちの気迫の上に訴えるものがあれば幸いです。

昭和四十二年五月　端午《たんご》の節句《せっく》の日

大空のサムライ㊤●目次

著者から読者へ　3

本書関連地図　13

坂井三郎出撃記録　20

第一章　苦しみの日は長くとも

回想の糸をたぐる時　30

大空への夢は果てなし　42

苦難の日々に堪えて　50

去りゆく友に幸あれ　60

哀歓つきることなし　80

闘魂《とうこん》こそ勝利への道　95

憧れの単独飛行の日 112

第二章 宿願の日来たりて去る

初陣《ういじん》の戦い熄《や》んで 134
南昌《なんしょう》基地の憂うつ 146
最悪の厄日《やくび》の出来事 152
常に死とともにあり 158
地の果て上空を征く 174
基地零戦隊健在なり 184

第三章 ゼロこそ我が生命《いのち》なり

われ比島上空にあり 200
「空の要塞《ようさい》」に初挑戦 216
つくられた空の軍神 229
視界、火の海と化す 235

わが〝さかい〟は死なず　244
スラバヤの大空中戦　263
なんじ心おごりしか　278
バッファローとの戦い　289

第四章　死闘の果てに悔いなし

帰国の夢やぶれて　296
地獄のラバウルへ　300
「空の毒蛇《エア・コブラ》」を血祭り　306
坂井の落穂《おちぼ》拾《ひろ》い戦法　313
あやうし、笹井中尉　324
半田飛曹長のなみだ　337
ああ山口中尉の最期《さいご》　356

用語解説　364

大空のサムライ㊦●目次

本書関連地図

上巻のあらまし

第五章　向かうところ、敵なし

敵基地上空で編隊宙返り

ラエ上空の邀撃《ようげき》戦

英国新鋭機《スピットファイア》あらわる

不調機もなんのその

山岳上の奇妙な空戦

悲壮、中攻機の最期《さいご》

散りゆきし空戦の鬼

迫りくるラエの落日
「空の要塞」全機撃墜
ロッキードに初挑戦
禁令を破るも可なり
海面に浮く零戦の血潮

第六章　孤独なる苦闘の果てに

いざ、ガダル血戦場へ
宿敵グラマンを撃墜
襲いくる死との闘い
ラバウルに別れる日

第七章　迫りくる破局の中で

若桜散りゆきてなし
「カエルニオヨバズ　ハハ」

無事故記録のかげに
〝不惜身命《ふしゃくしんみょう》〟の心意気

第八章　大空が俺を呼んでいる
硫黄島《いおうとう》上空の大空戦
汝《なんじ》ら徒死《とし》するなかれ
翼なき大空の男たち
去る者、残る者

あとがきに代えて

解説

本書関連地図

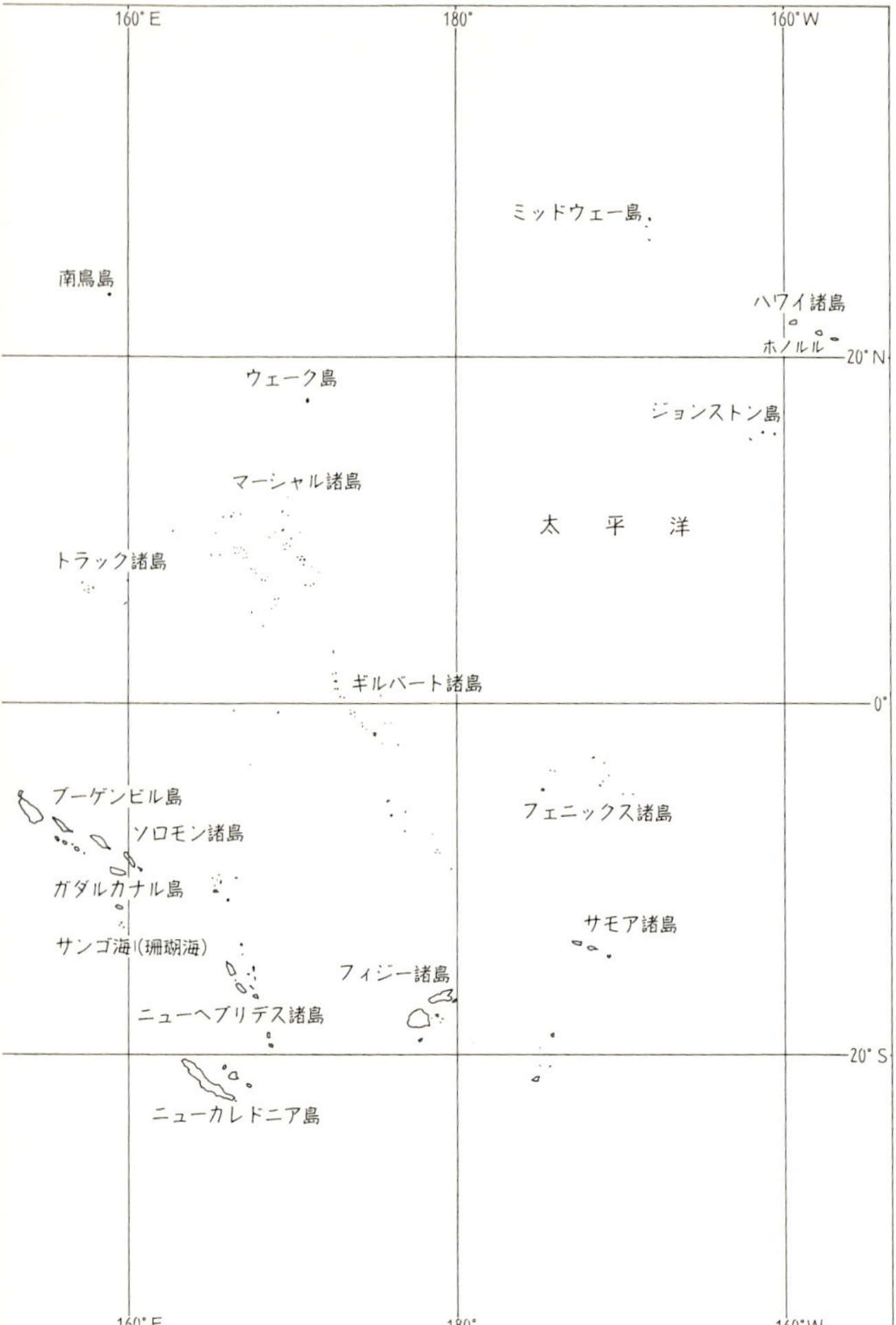
160°E
180°
160°W
ミッドウェー島
南鳥島
ハワイ諸島
ホノルル
20°N
ウェーク島
ジョンストン島
マーシャル諸島
太　平　洋
トラック諸島
ギルバート諸島
0°
ブーゲンビル島
フェニックス諸島
ソロモン諸島
ガダルカナル島
サモア諸島
サンゴ海(珊瑚海)
フィジー諸島
ニューヘブリデス諸島
20°S
ニューカレドニア島
160°E
180°
160°W

『坂井三郎空戦記録』より転載。

120° E
140° E
済南
青島
黄河
黄海
東京
開封
徐州
南京
上海
漢口
揚子江
九江
父島
母島
硫黄島
中　　国
南昌
東シナ海
沖縄
台湾
台南
香港
ハノイ
20° N
海南島
ルソン島
マリアナ諸島
サイパン島
グアム島
バンコク
南シナ海
マニラ
レイテ島
サイゴン
(ホー・チ・ミン)
ミンダナオ島
パラオ諸島
ダバオ
マレー半島
ブルネイ
セレベス海
シンガポール
ボルネオ島
0°
ニューアイルランド島
バリクパパン
スマトラ島
ニューブリテン島
ラバウル
ジャカルタ
ニューギニア島
スラバヤ
ラエ
ソロモン海
ジャワ島
アラフラ海
ポートモレスビー
ラビ
(アロトウ)
クパン
ポートダーウィン
(ダーウィン)
インド洋
ケアンズ
20° S
オーストラリア
ブリズベーン
フリマントル
シドニー

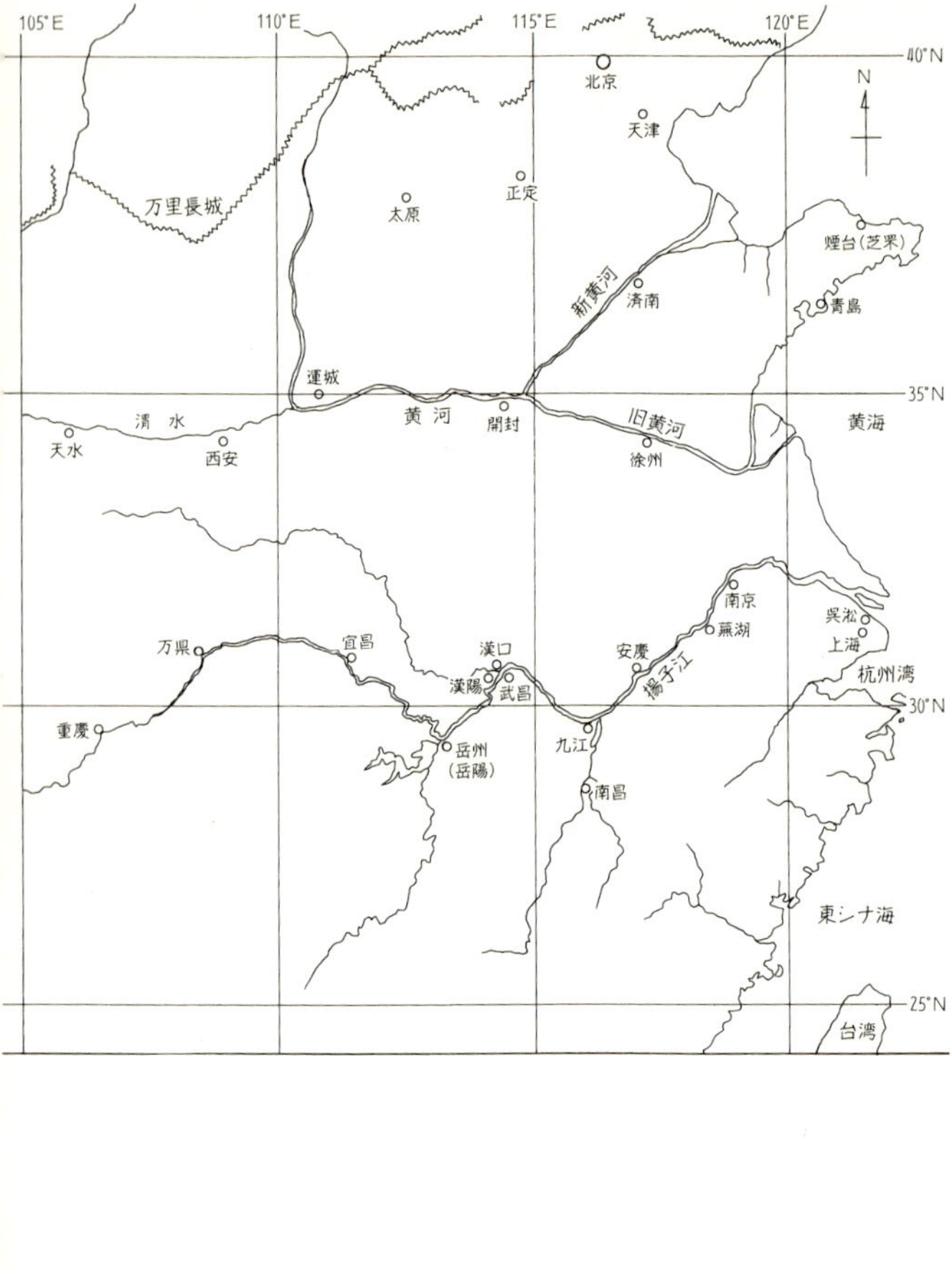

105°E
110°E
115°E
120°E
40°N
35°N
30°N
25°N
N
北京
天津
正定
太原
万里長城
煙台(芝罘)
済南
新黄河
青島
運城
黄河
開封
旧黄河
黄海
渭　水
天水
西安
徐州
南京
呉淞
蕪湖
上海
万県
宜昌
漢口
安慶
揚子江
杭州湾
漢陽
武昌
重慶
九江
岳州
(岳陽)
南昌
東シナ海
台湾

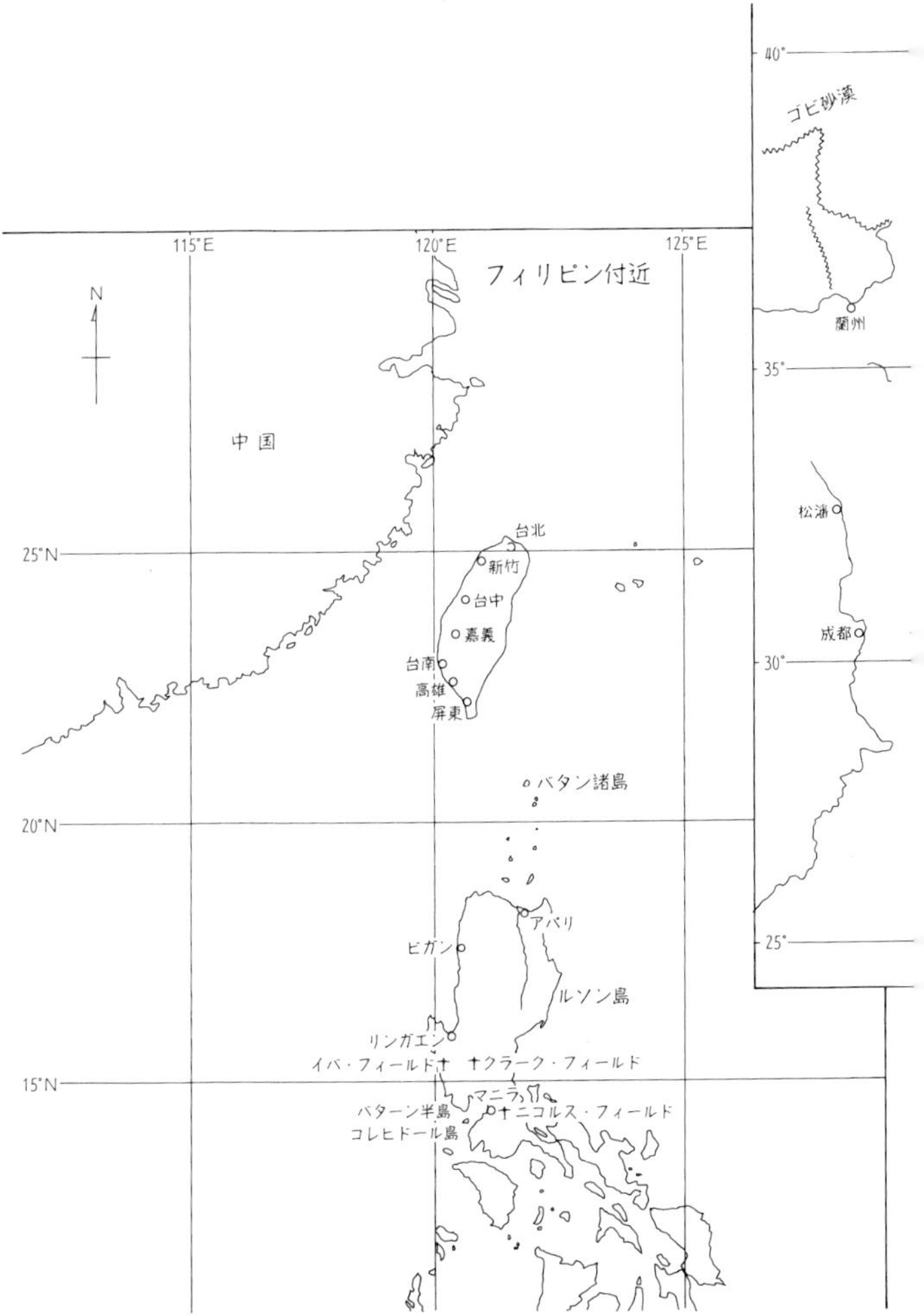

フィリピン付近
115°E
120°E
125°E
N
中国
台北
新竹
台中
嘉義
台南
高雄
屏東
25°N
バタン諸島
20°N
アパリ
ビガン
ルソン島
リンガエン
イバ・フィールド
クラーク・フィールド
15°N
マニラ
バターン半島
ニコルス・フィールド
コレヒドール島
40°
ゴビ砂漠
蘭州
35°
松潘
成都
30°
25°

ジャワ島付近
110°E
120°E
N
10°N
ミンダナオ島
ダバオ
ホロ島
タラカン
ボルネオ島
(カリマンタン)
メナド
赤 道
セレベス島(スラウェシ)
0°
バリクパパン
パレンバン
バンジェルマシン
ケンダリ
アンボン
マカッサル
バタビア(ジャカルタ)
スマラン
マドラ島
チラチャプ
スラバヤ
マラン
バリ島
ジャワ島
チモール島
10°S

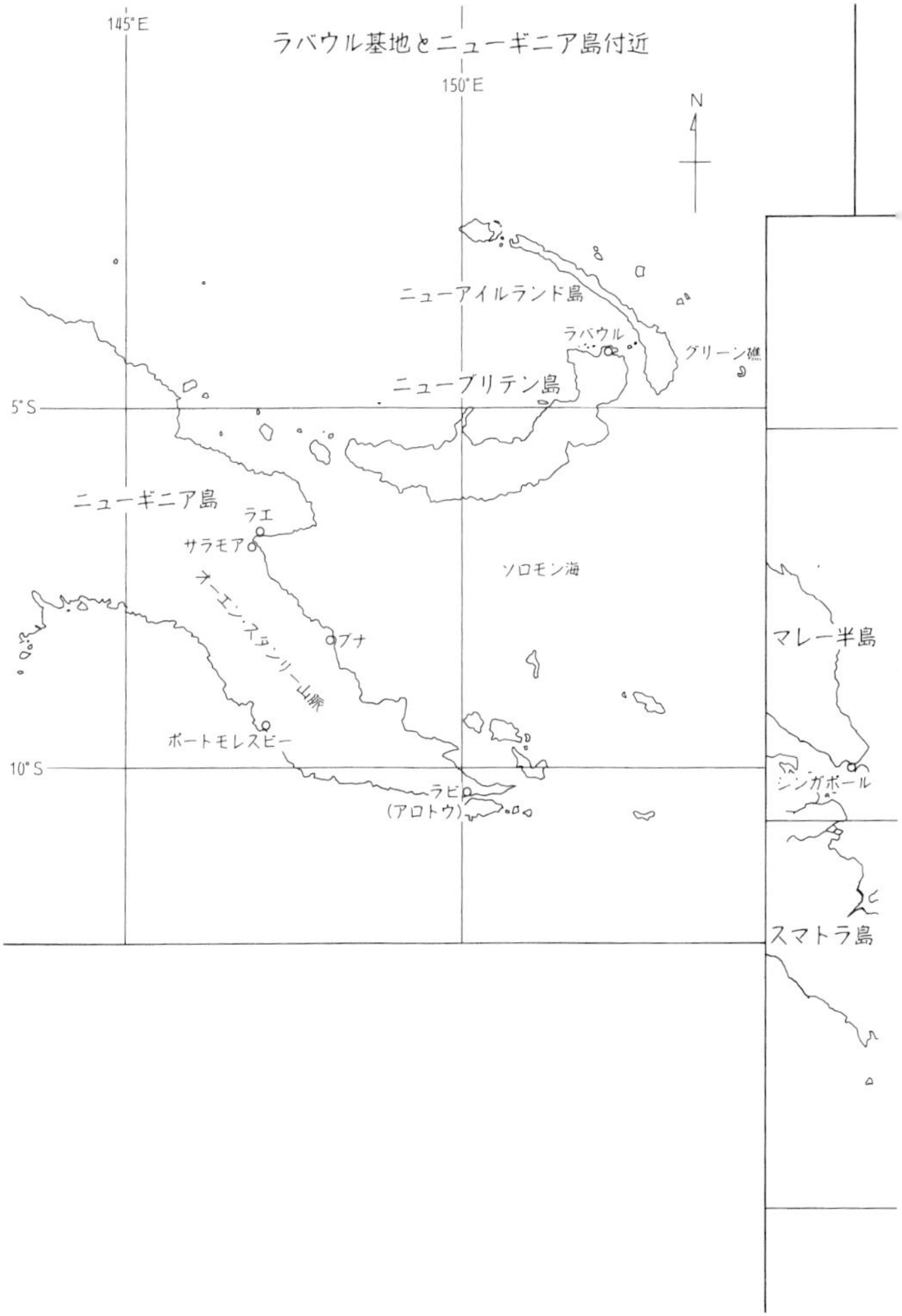
ラバウル基地とニューギニア島付近
145°E
150°E
N
ニューアイルランド島
ラバウル
グリーン礁
ニューブリテン島
5°S
ニューギニア島
ラエ
サラモア
ソロモン海
オーエン・スタンリー山脈
ブナ
ポートモレスビー
10°S
ラビ
(アロトウ)
マレー半島
シンガポール
スマトラ島

坂井三郎出撃記録

「第十二空戦闘詳報」、「台南空飛行機隊戦闘行動調書」などの公式記録によると、坂井三郎の初陣《ういじん》から終戦までの間の出撃状況は、ほぼ次のとおりである。

ただし、現在、残されているこうした資料は欠如している部分もあり、特に日華事変（日中戦争）中のものは、その傾向が強い。そして、原資料作成時の誤記も皆無とは言えない。したがって、ここに記したほかにも出撃があったはずである。

また、飛行機隊戦闘行動調書などでは、戦果を小隊あるいは中隊単位でまとめて協同撃墜として記している場合が多いため、本文の記述と一致しない箇所もあるが、ここでは公式記録の原文のまま記した。

（秋本《あきもと》　實《みのる》）

昭和13年

10月5日　漢口攻撃　撃墜I－16×一

昭和14年

10月3日　宜昌迎撃　撃墜SB×一

昭和15年

5月2日　安陸・宜昌上空進撃哨戒（注1）

昭和16年

5月3日　重慶攻撃

7月9日　梁山攻撃

7月27日　成都攻撃

8月11日　成都攻撃　撃墜（協同）Ｉ‐15×一
8月21日　成都攻撃　撃墜Ｉ‐16×一
8月25日　蘭州攻撃
8月31日　松潘攻撃　天候不良引き返す
12月8日　クラークフィールド攻撃　撃墜Ｐ‐40×一、地上撃破Ｂ‐17×二
12月9日　台南上空哨戒
12月10日　クラークフィールド攻撃　撃墜（協同）Ｂ‐17×一
12月12日　イバ攻撃　地上撃破Ｐ‐40×二
12月18日　船団上空直衛　敵を見ず

昭和17年

1月4日　タラカン偵察攻撃
1月5日　ポートプリンセサ攻撃
1月10日　輸送船団上空直衛　敵を見ず
1月13日　船団泊地、タラカン上空哨戒　敵を見ず
1月15日　船団泊地、タラカン上空哨戒　敵を見ず
1月18日　バリクパパン攻撃
1月24日　バリクパパン攻撃　撃墜（協同）Ｂ‐17×一
1月25日　バンジェルマシン、ダコ、メラク攻撃　炎上（協同）大型機×一、地上撃破（協同）小型機×一
1月26日　バリクパパン上空哨戒　敵を見ず
1月28日　バリクパパン上空哨戒　敵を見ず
1月31日　バリクパパン追撃哨戒　Ｂ‐17を追撃せるも撃墜に至らず
2月3日　マラン攻撃　炎上（協同）四発機×五、双発飛行艇×一、小型機×一
2月5日　スラバヤ攻撃　撃墜不確実Ｐ‐40×一
2月6日　ダコ、バンジェルマシン偵察攻撃
2月8日　スラバヤ攻撃　撃墜（協同）Ｂ‐17×二、撃墜不確実（協同）Ｂ‐17×二

2月18日　マウスパテ攻撃　撃墜（協同）水偵（注2）×一、地上撃破（協同）戦闘機（注3）×二
2月19日　スラバヤ攻撃　撃墜（協同）P－40（注4）×七、撃墜不確実（協同）P－40（注4）×一
2月20日　スラバヤ攻撃　敵を見ず
2月21日　輸送船団上空直衛　敵を見ず
2月23日　輸送船団上空直衛　敵を見ず
2月25日　輸送船団上空直衛　敵を見ず
2月26日　輸送船団上空直衛　敵を見ず
2月27日　輸送船団上空直衛　敵を見ず
2月28日　スラバヤ攻撃中攻隊掩護　撃墜バッファロー×一
3月1日　マズラ海峡索敵《さくてき》、スラバヤ方面飛行場偵察
3月3日　チラチャップ攻撃　炎上（協同）PBY×一
3月3日　船団泊地上空哨戒　敵を見ず
3月22日　パラワン島方面偵察攻撃
3月24日　高雄空中攻隊掩護
3月31日　マリベレス飛行場攻撃
5月2日　モレスビー攻撃　撃墜P－40×二、撃墜（協同）P－40×一
5月3日　モレスビー攻撃　撃墜P－40×一、撃墜不確実P－40×一
5月4日　ラエ上空哨戒　敵を見ず
5月5日　ラバウル上空哨戒　敵を見ず
5月6日　ラバウル上空哨戒　撃墜B－17×一
5月8日　モレスビー攻撃　撃墜P－40×一、P－39×一（注5）
5月10日　ラバウル上空哨戒　敵を見ず
5月11日　モレスビー攻撃
5月12日　モレスビー攻撃　撃墜（協同）P－39×二、撃墜不確実×一、地上撃破（協同）P－39×二

5月14日　モレスビー攻撃　撃墜不確実（協同）
　　　　　B－25×一
5月17日　モレスビー攻撃　撃墜P－39×五、撃
　　　　　墜不確実P－39×一、撃破P－39×一
　　　　　（注6）
5月18日　モレスビー攻撃　敵を見ず
5月20日　モレスビー攻撃　撃墜（協同）
　　　　　P－39×一
5月22日　ラエB－17迎撃
5月24日　ラエ上空哨戒　敵を見ず
5月25日　ラエ上空哨戒　敵を見ず
5月25日　ラエB－25迎撃　撃墜（協同）B－
　　　　　25×六
5月26日　モレスビー攻撃　撃墜（協同）
　　　　　P－39×二
5月27日　モレスビー攻撃　撃墜不確実P－39×
　　　　　一
5月28日　ラエ迎撃　撃墜（協同）B－26×一、
　　　　　撃破（協同）B－26×二
5月29日　モレスビー攻撃
5月30日　ラエ上空哨戒　敵を見ず
5月31日　ラエ上空哨戒　敵を見ず
6月2日　モレスビー攻撃
6月6日　ラバウル上空哨戒　撃墜不確実
　　　　　B－17×一
6月9日　ラエ迎撃　撃墜B－26×四（注7）
6月16日　モレスビー攻撃　撃墜P－39×三、
　　　　　撃墜不確実P－39×一
6月16日　ラエ上空哨戒　P－39と交戦
6月17日　モレスビー攻撃
6月19日　ラバウル上空哨戒
6月22日　ラバウル進撃哨戒　敵を見ず
6月25日　モレスビー攻撃　撃墜P－39×二
6月28日　モレスビー陸上進撃路偵察　敵を見ず
7月4日　モレスビー攻撃
7月5日　モレスビー攻撃陸攻隊掩護　敵を見ず

7月6日　モレスビー攻撃
7月10日　モレスビー攻撃
7月17日　ラバウル進撃哨戒
7月20日　モレスビー攻撃
7月21日　ブナ上陸船団掩護
7月22日　ブナ上陸船団掩護　撃墜（協同）ハドソン×一
7月25日　ブナ付近上空哨戒
7月26日　ブナ付近上空哨戒　撃墜（協同）B－25×三
7月29日　ブナ船団上空哨戒　敵を見ず
7月30日　ブナ船団上空哨戒　撃墜（協同）B－17×一
8月2日　ブナ船団上空哨戒　撃墜（協同）B－17×四、P－39×一
撃墜不確実（協同）B－17×一
8月7日　ガダルカナル攻撃　撃墜（協同）F4F×一、撃墜SBD×二

昭和19年
6月24日　硫黄島迎撃　撃墜F6F×三（注8）
7月4日　硫黄島迎撃　撃墜F6F×一（注8）
7月5日　硫黄島迎撃　撃墜F6F×一（注8）

昭和20年
8月17日　東京湾迎撃　協同撃破B32×一（注8）

注1　以後、W基地高高度上空哨戒（五月十二日、二十日、二十一日、二十二日）、W基地上空哨戒（五月三十日、七月二十八日）、宜昌上空哨戒（七月三日、九日、十日）、宜昌上空進撃哨戒（五月十九日、七月二十八日）、漢口上空哨戒（七月七日）などに出動したと言われているが、戦闘詳報には坂井田三空曹と記されている。
注2　フォッカーC14－W
注3　バッファロー

注4　一部はP－36

注5　記録なし

注6　出撃機全部の戦果合計。個人戦果は撃墜確実P－39×二、撃墜不確実P－39×一という資料もある。

注7　出撃機全部の戦果合計。個人戦果は、撃墜B－26×二、P－39×一という資料もある。

注8　坂井三郎のメモによる。

（秋本　實《あきもとみのる》）

大空のサムライ㊤
死闘の果てに悔いなし

還らざる私の戦友と私が仆《たお》した敵空軍の戦士に本書を捧ぐ——

第一章　苦しみの日は長くとも

回想の糸をたぐる時

「三郎、しっかりしなさいっ！　そのくらいの傷でまいってしまうような、そんなお前ではないはずです。三郎、三郎、三郎っ！」

もうろうとした私の頭の後ろから母が叫んでいる。切れの長い両眼をカッと見ひらき、髪を振り乱して、いまにも裂けるかと思えるような大きな口をひらいて、母が私を叱《しか》りつけている。

その叫びつづける母の声で、私ははっと目をさました。息を吹き返した。だが、まだ正気ではない。いま……自分の身に何事が起こっているのか……それもわからない……。

私は本能的に、頭をブルブルッと左右に激しく振って意識をとりもどそうとした。すると、まだつぶったままの私の目の奥に、故郷の氏神《うじがみ》さまの森が、生家《せいか》の屋敷のすみにあるお稲荷《いなり》さまのお堂が、そして、村じゅうの家が、林が、田圃《たんぼ》が、ぐるぐるぐるぐるぐるぐると回って見えてきた。

——どうなっているんだ！　どうしたんだ、この俺は？

ずいぶん長い時間に思われた。だが、じっさいには十数秒、それも二十秒とはたっていまい！

――そうだ！　俺はたったいまガダルカナル島の真上《まうえ》で、敵の八機編隊に単機で突っ込んで、その集中《しゅうちゅう》砲火《ほうか》を浴びたんだ！　そして、どこかに大きな傷を負った！

私はやっとそのことに気がついた。しかし、人が死ぬとき、魂は故郷に帰るという。すると……。

――いま俺は死にかかっている！

不思議な感動が、いや感動とはいえない熱っぽいものが、一瞬、私の心を支配した。

――戦死だっ！　戦死だっ！　戦死だっ！

もうろうとした頭の中に、誰の声かわからない声が、われ鐘のように反響し、次から次へと重なりあって落ちてくる。

――戦死だっ！　戦死だっ！　戦死だっ！

私はふたたび真っ暗な底なしの井戸に、背中を下にして吸い込まれていくような感じで意識を失っていった……。

それから二十五年――。

私はいまになって、つくづく、「人間の運命ほどわからぬものはない」と考えさせられている。もしも二十五年前に、あのガダル上空に散っていたら、もちろん現在の私は存在していない。しかもそうなる危険も可能性も、私の周囲をびっしりと取り巻いていたのだ。

だが、私たち兄弟四人に限ってみても、まったく、人間の運命ほどわからぬものはないと思う。

私たち兄弟四人は、太平洋戦争に全員が出陣した。兄は陸軍戦車隊で満州の戦闘に、すぐの弟は同じ陸軍でビルマ戦線に、末弟《まってい》は私と同じ海軍航空部隊と、文字どおり一家をあげて戦いに参加した。

その結果は、すぐの弟甚市《じんいち》がビルマで戦死し、兄の秋雄《あきお》はソ連での抑留《よくりゅう》生活が原因で、帰還後に病死し、けっきょく現在生存しているのは、末弟の欣吾《きんご》と私の二人だけであり、しかもこの二人がそろって戦傷者である。

むかしから飛行機乗りは、平時でさえ危険視されていたし、ましてや戦争にでもなればその危険率は数十倍とみられていた。

その意味で、戦争がはじまったとき親類の者たちは、私が一番先に戦死するだろうと話し合っていたということだし、私自身でさえ、私が戦死一号だと、覚悟をきめていたのであった。ところが、その一番危険な私が、とうとう生き残ってしまった。まったく世の中は定石《じょうせき》どおりにはいかぬものだと、つくづくそう思う。

二十二年前、私は横須賀海軍航空隊で敗戦を迎えた。あれほど生命を賭けて、一生懸命戦ったのに、日本は惨敗《ざんぱい》した。世界を相手にしては必然の結果とはいうが、無念の涙をこらえきれなかったあの日も、いまは遠いむかしであり、そのとき私は二十九歳であった。

操縦桿を握って空を駆《か》け、戦うことしか知らなかった私にとって、戦後の生活は決して楽なものではなかった。しかしその苦しさも、戦いの日の苦しさにくらべたら、ものの数ではないといえる。どんなに苦しくても、楽しい明日の生命は保障されているのだ。明日への保障――かつてはそれがなかった。約束されていたのは死だけだった。平和の日のありがたさを、私はいましみじみと嚙《か》みしめている。

私は、大正五年八月二十六日朝、日本の最南端、九州佐賀市《さがし》の南郊《なんこう》、佐賀郡西与賀村《にしよかむら》に生まれた。

佐賀は葉隠《はがく》れ精神の発祥地《はっしょうち》として、古くから日本人の口の端にのぼり、その武士道は、よくもわるくも、多くの日本人にとって精神的な支柱の役目を果たしてきた。曰《いわ》く〝武士道とは死ぬことと見つけたり〟――しかし、この言葉は、決して徒死《とし》を意味しなかった。

また、西与賀村は、昭和二十九年八月、地方自治法の改正にともなって、現在では佐賀市に編入されているが、佐賀平野の中の米どころといわれ、隣村との境を流れている本庄川《ほんじょうがわ》を舟で下れば、四キロたらずで有明海《ありあけかい》に出る。だから漁業も盛んである。

有明海は潮の干満の差が激しく、潮が満ちれば、本庄川を八キロも上《のぼ》った佐賀市あたりまで潮が差しこみ、潮がひけば遠い沖合まで干潟《ひがた》となる。

その干潟で、土地の言葉では、〝むつごろう〟という魚が沢山とれた。これはハゼに似た魚だが、目玉を蛙のようにギョロギョロさせ、鰭《ひれ》を足のように使って這《は》い歩き、木にものぼる奇妙な魚である。この奇妙な魚が有明海の特産だったという。味は蒲焼《かばやき》にすれば天下の絶品、値も鰻《うなぎ》より高い。だから村人たちは有明海に出て、この〝むつごろう〟や、蝦蛄《しゃこ》や、平貝《たいらがい》や、〝くちぞこ〟という鰈《かれい》などを漁《すなど》った。

冬には、食用くらげも沢山とれた。蟹《かに》もとれた。片方の鋏《はさみ》だけがバカでかい蟹だが、それをつかまえて、生きたまま、塩と唐辛子《とうがらし》を加えて搗《つ》き砕《くだ》き、いわゆる〝蟹漬《がんづけ》〟をつくる。これは酒の肴《さかな》の珍味として通人《つうじん》によろこばれた。

私は、そういう村に育ったのだが、幼い頃から、まことに手におえない暴れん坊であったらしい。私の父は、村でも大きな農家の三男として生まれたが、農家の次男、三男に生まれた男の運命は、今も昔もさして変わらず、私たち兄弟が生まれても財産分けをしてくれない長兄のやりかたに見切りをつけて、私たちの一家は、夜逃げ同様の形で生家を出たらしい。私が五歳のときであった。

が、そのときの家出の原因の一つを、じつは私がつくっていたと知ったのは、もちろんずっと後のことだが、原因はやはり私の暴れん坊にもあったらしい。らしいというのは、そのことが私自身の記憶の中に、はっきりとした実感として残っていないからだが、いずれにしろ、ただでさえ難しい大家族の中で、私は伯父《おじ》の長男と毎日のように喧嘩《けんか》しては泣かし、近所の子供と騒ぎを起こしては、そのつど苦情を持ち込まれる。父も母も、ほとほと手を焼いていたらしい。たまにひとりでおとなしくしていると思ったら、いま着がえたばかりの着物を着たまま、泥田《どろた》の中でのたうちまわっていたとは、私が成人してからの母の述懐である。

私たちの一家は、家出してももちろん本家から財産を分けてもらえなかった。一家はたちまち生活に窮した。おとなしくて実直な父——そんな父に同情してくれた人が、町の小さな精米所に世話をしてくれた。父はそこへ勤めるかたわら、細々と米の仲買《なかが》いをして生計を立てていた。しかし、生活はそれでも極度に苦しかった。

小学校一年生の頃から、私は、米俵《こめだわら》を積んだ父の荷車《にぐるま》のあと押しをして、町の精米所へ通った。そしてその帰り道、からの荷車に乗せてもらうのが、その頃の私の無上のよろこびだった。

私の父は一メートル五十センチたらずの小男であったが、六十キロの米俵を軽々とかつぎあげる力持ちで、無口ではあったが、いつもにこにことしていて、誰からも好かれるよい父であった。私は小さい頃から、この父を誰よりも尊敬していた。おもしろいことに、私は次男であるが、名前は三郎である。次男なのに三郎、へんだなと思って母に問いただしたら、祖父の名の勝三郎から〝三郎〟の二字をもらったという。考えてみると、私たち親子が、本家から分けてもらえたものは、

父の坂井晴市。実直でだれからも好かれたという

母の坂井ひで。気丈な人物で、6人の子どもたちを育てあげた

私の名前だけだったことになる。

　私たち兄弟は、学用品も満足に買ってもらえなかった。しかし、不思議と私も兄の秋雄も学校の成績はつねにすぐれていて、そのうえ私たちは、運動会などでは、何をやってもトップだったので、いつもいつも〝坂井兄弟〟として村の評判をとっていた。そのことが、ひどい貧乏をつづけている父にも母にも、ただ一つの希望であり、自慢であり、楽しみでもあったらしい。が、それにもかかわらず、私の悪童ぶりはますますはげしく、隣の村などへ遊びにいくと、「そら、出口の三郎がきたぞ」と、子を持つ親たちがお互いに警戒警報を出す有様《ありさま》だった。

　おとなしいお人好しの父にくらべて、母は陽気で大変な人気者であったが、その一面おそろしく勝気《かちき》で気の強い人であった。

　私が小学校五年生のとき、学校の帰り道で、体の大きな六年生と、ささいなことから一騎打《いっきう》ちの喧嘩になったことがある。結果は格闘戦の得意な私が勝って、相手を田圃《たんぼ》のわきの堀の中へ叩き込んでしまった。私は着物の袖《そで》のほころびを押さえながら何くわぬ顔で、そっと裏口から家に帰ってひそんでいた。すると、まもなく母のかん高い声が聞こえた。私ははっとした。たったいま、田圃へ叩き込んできたばかりの六年生が、泣きながら私の母に訴えてきているのである。

「なに？　三郎と喧嘩して堀の中に投げこまれた！」

母の声が聞こえた。そして、さらにしばらく間をおいて、母の声が私の耳にはねかえってきた。

「あなたは六年生ではありませんか！　しかも三郎より、体もずっと大きいんですよ。あんな小さな三郎に負けるはずがありません。本当かどうか、いま三郎を呼んでくるから、ここの広場で、私の見ているところで、もう一度やってごらん。私も応援してあげるから……。三郎っ！　三郎っ！」

母の声が近づいてきた。私はおそろしくなって脱兎《だっと》のように逃げ出した。そして、その夜はおそくなってから家に帰った。夕食はぬきであった。母のおしおきではなく、これは私の自責の念からの制裁であった。いまでもそうだが、子供の頃から私は、空腹にはおそろしく強いのだ。

私が小学校六年生の秋のことであった。父はちょっとした風邪がもとで母と私たち六人の兄弟妹を残して、ぽっくりと死んでしまった。それからというものは、私たちは本当のドン底生活に入った。

母は親戚の経営する綿工場に通い、そこでもらう一日五十銭の日給が、幼い私たち一家のただ一つの収入だった。母は身を粉にして働いた。米どころのまん中に住みながら白いめしは食えなかった。麦の中にパラパラと白いめし粒の見えるような主食だった。

そのためか、通信簿の身体欄を見ると、脊柱正、栄養乙となっていた。この乙は、現在の言葉になおすと栄養失調を意味している。

さすがに本家でも見かねたのか、成績のよかった兄の秋雄にだけは中学の学費を援助してくれた。そんな状態の中にありながらも、私の腕白《わんぱく》は依然としておさまらなかった。そして六年生のとき、とうとうとんでもない事件をしでかしてしまった。

私たちのクラスは、四年生の時からずっと、武富正雄《たけとみまさお》先生が受け持ちであった。この先生は、まだ若い代用教員であったが、おそろしく教育に熱心で、毎日毎日、宿題の山で、それをちょっとでもおこたると、いきなり往復びんたが飛んできて、はりたおされたことも再三であった。

その制裁におそれをなして、とうとう六年生一同が、学校へいくのは嫌だ、といい出すようになってしまった。級長で餓鬼大将《がきだいしょう》の私が先頭に立って、ある日、クラスの全員をひきつれて、有明海まで逃げ、ついでに潮干《しおひ》狩《が》りをやってしまった。小学生のストライキである。たちまち、学校じゅう、村じゅうが大騒ぎになった。さすがの武富先生も、これには参ったらしく、その後はいくらかやさしくなった。

そんなにこわい先生ではあったが、先生の宿直の晩には、私と私の親友の富吉勇少年の二人が、呼ばれてよく泊まりにいった。すると、そういうときには、大きな腕で私たちを抱いて寝てくれる優しい先生だが、ひとたび教室へはいると、とたんに〝鬼〟のように変わってしまうのが、子供の私には、いつも不思議でならなかった。

こうして、いよいよ卒業も間近になった春三月、突然、私は、官吏《かんり》をしている東京の伯父（父の兄）に引き取られることになった。それは、もう母の手一つでは、どうにもやっていけないところまで、私たちの一家はきてしまっていたので、見るにみかねた伯父が、私を、思いもかけなかった東京の中学へ入れてやろうといってきたのである。

いよいよ出発の日がきた。私は母の心づくしの新しい紺絣《こんがすり》の着物に袴《はかま》をはいて、本家の伯父に連れられて家を出た。佐賀駅までの六キロの道を歩くのだが、武富先生はクラス全員を引き連れて村のはずれまで送ってくれた。

母はこの日も綿工場へ働きにいっていて、とうとう姿を見せなかった。気の強い母は、ひとの前で涙を見せるのがきっといやだったのだろう。

私は生まれて初めて、遠い旅というものをした。汽車に乗るのは、これが三回目だった。

東京駅のあの広大な建物を見たときの驚き——機関車もついていないのに客車だけが連なっ

て走っている省線電車を見たときの不思議さ——生きもののようにひとりで開閉するドア——なにもかも、十三歳の田舎《いなか》少年の私には夢のような世界であった。

私は、駒沢練兵場《こまざわれんぺいじょう》のすぐ下の上目黒大橋《かみめぐろおおはし》の伯父の家に、家族の一員として迎えられ、まもなく新宿の府立六中《ろくちゅう》を受験させられた。あたりを見まわしたら、着物にはかまばきの子は私ひとりだった。そして、試験の結果は、みごとに落第だった。田舎ではできる方の私ではあったが、ぽっと出の田舎者には、当時の優秀校であった六中に合格すること自体が無理なことだったのかもしれない。しかし、この落第によって私は、生まれてはじめて敗北を知ったのである。そして同時に私は、いっぺんに自信をなくしてしまった。

ストライキまでして反抗した武富先生ではあったが、その武富先生から頻々と激励の手紙がきた。あるときの手紙にはこう書いてあった。

「お前の机だけは誰にも坐らせず、元のままにして、いまでも教室に置いてある」

私はその手紙を見ているうちに急に故郷が恋しくなってきた。あれほど厳格だった武富先生だが、心の底では自分のことを、こんなにもかわいがってくれていたと知って、泣くことを知らなかった私の目に涙がたまってどうしようもなかった。（しかし、それから数年後に武富先生は亡くなられた）

六中を落ちた私は、その後、青山学院中学部に入学した。私は中学生になったのである。しかも、東京の中学生に。

伯父や伯母は、なにくれと面倒をみてくれたが、私は私なりの野望と向学心に燃えて、中学生生活を開始した。そして〝クラスの首席〟という座を絶えず狙いはじめたのである。

しかし、私の夢は、一ヵ月たらずで、脆《もろ》くも崩れ去った。田舎の小学校のときのように、ふたたび首席を占めようとする私の夢は、たちまち打ち砕かれてしまったのだ。

小学生の頃には首席でもなかった多くの東京の生徒が、私よりはるかに出来がいいという事実を、信じがたいことながら私は認めなければならなかった。

深夜まで必死になって机にかじりついてみたが、東京の生徒ほど、私はのみこみが早くなかった。

第一学期が終わって成績表をみると、私はクラスの中位の成績だった。伯父は明らかに失望した。

伯父が私の学費を出してくれたのは、私が見込みのある子供で、きっとクラスの上位になってくれるものと信じていたからである。

私は、その夏休みに、猛烈に勉強した。クラスの友人たちが遊んでいる間に、自分の勉強不足を補おうと決心したのである。

しかし、九月になり、新学期がはじまってみると、私はふたたび失望した。自分がなんの進歩もしていなかったことを思い知らされた。勉強のしかたが下手だったのだ。

こうした劣等感はなかなか癒《い》やされるものではない。私は自分よりも出来のいい人間を追いぬこうとするかわりに、自分と同じ程度のものを友人にえらんだ。それでも私は曲がりなりにも進級した。

だんだん東京の風にも慣れてその頃から私の腕白がふたたびはじまった。勉強もほとんどしなくなった。学校の授業にもついて行けない。自分の能力というものを、私は痛いように感じていた。

とうとうある日、保護者である伯父は学校に呼び出されて、担任の先生から、この少年はわが校の学風に合わぬ、これ以上、本院で学ばせることは出来ない、といい渡されてしまった。つまり、落第と退学のダブル・プレーだったのだ。

私は故郷へ帰されることになった。今度は送ってくれる者もいない。私は一人で佐賀へ帰った。孤影悄然《こえいしょうぜん》として母の元へ帰っていったのだが、母は私に叱言《こごと》ひとつ言わなかった。それどころか、ほんの数年間にすっかり成長した私の姿を見て、びっくりしたらしい表情をしていた。

大空への夢は果てなし

私には、もう中学をつづけることは許されなかった。それどころか、本家の伯父の命令で、私は慣れない百姓仕事を手伝うことになった。東京の生活から一転しての百姓仕事である。情けないことになってしまったが、これも身から出た錆《さび》で仕方のないことだった。私は諦《あきら》めて、朝は暗いうちから、夜は星を仰《あお》ぐ頃まで頑張りとおした。はじめは手伝いであったが、二年目に入ると、いつのまにか私が主役になっていた。それはつらい仕事であったが、この労働によって、なまっていた私の体力がこの期間に鍛《きた》えられて、細くはあったが、頑健《がんけん》に育っていった。

伯父は自分勝手に、この頃から私の未来像を描いていたらしいが、私は私でまったくちがったことを考えていた。

——東京では失敗したが、俺はこのまま、百姓では終わらないぞ。俺の将来には何かが待っているにちがいない。

私はそう信じた。いや、それ以上に、このまま百姓仕事をつづけていくことに疑問を感じさせた最大の原因は、本家が私の父に対して行なった虐待《ぎゃくたい》の思い出であった。あれほど頑張って働いた父にさえ、何一つ分けてくれなかった伯父である。同じ失敗は、私にとっても二度と繰り返してはならなかったのだ。

私は小さい頃から、スピードというものに異常な魅力を感じていた。それは、私がもって生まれた本能であったのかもしれないが、少年時代から私の行動は、まるでリスのように素早かった。

早いものなら何でも好き——将来なんになるかということよりも、スピードそのものに乗ることが私の夢であったといった方が、適切だったかもしれない。

この頃から私は、こうした自分の本能を生かし得るような仕事を覚えるのが、自分に一番向いているのではないかと真剣に考えるようになった。そして、第一番に考えついたのが競馬の騎手《きしゅ》になることであった。これなら、やかましい学歴などいらないはずだ。——しかし、この計画は、母はもちろん親類中の猛反対にあっていっぺんに挫折してしまった。

だが、私はスピードを諦めたわけではない。いろいろなものを頭に描いては、尽きせぬ夢をふくらましていた。ちょうどその頃、わが村から出た一人の海軍大尉がいた。その人の名は平《ひら》山五郎《やまごろう》といい、わが村から出たただ一人の海軍兵学校出の海軍士官であった。もちろん私ごときが近寄れる人ではなかったが、その頃、佐世保《させぼ》海軍航空隊に勤務していた平山大尉は、飛行艇の操縦に従事していた。

この大尉の飛行艇が佐賀付近へ飛来《ひらい》すると、きまって村の上空を低空で旋回《せんかい》してくれた。私は田植に疲れた痛い腰をのばして空を仰いでは、六月の青い大空を悠々と飛んでゆくこの銀色の飛行艇の勇姿を、いつまでもいつまでも見送っていた。

——いいなあ！　早いなあ！　爽快だろうなあ！　一番早いものはあの飛行機だが、中学さえうまくやっていたら、俺にもできないことではなかっただろうが、いまの俺には、飛行機乗りになるなどと考えるだけでも生意気なことだ！

望みのない遠い夢のように思えて、私はすっかり諦めきっていた。

大正年代、日本海軍飛行艇隊の主力機として活躍したF5飛行艇

ところが、その夢が、かならずしも不可能でないことを、私はまもなく知ったのである。それは、村役場に行ったときのことである。ふだんなら村役場になどまったく用のない私が、伯父の使いではじめて役場の門をくぐったとき、そこの掲示板に、「海軍少年航空兵募集」のポスターを見たのである。これも私と伯父の不思議な因縁《いんねん》だったのかもしれない。しかし、いまのいままで海軍の飛行機乗りは兵学校出の士官でなければなれないものだと思い込んでいた私が、この一枚のポスターによって自分にもそのチャンスが与えられているという事実を、はっきりと知ったのである。

——よし、これだ！　私の胸は躍《おど》った。俺は東京の中学は中途でしくじった。しかし、それは勉強をなまけたからだ。小学校の頃はよく出来たんだ。やればきっと出来るんだ！

一度は失った自信だったが、こんどはそいつが心の底から湧《わ》き上がってきた。それからの私は、受験に必要な本をひそかに読みはじめた。佐賀中学に通っている兄の教科書も読んだ。わからないところは兄に教えてもらった。

——勉強だ！　勉強しなければ人間はえらくなれん！

私はようやく自分の将来のことを、目標を立てて真剣に考えるようになった。

ある日、私は意を決して、少年航空兵になりたいという自分の希望を兄に打ち明けた。兄はしばらく考えていたが、「よし、やれ！」と賛成してくれた。

そして、悪いことだが、母には内緒で印鑑を持ち出し、願書をつくってくれた。

しかし、この受験はみごとにすべってしまった。残念でならなかったが、このときの失敗はあまり気にならなかった。なぜなら、まだ来年があるぞ、という希望が残っていたからである。

私はさらに熱心に勉強をつづけた。ところが、その翌年の受験は、手違いから期日を逸し、せっかくの猛勉強も水の泡《あわ》となったかにみえた。だが、そのすぐあとに、「一般海軍志願兵募集」のあることを知り、さっそくこれに受験した。

——少年航空兵への受験は、二度とも失敗したが、なんでもかまわない。こうなったら、とにかく海軍に入ってしまいさえすればいい。海軍には飛行機がある。その海軍にさえ入っていれば、いつかは、好きな飛行機に近づくこともできるだろう。

私は真剣にそう考えた。それは、貧しい家の子供が、高価な玩具《がんぐ》を欲しがっても、とても買ってはもらえないが、しかし、デパートの玩具売場に行けば、それがある。自分のものにはならなくても、そこへいけば、見ることはできる。さわることもできる。私はそんな気持だった。その上、聞くところによると、海軍に入ってからでもまだ、飛行機へ進む道があるらしいという。私は希望をだいじに持ちつづけた。

その頃の私の体重はわずかに四十八キロ、身長は百六十一センチ、ヒョロヒョロのからだであったが、学科試験はどうにかパスした。しかし、身体検査は合格点ギリギリの線であった。私は泣いて検査官にたのんだ。

そして待ちに待った合格の通知がきた。伯父は烈火《れっか》の如くに怒って役場へ取り消しの交渉に行ったが、伯父にはその権利がなかった。母が承知してくれたからである。

昭和八年五月一日——いまは不承不承ながら許してくれた伯父につき添われて、私は佐世保海兵団に入団した。村から入団するのは私ひとりであったが、入団式に出てみると、なんと三千人以上もいる。私はびっくりしてしまった。

型どおりの入団式を終わって、私は海軍四等水兵を命じられ日本海軍軍人の最後尾《さいこうび》に列せられた。佐志水《さしすい》一四七四九号、これが海軍における私の呼称番号《こしょう》となった。

私は兵科の第八分隊に編入され、同僚二百名と起居をともにし、新兵教程《しんぺいきょうてい》にはいることになった。受け持ち教班長の下士官に導かれてはじめて兵舎に入り、夏冬の被服を受け取り、寝具のつくりかたを教わりはじめたとき、思いがけない災難が私に襲いかかった。

それは次のようにしてであった。

私は十二教班で兵舎の東の端の方にいた。汗だくで慣れないハンモックをつくりながら、ひょいと西の方——一教班の方を向いたとき、私の視線の方向に、昨夜一泊した旅館で一緒になった四国出身の新兵がいた。気が合うというのか、二人はいっぺんで友達になった。もしも幸運にして、二人が同じ分隊になったら、そのときは仲よくしようと約束したばかりだったので、お互いにうれしくなり、私は思わずにこりとした。その途端である。

「そこの新兵！　こっちへこいっ！」

室中に大きな声がひびき渡った。見るとチョビヒゲをはやした目の鋭い下士官が私たち新兵の方を向いて、指さしている。私は何事が起こったのかと思った。誰を指さしているのかわからないので、私たちはぽかんとしてそこに突っ立っていた。だれも出てゆかないので、その下士官が目を吊り上げて私たちの方へ早足に近づいてきた。誰のことだろうと思って、私があたりを見まわした瞬間、その下士官の右腕が、私の胸ぐらをいきなりつかんだ。

「貴様だ！　お前だ！」

ぐいぐいと引きずられて、私は兵舎中央の下士官室の前に引き据えられた。私にとってはまさに青天の霹靂《へきれき》である。私は呆然《ぼうぜん》としていた。

——俺がなにをしたというのであろう？

下士官はものすごく興奮している。ピリピリピリッと耳をつんざくような笛《パイプ》が鳴った。

「全員注目！」

小さな号令台に立ったその下士官が叫んだ。

「貴様たちはもう市井《しせい》の人間ではない！　きょうから海軍の軍人になったんだ。海軍がどんなにきびしいところか、いま教えてやる！」と叫ぶように言い終わると、私を指さして、

「貴様たちの中に、初日から不真面目なやつがひとりいる、この新兵だ！」と怒鳴った。

——私がどんな不真面目なことをしたというのだろう？

私は疑問でならなかったので、

「私がなにをしたというんですか？」と問いかえすと、

「それが生意気だ！　貴様はいま、俺の顔を見て笑っただろう！」と、その下士官はますますいきり立ってきた。私は何がなんだかわからない。頭の中をぐるぐると回転させた。

——あっ、そうだ。さっき視線をかわした新兵とのちょうど中間にその下士官が立っていたのだ。

私は言い訳をしたが、もはや問答無用だった。

「これから海軍精神を注入してやる。みんなよく見てろ！」

下士官の手には野球のバットがしっかり握られていた。

「向こうを向けっ！　両足を左右に開けっ、両手を上に上げろっ！　歯をくいしばれっ！」

私は言われるとおりにした。その瞬間、野球のバットがうなりを生じて私のお尻に飛んできた。バタッと、いままで聞いたこともないような音が聞こえると同時に、焼きつくような痛みが襲ってきた。一発、二発、三発、四発、五発……私は歯をくいしばってこらえた。制裁は終わった。

「わかったか！　ゆけっ！」

私には、なにがなんだかさっぱりわからなかった。ゆけといわれたが、腰がひょこひょこして、しばらくは歩けなかった。このことで私は、たちまちみんなに顔をおぼえられてしまった。海軍は油断のならないところだ。

後でわかったのだが、この下士官は、大川好喜といい、海兵団じゅうのきらわれ者であったという。

——俺は絶対こんな上官にはならんぞ！

私は、すっかりしびれてしまったお尻をさすりながら、そう決心した。

苦難の日々に堪えて

陸戦、砲術、短艇……と、それこそ文字どおり息つくひまもないほどつづいた新兵教育もお

高速戦艦「霧島」。36センチ砲８門を搭載した３万2000トン級の巨艦。「榛名」は同型艦

わり、十月一日、私は戦艦「霧島《きりしま》」乗り組みを命ぜられた。はじめて聞く海軍軍楽隊の「蛍の光」に送られて、軍紀風紀の風が吹くといわれた海兵団の隊門を後にして、同僚百数十名とともに、佐世保軍港の沖合十五番ブイに繋留《けいりゅう》されていた戦艦「霧島」に乗り込んだ。

「霧島」は三万トン、当時としては有数の巨艦である。そのあまりにも大きいのに、私は東京へ着いたとき以上にびっくりしてしまった。

海兵団での五ヵ月の新兵教育で、海軍が生やさしいところではないことを経験させられていた私たち新兵ではあったが、やがて海兵団などはまだ序の口であることを、「霧島」で、いやというほど思い知らされた。

私の配置はよりによって、「霧島」でも一

番きびしいといわれた十五センチ副砲分隊で、人数も一番多く、乗艦してしばらくは、海軍軍人として日本の国の護《まも》りについているのか、殴《なぐ》られるために海軍に入ったのか、迷うほどのきびしさでもあった。

なにしろ、軍服を着せられたとはいうものの、中身はまだ十六歳の子供なのだ。下士官連中からは、坊や扱いされると同時に、猛烈に鍛えられた。憧れて入った海軍生活ではあったが、さすがに辛く、一日の訓練が終わって夜になると、新兵たちは海風《うみかぜ》の涼しい上甲板に集まって、故郷恋しさと辛さに、泣きながら慰め合ったものである。

「霧島」勤務一年――この間にも、一般水兵から霞ヶ浦《かすみがうら》の操縦練習生を志願する道は残されていたので、私はひそかにそれをねらって勉強をつづけた。海軍の教科書とともに中学の講義録もむさぼり読んだ。また上陸のつど、中学の教科書を買ってきて、わからないところは兵学校出の士官に教えを乞うた。上陸は三日に一回か、四日に一回の割にしか許されなかったが、私はその上陸のつど中学の夜間講習に通った。

ところが、私がひそかに操縦練習生を狙っているということが、いつしか上官の耳にはいり、励まされるどころか、「こいつ生意気だ」とばかりに、ひどい圧迫をうける結果となってしまった。

当時は大艦巨砲主義が、まだ海軍の主流をなしていたので、海軍の軍人としては、砲術《ほうじゅつ》畑《ばたけ》がその花形部署となっていた。その砲術畑へ、せっかく配属されたことを名誉とも思わず、ひそかに航空兵への転科を志すなどとはとんでもない不心得《ふこころえ》と、分隊の人々には考えられたのであろう。

そうして、そういう状態のもとに一年が経過したとき、私は上官のすすめにしたがって、不本意ながら砲術学校を受験させられてしまった。幸か不幸か合格。私は横須賀の海軍砲術学校へ入校した。

しぶしぶながらの入校ではあったが、ここでは天下晴れて勉強することができた。とはいっても、厳格な生活規則にしばられているので、思うぞんぶん勉強するというわけにもいかない。

九時になると消灯。私は寒い冬の夜でも、衛兵の目をかすめて抜け出し、外套《がいとう》を頭からかぶって練兵場で勉強した。

またあるときは、消灯後も便所だけは常夜灯なのを利用して、便所へ入って勉強した。しかし、これも間もなく衛兵に発見されて追いはらわれたので、こんどは新しい勉強法を発明した。それは、懐中電灯を買ってきて、就寝後、ハンモックに寝たまま、頭から毛布をかぶり、その下で懐中電灯をともして勉強するという方法である。これは長くつづいた。

やがて、卒業の日がきた。私は二百人中の二番という成績だった。

これで私は、あの六中受験の失敗や、青山学院での失敗以来、ずうっと失っていた自信を、どうやら取りもどすことができたのである。

――そうだ。俺はやっぱりできるんだ。よし、この自信をもって、あくまでも操縦練習生へ突進しよう。

私は意を新たにした。

ところが、卒業成績がよかったことが、また私を不幸にした。私は補習員として砲術学校に、あと半年、残ることを命じられたのである。これでまた半年、希望への道がふさがれてしまった……。

こうして、半年間の補習員教育を受けた後、こんどは戦艦「榛名《はるな》」の主砲分隊へ配属された。昭和十年のことであった。私はすでに一等水兵になっていて、ピカピカ光る巨大な三十六センチ主砲の二番砲手を命じられた。

その当時の「榛名」には、九〇水偵《すいてい》一機と九四水偵一機が艦載機として搭載されていた。しかもその飛行機は、私の居住区のすぐそばに置かれている。

夢にさえ見た飛行機のそばまで、私はやっとたどりついたのだ。私はいつしかその飛行機の下士官操縦者に話しかけるようになり、ある日、ひそかに私の希望を話してみた。すると彼は大いに激励してくれた。私の決心は固くなった。そしてさらに、そこへもう一つ、私の決心を固めさせたことがあった。それは、戦艦「榛名」が演習のために、他の艦隊とともに太平洋へ出撃したときであった。私たち兵隊には、それまでは艦がどういう動きをしているのか、さっ

九〇式二号水上偵察機二型。戦艦、巡洋艦などに搭載されて弾着観測や近距離偵察に使用された軽快な2人乗りの水上機

九四式一号水上偵察機。3人乗りの水上機で、戦艦、巡洋艦などに搭載されたほか水上基地にも配備され、長距離の偵察に使用された

ぱりわからなかったが、きょうは仮装敵艦隊と砲戦になるらしいということが知らされた日の早朝のことであった。その下士官搭乗員が、偵察将校を後席に乗せて、一艦の運命を双肩《そうけん》にカタパルトから打ち出されていく勇姿を仰ぎ見たとき、同じ下士官でも、操縦員にはこれだけ責任のある任務が与えられるんだな、と思った瞬間に、私はいよいよ飛行機乗りになる決心を固めたのだ。

――彼にできることが俺にできないことはないはずだ、よし、やるぞ！

私はとうとう意を決して上官の前に申し出た。だが、許しはおろか、いきなり、「バカヤロウ！」と怒鳴《どな》られてしまった。しかし、私の決意は、もうそんなことではひるまなかった。私は屈せずに願書を提出した。当然のことながら私は上官の不興《ふきょう》を買い、栄誉ある二番砲手の地位から、一挙《いっきょ》に弾庫員《だんこいん》に落とされてしまった。

昭和十一年の夏、ついに、あこがれの操縦練習生を受験した。好運にして、第一次の学科試験に合格し、第二次試験は佐世保航空隊で行なわれたが、体格の貧弱な私には、肺活量と胸囲の不足が難関であった。いずれも規程に対してわずかではあるが達しないのである。何度もやりなおしてやっと通してもらった。

それから数ヵ月間の「榛名」における生活はいやなものだった。名誉ある二番砲手の座は人に奪われ、いきなり艦底《かんてい》にある弾庫員に蹴《け》おとされ、一トン近い三十六センチ主砲の砲弾を運搬させられる破目《はめ》となってしまったのだ。

大砲を捨てて、飛行機に変わっていく異端者への風当たりは、当然のこととはいえ思いのほか強かった。

第二次試験では、「榛名」乗組員として受験したが、第三次試験で霞ヶ浦へ行くときは「榛名」を退艦して、操縦練習生予定者という中ぶらりん的な存在となって出発した。

数千人の受験者の大部分が、一次、二次の試験でフルイにかけられ、残った百人が、霞ヶ浦航空隊に集められて、最後のテストを受けるのである。

私も一次、二次は、どうやら通過したが、さあ、こんどのテストは一大難関だった。このテストに失敗したら、私には二度と飛行機へのチャンスはめぐってこないのである。

佐世保駅を出発して二日目、土浦《つちうら》の駅前に立って空を見上げていると、複葉の練習機が次から次へと、目まぐるしいように上がったり降りたりしている。よくもこんなに沢山の飛行機があるものと驚くほど飛んでいる。

そして、この俺も、三次試験に通れば、あの飛行機に乗れるんだと思うと、身内がしらずしらずのうちにひきしまってきた。しかし、その反面、こんど落ちれば、また「榛名」に帰されるのかと思うと、暗い気持になった。憧れて、やっと辿《たど》り着いた霞ヶ浦の入口ではあるが、飛行機というまったくの未知、未経験の社会に飛び込むのであるから、合格できる自信はまるでなかった。

しばらくして私は、霞ヶ浦航空隊の門をくぐった。さすがにひとりの遅刻者もいない。翌日、さっそく身体検査が開始された。第二次の佐世保航空隊でも、いろいろむずかしい検査を受けたが、こんどの検査は、そのときとは比較にならないくらいきびしかった。いままでみたこともないテストの機械がならんでいて、その一つ一つを通過していかなければならない。目の検査だけでも、十数種類もあり、ついに、私が一番気にしていた肺活量のところへきた。私の前にならんだ連中は、難なくそこを通過していく。

とうとう、私の番がきた。

一回、二回、三回……と失敗を重ね、七回、八回となったとき、判定しかねた受け持ちの下士官が軍医官を呼んできて、私の結果を報告している。

ついに、くるところまできてしまった。

——やはり俺は駄目か！　と観念しかけたとき、軍医官が、

「もう一度やって見ろ、貴様のは、もう少しで規格に達するから頑張れ！」と激励してくれた。ありがたかった。

私はこれが最後とばかり、空気を胸の底の底まで吸いこんで、一ミリの無駄もないように顔を真っ赤にして慎重《しんちょう》に吹きこんだ。が、やはり足りない。

ついに軍医官は諦《あきら》めたように、「貴様は後回しだ」といって私を列外に出してしまった。

私は、ぼんやりとみんなの試験ぶりを見ていた。すると、他の人は、一回で難なくパスして

いく。残念でならなかった。

やがて、みんながおわって最後のチャンスが私に与えられた、私は、またも数回やりなおした。そしてやっと、規格の目盛りすれすれに達したように、私には見えた。目盛りを慎重にしらべている軍医官の顔を、私は心でおがんだ。

「よし、いいだろう」

その一言を聞いたとき、私はもう胸がいっぱいになってしまっていた。

ところが、一難去ってまた一難、次は胸囲測定である。肺活量と同じように、私のからだの弱点である。

佐世保のときも苦しんだが、やはりここでもまた、つかまってしまった。五ミリほど足りないのである。

故意に息を残して胸を張り、ごまかそうとすると、敵もさる者、そのくらいのことは先刻承知で、巻尺《まきじゃく》をあてながら、「貴様の姓名は?」「本籍地は?」と問いかけてくる。答えているあいだに吸い込んだ空気を吐き出させるのである。

出身地を言い終わる頃には、私の胸はちぢまって、何回やっても五ミリ足りない。

また軍医官がやってきた。

「さっきの肺活量の兵隊だな。困ったな」という。が、困っているのは私である。これも何回かやりなおしているうちに、やっと通してくれた。

一日がかりの身体検査に、私はやっと規格すれすれで合格した。しかし、その翌日に行なわれた適性検査にはするすると合格した。八十名が操縦練習生予定者として選抜され、さいわいに私も、その中の一人として残ることができた。

やっと八十名の中に入って初めて、将来、同期生となる予定者たちの顔ぶれを見渡す余裕ができてきた。

私と同じ兵科の水兵はもちろんのこと、整備兵、主計兵、機関兵、看護兵、電信兵など海軍の全兵種がそろった格好でまさしく混成体《こんせいたい》である。

そして、その翌日には、私たちは操縦練習生予定者として、やっと霞ヶ浦海軍航空隊の一員になることとなった。

去りゆく友に幸あれ

ここ数日来、文字通りテストに追い回されていたので、あたりの様子に気をくばる余裕もなかったが、一夜あけると、どうやら私にも落ち着いて見回すゆとりが出てきた。

まず隊門には、「霞ヶ浦海軍航空隊」と黒々と大書された大看板がかかり、そこを入って左にまがると、木造二階建の庁舎があり、さらにその後ろに、これも白く塗った士官宿舎がある。

庁舎の前には広場があり、そこには大きな号令台がデンと据《す》えられている。号令台から見渡すと、広場をはさんで右の方に平屋建《ひらやだて》の講堂が立ち並び、左にこれも木造二階建の兵舎が軒をならべている。

隊内の道路の両側と、建物のあいだには、かぞえきれないほどたくさんの桜の木が植えられていた。

操縦練習生の兵舎は、その幾棟《いくむね》か立ち並ぶ兵舎の中の最も古いすすけた一棟である。

そのすすけた大きな柱や階段の手すりを、私たちは、毎朝、食前に雑巾《ぞうきん》がけするのが日課になっていた。

私はそこを拭くたびに、黒光りしたその木目の一つ一つに、先輩たちの体臭と息吹《いぶき》が感じられてならなかった。

――この古びた兵舎から、日本海軍航空隊のパイロットたちが生まれていったのか……俺もこの伝統ある兵舎に入ったからには、先輩たちに負けないパイロットになってみせるぞ、頑張るぞ！

思わず握った雑巾に力がこもるのであった。

耳をすますと、はるか西の方で遠雷《えんらい》のように力強く、爆音のひびきが聞こえる。まだ行ったことのない飛行場で訓練前の試運転が行なわれているのであろう。

朝食を終えて、ほっとしていると、兵舎の前が急ににぎやかになった。気合いのはいった号令があちこちから聞こえはじめる。

そっと窓からのぞくと、よごれた飛行服に身をかためた操縦練習生たちが、五人、十人と隊を組んでは、当直練習生の号令で飛行場の方へ駆け足で、元気よくとんでいく。どの顔もまっ黒に日焼けして、目だけがギラギラと輝いている。希望に満ちた目である。

もうすぐ俺たちも、この先輩たちの仲間入りができるんだぞと思うと、それだけで背中がぞくぞくするほどの喜びがこみあげてくるのであった。


きのうで一連のテストは終わったのだが、さて、きょうはどんなことが私たちを待っているのだろうかと思っていると、当直の教官が来て、私たちを小さな講堂へ案内していった。だが、その小さな講堂のようすは、どうもきのうまでのようすとちがっていた。

背広を着た中年の人が二人、私たちの入ってくるのを待っていた。軍人でないことは、教官とかわしている言葉遣いでもすぐにそれとわかった。

中年のほっそりとした学者風の人が先生で、他の一人が助手らしい。気がつくと、その助手らしい人の前に机があり、その上に置いてある五十センチ角ぐらいのガラスの板に、謄写版《とうしゃばん》のインキらしい黒いものが塗ってある。そして、そのそばには白い上質紙がたくさん用意されていた。

何がはじまるのだろうと一同が固唾《かたず》をのんでいると、当直教員の説明がはじまった。

「これから、みんなの手相、人相、骨相《こつそう》を見てもらう。名前を呼ばれた者から、指示にしたがうように……」というのである。

さきほどの二人は、どうやら易者《えきしゃ》先生らしい。近代機械科学の粋《すい》を集めた時代の先端をゆく飛行機の操縦と人相学――これは最も新しいものと最も古いものの対比である。飛行機乗りと易者と、どんな関係があるのだろうか。

佐世保海兵団で入団の当日、バットで殴られたときとはいささか違っているが、あまりの意外さに私の脳味噌《のうみそ》はくるくると回転した。

ちょうどそのとき、私の名前が耳にはいった。めずらしくきょうはイの一番である。助手の指示にしたがって、そのインキの塗られたガラス板に左手を、つづいて右手を、べったりと押しつけて、そばに用意されてある用紙に手の形をとった。その紙は、いろいろの文字が印刷されていて、まるで医者のカルテのようであった。

手の形を写し終わると私は、その易者先生の前に呼ばれた。手形のときよりも、もっとくわしい項目を印刷した用紙に、私の顔を前後左右から観察しては、書きこんでいる。人相、骨相を観《み》ているのである。

後で聞くところによると、その人は水野義人という観相学《かんそうがく》の大家で海軍の嘱託《しょくたく》であった。パイロットと航空事故、これはいつの日か、誰かに、きっとめぐってくる忌まわしい因縁《いんねん》だが、海軍では、この水野さんの観た過去の統計を、練習生の採用時と専攻機種選定の際の参考にしていたのである。

霞ヶ浦航空隊は、陸上班と水上班とにわかれていて、水上班は霞ヶ浦の広々とした水面を利用してフロートのついた水上機の練習が行なわれており、ここを卒業したパイロットは、将来、水上偵察機や飛行艇にすすむのである。私たちは陸上班の予定者であった。

当時の霞ヶ浦航空隊では、練習生の兵舎や、飛行場の施設などが不足ぎみだったので、私たちは霞ヶ浦の北方三十数キロのところにある西茨城郡友部町《にしいばらきぐんともべ》に移ることになった。正式には、霞ヶ浦海軍航空隊友部分遣隊《ともべぶんけんたい》とよばれ、分遣隊長は伊藤良秋中佐だった。

私たちは、ここで初歩練習機の教程を受けることになったのである。

トラックに分乗して、私たちは友部分遣隊の隊門をはいった。飛行場のあるところは、たいてい田舎と相場《そうば》がきまっているが、友部分遣隊もその例にもれない。兵舎は広々とした麦畑の中に建てられた寒々とした数棟のバラックだった。

しかし、迎えてくれた教官の暖かさは、海軍にはいって以来、感じたこともないくらいの血のかよったものであった。

教官に連れられて、私たち八十名は兵舎にはいったが、そこには、私たちを迎える準備が何からなにまですっかり整っていた。身のまわりの整理をおえた翌日、用意された大きな荷物をひらいたところ、真新しい飛行服、飛行靴、飛行帽、皮手袋等が、ぎっしりとはいっていた。

当直下士官が、この中から各自に飛行服装を一揃いずつ渡してくれた。

「もしもサイズの合わないものがあったら、遠慮なく申し出るように……」

なかなか親切である。こんなことは当たり前といえばそれまでだが、足を靴にむりやりに合わせられた新兵当時のことを思うと、なみだが出るほどの感激であった。

みんなは、いっせいに着がえをはじめた。どの顔もうれしさに紅潮《こうちょう》している。すでに格好《かっこう》だけは、立派な飛行兵になったものもいる。

私はもう天にも昇る心地であった。九州の田舎で百姓をしながら夢にまでみた飛行服を、いま俺は着るのだ。飛行兵になりたいと決心してから、失敗をかさね、まわり道をくどくどと通って、あれからもう五年数ヵ月が経過していた。よくぞ、ここまでたどりついたものだと、自分の頰《ほお》をつねってみた。夢ではないらしい……。

明日からいよいよ最後の空中適性検査がはじまるのだ。真新しい飛行服に身をかため、教員の引率で、はじめて飛行場に出た。

幾棟もならんだ大きな格納庫、その格納庫の前のエプロンに、銀色に輝く三式初歩練習機が、数十機ズラリと行儀よくならべられて、整備員たちがいそがしそうに働いていた。

――わずか八十名の俺たちのために、こんなにも沢山の飛行機が用意され、沢山の整備兵が協力してくれている。これはよほど一生懸命やらなくてはいけないぞ。

新しい感激が胸に湧き上がり、やるぞ、という決意が盛り上がってきた。

飛行場の見学がおわって講堂にはいり、あすから行なわれる空中適性検査の要領の説明や注意があり、簡単な飛行機の操縦座学《ざがく》を受け、その夜は床にはいったが、胸がわくわくしてなかなか寝つかれなかった。

その翌日、いよいよ飛行機に乗る日、午前八時、一同は飛行服に着がえ隊伍《たいご》を組んで、駆足で飛行場へ向かった。

すでに練習機は、飛行場の中央に設けられた飛行指揮所の前に運ばれ、列線《れっせん》をつくっている。分隊長小林《こばやし》大尉の指揮によってテストが開始された。練習生予定者は、順番にしたがって、指定された練習機の後席に乗せられ、次々と出発、離陸していった。仲間たちのどの顔も、一生に一度といった顔つきである。

やがて私の番がきた。

教官に教わりながら後席に乗り込んだ。整備員が、腰バンド、肩バンドを締めてくれる。まことに窮屈《きゅうくつ》だ。前席と後席をつなぐ伝声管《でんせいかん》を連結する。やがてエンジンが始動された。ものすごい振動と爆音、顔にあたる強い風圧、感激を嚙みしめているいとまもない。

教官が振り返りながら叫んだ。

「出発する！」

伝声管から伝わる声が、異様に聞こえる。プロペラの回転が速くなったと思った、次の瞬間、飛行機はするするっと動きだした。操縦装置は副操縦装置になっているので、前席の教官

霞ヶ浦空の三式陸上初歩練習機。昭和５年頃から大戦初期まで主力練習機として愛用され、多くのパイロットを育てあげた

の操る手足の動きで、私の乗っている後席の操縦桿《そうじゅうかん》や、フットバー（足踏桿）が生きもののように動いている。映画で見た透明人間の運転する自動車のハンドルの動きを、私はふと思い出した。ガタガタ、ゴトゴトとひどく揺れる。滑走路が草原であるためらしいが、それにしても、なんと飛行機というものは乗りごこちの悪いシロモノだと思った。こわれかかった荷車で田舎道をいくようだ。

やがて出発点についた。

「離陸するぞ！　操縦装置に絶対さわるなっ！」

大きな声が伝声管からがなりたててきた。

エンジンの音が急に大きくなった。なんだかからだが後方に押しつけられる。地面を見ると枯れた黄色の芝草の一本一本が、いつのまにか数十条の線となってきた。ものすごいスピード……私にはそう感じられた。夢中で座席の縁《ふち》にしがみついていた。もう何がなんだかさっぱりわからない。

と、急にコンコンと地面を叩《たた》く音が消えて、いままで一度も感じたことのないものが全身に感じられた。文字で表わせば、ふわーっとしたとでもいおうか、そのとき、「いま離陸した！」と教官の声が聞こえてきた。私の生涯における最高最大感激の一瞬であるはずなのに、その感激を嚙《か》みしめている余裕がない。いや、それどころか、これから教わるとはいえ、こんな大変な技《わざ》を、俺が果たして覚えることができるだろうか。いや、いや、それよりも、これからすぐに試されるテストに合格できるだろうか。空中に浮いた爆音の中で、私は一瞬、不安にかられた。

が、そうした私の考えとは無関係に、飛行機はぐんぐんと上昇しているらしい。「いま二百メートル！」「いま三百メートル！」と、次から次に落ち着いた教官の説明が聞こえ、ついで、「いま高度は何メートルか？」ときた。

あわててきのう習ったばかりの計器板を見つめる。初めて空中で読む高度計、小さい目盛りが百メートル毎に刻まれ、千メートル単位のところはその刻みが大きくなっている。小さい目盛りの方を数えていると、高度計の針が少しずつ上がっているのがわかる。外を見た感じでは上昇しているのかいないのか、さっぱり私にはわからない。ここと思ったところで、「七百メートルです！」と答えた。後で考えると、こんなこともテストの一つであった。

「ただいま高度八百、水平飛行に移る」

いつ上昇飛行から水平飛行に移ったのか、これもさっぱりわからないが、高度計は八百メートルをピタリと指して動かない。つづいて教官の声が追いかけるように、

「手足を操縦装置に添えろ！」ときた。

私は胸をおどらせながら、しかしこわいものに触るような気持で、右手を操縦桿に、左右の足をフットバーに添えた。

「これが水平飛行の姿勢だ、よく覚えておけ！」

前席で修正する舵《かじ》の動きが、まるで血でもかよっているように、掌《たなごころ》にじわりと抵抗があるし、足の裏には、びくびくと教官の足の動きが伝わってくる。そのまま数十秒飛んだ。

「教官が手足をはなすから、いまの飛行姿勢を変えないように一人でやって見ろ！」と、こんどは伝声管がそう怒鳴った。私はびっくりした。そんなことは、できるはずがない。しかし、命令であるからにはしかたがない。思わず、握った操縦桿に力がはいり、フットバーを踏んだ両足が、かちかちに力んでしまった。もう夢中なのだ。

ところが、不思議なことに、飛行機は別に変わったこともなく、水平飛行をつづけている。本当に教官は手足を離しているのかなと思う。まだ真っすぐに飛んでいる。ともかくなんの異常もない。そのうちだんだんと、ほんとうに自分で飛行機を操縦しているような気持になってきた。

しかし、そんなうまいことは長くはつづかなかった。そのうちに飛行機は右に左に傾き、揺れだした。なおそうとすればするほど、揺れは大きくなる。寒い冬の空中なのに、腋《わき》の下に冷汗が流れる。

「よーし、はなせーっ！」

私はほっとした。つづいて、

「貴様、少しやったことがあるんじゃないか」

思いがけないことを教官が問いかけてきた。

「いいえ、ぜんぜんありません」

「そうか、それにしては上出来だぞ」

ああよかった、と思ったのもつかのま、

「飛行場はどこにあるかっ！」ときた。生まれてはじめて飛行機に乗せられ、はじめて操縦のテストを受けている私に、そんな余裕などあろうはずがない。しかし、答えなければならない。下界を右に左に、飛行機から乗り出すようにして探したが、自分の飛び立った飛行場どころか、いまどこを飛んでいるのか見当もつかない。みんな一様に箱庭《はこにわ》を上から眺めているように見える。

「わかりませーん」

「よーし、それでは飛行場を見せてやる」

いきなり機は大きく左に傾いた。あんまり傾きが大きいので、私はこのまま落ちていくのではないかと思った。

「左下を見ろっ！」

教官の声に目を皿のようにして見ると、飛行場が真下に広々とひろがり、飛行機が玩具のようにならんでいる。飛行場は、私の乗っている飛行機の腹の真下にあったのである。

「これから帰るっ！」

教官は機首を下げて、高度を下げはじめた。私もどうやら飛行になれて、あたりを見回す余裕がでてきた。

すると、右下前方の広々とした麦畑の中にムカデのような長い黒いものが見えてきた。よく見ると動いている。さらによく見ると、それは列車であった。黒煙が後方に一直線に流れているところを見ると、相当のスピードで走っているのだろうが、上空から見ると、まるで止まっているように見える。

ところが、そのうちに列車の真上ちかくに出た。下翼の前縁《ぜんえん》が列車の最後尾と接したと思ったら、するするっと追い越して列車は翼の下にかくれてしまった。

まわりにくらべるもののない空中では、速いという感じはほとんどしないのだが、列車を簡単に追い越すところを見せられて、私は初めて飛行機のスピードを実感でとらえたのだ。私は妙に感心していた。すると、そこへ、「これから着陸する！」と教官の声が聞こえた。

すでにだいぶ高度が低くなっていたらしい。下の農家の屋根が大きく見えてきた。やがて爆音が静かになった。すると、ドンとショックがきた。つづいて、ガタガタ、ゴトゴトと揺れだした。着陸したのである。

地上に降りたって教官に敬礼しながら、ふと見ると、教官は記録板に何か真剣な顔で書いている。どうやら私の採点をしているらしい。しかし、及第か落第か、私にはまったくわからない。後で聞いたのであるが、この間約二十分——これが私の初飛行であった。

第二日目は緩旋回《かんせんかい》、第三日目は教官だけの操縦でいろいろな特殊飛行をやってみせてくれた。この特殊飛行には、私は参ってしまった。ことに、「これから宙返りをやるっ！」と言われて、いきなり機が急角度にダイブしたときほど驚いたことはない。

キューンという高速音とともに、機はぐんぐん地球にくいこんでゆく——というよりは、地表が、猛然《もうぜん》として飛行機に向かってセリ上がってくるのだ。——これはもう駄目だ、激突だ！と思ったほどだった。

しかし、次の瞬間、田圃、地平線、森、家、雲、空……といったようなものが、ぐるぐるっと、私の目の前を通過した。急激に機首を持ち上げたらしい。

「いま背面《はいめん》だ！」

伝声管が、そう教えてくれたが、私には何がなんだかわからない。

自分が回転しているのではなくて、地球がぐるぐる回っている感じだった。

三日前、水平飛行でほめられた自惚《うぬぼ》れなんか、いっぺんにけしとんでしまった。こんなことばかりやるんだとすると、俺はとうてい飛行機乗りなどにはなれそうもないと思った。

機はふたたび水平にもどり、そのまま着陸姿勢にはいったのでほっとしたが、着陸前の降下飛行中に、教官はいろいろと質問を発し、私の答えをいちいち記録板に記入していた。

私はすっかり観念していた。これは駄目だ。いまのような有様《ありさま》では、とうてい合格は覚《おぼ》つかないと思った。

約一週間のあいだ、こうしていろいろの空中テストを受けて、いよいよ最後の「断《だん》」の下《くだ》る日がやってきた。私たち八十名の予定者は講堂に整列させられた。先任教員がノートを持っている。

「ただいまから名前を呼ぶ。呼ばれた者は右の方へ集まれ。呼ばれなかった者は左の方に集まれ」

ただそれだけ言って名前を呼びはじめた。呼ばれた者は、「はいっ」と元気よく答え、右側へ集まっていく。

まだ私の名前は呼ばれない。だんだん不安になってきた。すでに半分ほどが呼ばれている。それでも私の名前は呼ばれない。

ついに「以上！」の言葉で終わってしまった。

――やっぱり駄目だったか。

こういう日のあることを覚悟はしていたものの、さすがにガッカリして立っている足元がくずれていくような気がした。

私は、呼ばれなかった者が集まる左の方へ、足をはこんでいった。両方を見くらべると同数ぐらいだ。一瞬、水を打ったような静けさになった。ところが、意外なことが起こった。

「ただいま名前を呼ばれた者は、残念ながら、適性検査に合格しなかった者である。すぐ原隊に復帰する準備をするように……」

私は自分の耳を疑った。

――俺の聞きちがいではないらしい。その証拠に、呼ばれて右側に集まった連中の顔色がさっと変わった。唖然《あぜん》としている者もいる。青ざめて歯をくいしばっている者もいる。うなだれて目になみだをためている者さえいた。

呼ばれなかった私たちも一瞬ぽかんとしていたが、さて、こっち側が合格で採用されたとわかってみても、急に表情をくずして喜ぶような感情は出てこなかった。

厳選に厳選をかさねた関門を突破して、ここまで一緒にきた友の悲運にたいする同情の方がより強い感情となって、そのときの私たち合格組の心を支配していたのである。

呼ばれた組も呼ばれなかった組もしばし無言――いわゆる「寂《せき》として声なし」という姿である。私は帰って行く組に視線を向けることができなかった。うつむいたまま、飛行機乗りへの道を進むことのきびしさをしみじみと嚙みしめつつ、あしたにもここを去ってゆく半数の友だちの分まで勉強にはげみ、きっと立派な成績で、この狭い門を出てみせずにはおかないぞと、心に誓《ちか》わずにはいられなかった。

そしてその翌朝、原隊復帰者を見送って、ほっと一息ついたとき、はじめて自分はみごとに合格したのだ、という実感がこみあげてきた。

私は去っていった仲間たちのことを、いろいろと考えてみた。私は彼らより果たして優れていたのだろうか。中には、私よりずっと希望のもてた者がいたのかもしれない。合格、不合格の差は、紙一重《かみひとえ》であったようにしか思えない。

そんなことを考えている私の頭の中とは無関係に、きょうの日課の予定が進行していく。

先任教員の指図で、班の編制《へんせい》が行なわれ、私たち四十名は十名ずつの四つの班にわけられた。私はその四十名の中で兵歴が一番古かったので、号長《ごうちょう》（期長《きちょう》）を命ぜられた。

一日じゅう、雑用に追い回されて、その日の夕方、新編制の夕食の食卓についたとき、私は、食卓の上がいままでとちがっていることに気がついた。従来の兵食のほかに、各自に牛乳一本、卵一個がくばられているのである。

一緒にテーブルをかこんだ教員が、

「きょうからお前たちも食事だけ一人前の操縦者扱《あつか》いだ」と言って笑った。

これは海軍の空中勤務者に与えられる航空増加食であるが、操縦練習生に採用されたその日から、食事だけが一人前のパイロットと同じ待遇になったのである。ちょっと手を出すのが面《おも》はゆい感じであった。

翌日、霞ヶ浦の本隊から飛来《ひらい》された司令を迎えて、晴れの始業式が、友部分遣隊で行なわれた。

霞ヶ浦海軍航空隊司令片桐英吉《かたぎりえいきち》少将は次のように訓示した。

「本日、操縦練習生始業式ニアタリ一言訓示ス。

各自ハ多数ノ練習生志願者中ヨリ厳選ニ厳選ヲ経、各種ノ性能検査試験ニ及第シ練習生ヲ命ゼラルルコトニナッタ事《こと》ハ各自《かくじ》ノタメ海軍ノタメ喜《よろこ》ビニ堪《た》エン。

茲《ここ》ニ更《あら》タメテ言ウ迄《まで》モナク、現今ニ於《お》ケル帝国ノ状勢ハ国際的ニ国内的ニ非常ノ時デアル。軍人ノ第一任務ハ一旦緩急《いったんかんきゅう》アル場合ハ身命ヲ賭《と》シ、御国ニ尽《つく》スニアル。拠《よ》ッテ本務トスル処《ところ》ハ事《こと》アル場合、敵ト対シテ之ヲ撃滅シテ国威ヲ発揚シ、以《もっ》テ帝国ノ発展ニ貢献スル事デアル。敵ノ艦隊ヲ撃滅スル場合ニ於《おい》テ、作戦ニ戦闘ニ飛行機ノ偉力ニ依《よ》ル処《ところ》偉大デアル。我ガ海軍ニ於テ此《こ》ノ偉大ニシテ欠《か》ク可《べ》カラザル航空界ニ入ル各自ノ任務責任ノ大ナル事ハ、今更言ウ迄モナイ。

恐ラク、各自ハ飛行機ノ操縦ヲ志願シタ動機ハ、此ノ第一線ノ勇者タラントスル固イ信念ヨリナラント信ズル。然《しか》シ乍《なが》ラ人ハ日時ヲ経過スルニ従イ、其ノ固イ信念、覚悟モ、稍《やや》モスレバ忘レ勝チデアル。各自ハ、コノ立派ナ決心ト喜ビヲ永久ニ忘レルコトナク、立派ナ固イ気持デ将来ニ臨《のぞ》マネバナラヌ。此ノ心持サエ忘レズニ居タラ立派ナ軍人デアル。然シテ、各自ハ、コレカラ海軍ノ飛行機操縦ノ教育ヲ受ケルノデアル。決シテ手先ガ器用トカ物事ニ堪能《たんのう》デアルトカデ立派ナ操縦ハデキナイ。立派ナ人間、立派ナ軍人デナケレバ決シテ立派ナ操縦ハデキナイ。最モ心掛《こころが》ケネバナラヌ事ハ、如何《いか》ニシテ立派ナ海軍軍人トナルカニ努力セネバナラヌ。依ッテ、別科、其ノ他ニ武技体技ニ従事スル場合ト雖《いえど》モ、常住《じょうじゅう》座臥《ざが》、瞬時《しゅんじ》タリトモ此ノ心掛ケガ必要デアル。

操縦者ニハ二ツノ相矛盾《あいむじゅん》スル要素ヲ要ス。一方ハ注意周到、要心深ク細事モ忽《ゆるがせ》ニスベカラザル事ト、他ノ一方ニ於テハ、之《これ》ト同時ニ極メテ大胆ニ遂行セネバナラヌ。此ノ二要素ノ中、何《いず》レガ欠ケテモ操縦ニハ適サヌ。此レカラ先、立派ニ操縦ヲ行ナワレルニハ、此ノ二要素ハ勿《もち》論《ろん》、次ニ今一ツ、今日多数ノ志願者中ヨリ一部練習生ヲ命ゼラレタル如ク一人前トナルニハマダマダ幾多ノ難関ヲ突破セネバナラヌ。此ノ中カラモ幾部分ノ人ハ免《めん》ゼラルルコトモアルガ、アアシタラ免ゼラレハセヌカ、コウシタラ免ゼラレハセヌカ等ノ心持ハ全然持タズ、自己ノ全力ヲ打込ンデ教官教員ノ教エニ従事スル以外ノ事ハ考エナイデモ宜《よろ》シイ。之《これ》ガ最モ大事ナ事デアル。終リ」

小学校の頃から何回となくこのような始業式の訓示を聞いたが、この日ほどその一言一句をしみじみと感激して聞いたことはなかった。

一三式艦上攻撃機。日本海軍の艦上攻撃機（雷撃機）の原点となった傑作機

しかし、まだ安心はならない。それはこの訓示の最後の一言にあったのである。

「此ノ中カラモ幾部分ノ人ハ免ゼラルルコトモアルガ……」

つまりこれからも、まだふり落とすというのである。始業式の直後にも教官がいっていたように、卒業式がおわるまで、絶対に油断はならないぞ——この道にはいることのきびしさを、私はふたたび知った。そしてかたく、かたく絶対に残って見せるぞと心に誓った。

つづいて操縦実技の教員の受け持ちが発表された。大部分の組が教員一人に対し練習生三名であったが、二名の組も幾組かあった。

私の教員は久保《くぼ》二空曹ときまった。久保教員は、艦上攻撃機（雷撃機）専修の下士官で、昨年まで空母「加賀《かが》」に乗っていたとのことである。

海軍の操縦者は、霞ヶ浦を巣立つと、空母や陸上航空隊の実施部隊に配属になり、第一線機に乗って活躍するのであるが、何年か後には、たいてい一度は霞ヶ浦に帰ってきて、教員となって後輩の指導に当たる。これを私たちは母校への「お礼奉公《れいぼうこう》」といっていた。

久保教員もその「お礼奉公」の下士官で、私たちが二期目だといっていた。体格の立派な、眉毛の太い、落ち着いた、見るからに雷撃機乗りといった感じの強者《つわもの》——この強者の兄弟弟子に平山《ひらやま》練習生と岡部《おかべ》練習生、それに私の三名がなり、これから初歩練習機教程三ヵ月間をみっちり仕込まれることになった。

昼休みに私たち三人が揃って挨拶《あいさつ》にいくと、久保教員はちょうど指していた将棋盤《しょうぎばん》から目を離して立ち上がった。

「外へいこう」とひとこと言って、私たちを藤棚の下のベンチに連れていった。

私たちは直立不動の姿勢で、自分の官職氏名を次々に名乗って、

「よろしくお願いします！」といった。すると久保教員は、

「おい、あんまりかたくなるなよ、まあ坐れよ」といってベンチをすすめながら、煙草《たばこ》を一本ずつくれた。

海兵団や砲術学校のように、いきなり気合いをいれると思っていたのに、あまりやさしいので、私はかえってびっくりした。

「あすからの初練期間中、俺がお前たちを受け持つことになった、しっかりやれよ。クビにならなくてよかったなア。厳選に厳選されてきたお前たちに、注意することはないが、あすから、空中で、また、地上で、俺の教えることをすなおに聞いて、それを体得《たいとく》して、この友部に

おける初練教程をみごとパスするんだな。今夜の温習《おんしゅう》の時間に、始業式のときの司令の訓示を、なんべんも読みかえすんだ。あの訓示を、かたときも忘れずにがんばれよ。ほかの組に負けないようにいこうぜ」

私たち三人はなんどもコックリをしながら、久保教員の、この言葉を嚙みしめた。（この師弟第一組の四名のうち、現在生存しているのは私だけ、みな太平洋戦争で戦死された）

哀歓つきることなし

三月も末ともなると、さすがに寒かった関東の冬も終わりに近く、講堂のまわりに植えられた桜の蕾《つぼみ》もふくらんできたが、朝夕はまだ寒かった。きょうから座学がはじまった。流体力学でベルヌーイの法則もはじめて知った。午後は、あすからはじまる飛行訓練のための注意や、初歩の操縦座学を習い、それが終わって練習生として初めて飛行場へ出た。

格納庫《かくのうこ》前に三式二号陸上初歩練習機がずらりと並べられ、油にまみれた整備員が、いそがしそうに各部の点検を行なっている。

整備の先任教員から、まず飛行機のおおよその点検整備について説明があり、ついで飛行機の運搬法を習った。

格納庫の中におさめてある飛行機を、庫外《こがい》のエプロンに出して並べるのであるが、T字型の飛行機を、かぎられた面積の格納庫に、おたがいのすき間を利用して、ぎっしりと入れてあるから、飛行機同士が接触しないように、人がはさまれないように、安全に、そして迅速《じんそく》に外へ出すことがなかなかむずかしかった。

それに飛行機というものは、前方からの力に対しては、丈夫につくられているが、後方からの力に対しては、非常に弱いので、人力で運搬する場合には、原則として、翼の前縁《ぜんえん》につかまって押すのである。すると、飛行機は後退する。ところが、三式初練は尾橇《びそり》になっていて、ほとんどその向きが変わらないので、三点（前二輪、尾橇）のままではバックさせられない。そこで尾部を持ち上げて、ひとりが肩で担《かつ》ぐのだが、慣れない私たちには腰がふらついて、とても一人では担げない。だから二人で担ぐしかない。

エンジンから五、六メートル離れたところに指揮者がいて、両翼にそれぞれ四、五人がついて、右前、左後、両方前といった具合に、指揮者の号令にしたがって飛行機を動かす訓練がつづいた。

こうして、やがてあわただしい一日が暮れて、夕食後二時間の初めての温習時間がきた。私たちは、あしたからの飛行作業の希望に胸がはずんで、教科書の予習も、さっぱり手につかない。自分の受け持ち教員の噂《うわさばなし》話をする者、腰掛《こしか》けを操縦席にして、手足の操作を練習する者、ここまでたどりつくまでの苦心を語り合う者など、なかなかさわがしく、みんな興奮している。

やがて赤い腕章をまいた当直下士官が、見回りにやってきた。だが、自分も経験があるので、別に文句もいわず、ニヤニヤわらっている。

やがて温習終わりの時間となった。当直下士官が教壇に上がって言った。

「いよいよ、あすからは飛行作業だぞ。あすは上天気の予想だ。みんなだいぶ興奮しているようだが、飛行機操縦に睡眠不足は禁物だ。ゆっくり眠れよ。とうぶんの間、釣床《つりどこ》教練はやらんからな……」

やがて私たちは、ぐっすりと眠りについた。

四月一日午前六時、起床ラッパと同時に飛び起きた。すばやくハンモックをネッチングに納め終わって、床を簡単に掃《は》いて顔も洗わず表へとびだした。兵舎横の広場に整列する。朝礼である。当直将校に全員が揃ったことを報告する。

号令台の当直将校の音頭で、明治天皇御製《ぎょせい》の拝唱《はいしょう》がはじまる。これは霞ヶ浦航空隊伝統の日課の一つであった。きょうから飛行訓練がはじまるのだ。それにちなんでか、きょうの御製は、「朝みどり澄みわたりたる大空の　ひろきをおのが心ともがな」であった。

すがすがしい朝の空気を、腹いっぱい吸いこんで、大きな声で唱えた気持をそのまま大空へ持って上がり、きょうから一心不乱《いっしんふらん》に、飛行機の操縦に打ち込むのだと思うと、思わず身も心もひきしまってくるのであった。

「別課はじめ、かかれ」の号令で、隊員一同、蜘蛛《くも》の子を散らすように兵舎内の掃除がはじまる。私たち練習生の別科は、とうぶんの間、全員飛行準備の練習である。食事当番を二名ずつ残して、軍服のまま新しい飛行帽をかぶり、茶色の飛行靴を履き、表へ飛びだした。

私は号長であるので、級の指揮者である。二列縦隊、駆け足で格納庫に向かった。飛行眼鏡が朝日にキラリと光り、新しい靴がキュッキュッと鳴る。すべてが希望に満ち溢《あふ》れている感じである。

格納庫の前に着くと、すでに整備員は一足先に着いていた。整備教員の指図にしたがって、数班にわかれ、飛行機を格納庫前のエプロンに整然とならべる。やがて車体を真っ赤にぬったスターターがやってきてエンジン始動にかかった。

一機ずつ試運転が念入りに行なわれた。そして、やがて二十機の飛行機全部が試運転を終わった。エンジンが停止する。騒音から、一瞬にして解放され、耳の中がキーンとなっている。

七時三十分、兵舎に帰って朝食についた。いよいよ、きょうから飛行作業がはじまる。嬉しいような、不安なような、練習生一同が異様な興奮状態で、落ち着かない。大半が牛乳と生卵のいきおいで、めしを胃袋に流しこんでいる。私もその一人だ。

八時十五分、全員が飛行服に身をかためて、格納庫前にいった。飛行機は、すでにエプロンにはなく、飛行場の中央にずらりと列線をつくっている。一足先に教官が運んでくれたらしい。落下傘《らっかさん》格納庫から、各自が落下傘を一個ずつ担いできて、ふたたび隊伍を組み、列線の方へ駆け足でいくと、列線の横に、飛行指揮所が準備されていた。指揮所といっても、特別の建物があるわけではなく、待機用の木の椅子《いす》や、搭乗割《とうじょうわり》の黒板が配置され、前には折り畳み式の椅子が、沢山ならべてある。これは教官用である。すっかり指揮所の準備ができ上がっている。あすからは私たち練習生が、この準備もしなければならない。

分隊長小林大尉をはじめ、全員そろっているところで、私たち練習生は、二列横隊にならんで、飛行訓練開始の小林分隊長の第一声を待った。やがて分遣隊長伊藤《いとう》中佐も見えた。

「ただ今から、飛行訓練を開始する。教官の教えを素直に聞いて、しっかりやるように、掛《かか》れっ！」

これだけであった、指揮所横に立てられた大きな吹き流しが、風をいっぱいふくんで、北を向いている。そのそばに長さ十メートル、幅一メートルの布板《ぬのいた》が、T字型に北に向けて置いてある。これは現在北風であるから、離着陸は、北向きのコースを使用することを示している。

分隊長の「掛れっ！」の号令で、当直下士官が列線の方に向かって、右手を頭の上で大きく円形に振り回した。エンジン始動の合図である。私たち練習生は隊伍をといて、黒板の搭乗割の前に駆け寄った。誰でも同じ気持で、まず探すのは自分の名前である。一番左の列に教官の姓の頭文字が、上から下へ、ずらりとならんでおり、その右に、搭乗順に練習生の頭文字が書いてある。

海軍航空隊の搭乗割の書きかたは、士官はその頭文字を○でかこみ、准士官《じゅんしかん》は△、下士官《かしかん》はへのマークを上につけてあらわす。練習生はノーマークである。︿久坂平岡坂平岡となって黒板の中ほどにあった。私たちの久保班は、私がトップバッターである。よく見ると黒板の中央に、本日の教課「離着陸同乗」と書いてある。まず飛行の第一歩である離陸と、着陸の練習がはじまるのである。

私は用意された落下傘を、久保教員に教えられながら、しっかりとからだにつけた。当時の落下傘は、装着バンドと傘体が切り離せない一体のものであったので、落下傘を身につけると、四キロほどの折り畳んだ傘体が尻の後ろにぶらぶらと下がっていることになり、両手を後ろに回して、その動揺を防ぎながら歩かなければならない。いや、走らなければならないので、まことに具合が悪い。いよいよ列線へ出発するのであるが、出発前には、自分の名前と、飛行作業の科目を、飛行場指揮官にとどけなければならない。

きょうの指揮官小林分隊長の前方、約十メートルのところで、直立不動の姿勢をとり、挙手の敬礼をしながら、

「坂井練習生、離着陸同乗出発します」と大きな声で申告するのであるが、私は思わぬところでつかえてしまった。昨夜の温習の時間に、十分練習しておいたのであるが、極度に緊張すると、この離着陸同乗という言葉がなかなかうまくいえない。三、四回やりなおして、やっと答礼をいただいた。

すでに私より前の数班は、離陸を開始している。私はぶらぶら揺れる落下傘を、両手でしっかり押さえて、定められた私の飛行機へ、元気よく一目散に走った。久保教員は、ゆうゆうと

落下傘を担《かつ》ぎながら歩いてきた。

きょうの私の愛機は、カ－五二五号機であった。すでに受け持ちの整備員が、出発前の試運転を終わって、エンジンをスローに落としながら待っていた。

いま担いできた落下傘をつけ終わった久保教員は、チラリと私の方を見ながら、器用な体つきで前席へ乗り込んだ。そして、下で用意している私を見下ろしている。私の同乗を待っているのだ。

私はのどもさけるような大きな声で、「坂井練習生同乗します」と敬礼しながら叫んだ。師に対する礼である。

ところが久保教員は、「よし、乗れ」と言ってくれない。私は聞こえないのかと思って、もう一度大きな声で、同じことを叫んだが返事がない。三度目を叫ぼうとすると、久保教員が大きな声で、座席からからだを乗り出して、

「貴様、乗る前にすることを忘れていないか」と怒鳴った。

私はすっかりどぎまぎしながらも、ぐるぐると脳味噌を回転させた。きのう習った操縦座学を、初めから映画のフィルムを早回しするように――。

すると、思い出した！　私は、しまったと思ったが、エンジンがすでに回っているので、まごまごするときではない。「わかりました！」と大きく返事をして行動に移った。

まず飛行機に乗るときは、飛行機の外から見える状態を、定められた点検法によって点検

し、出発可能であることを確かめなければならない。私は回転しているプロペラに注意しながら、飛行機のまわりを一回りして、出発準備が完了していることを確かめてから、「坂井練習生同乗します」とやった。今度は一発で、「よし乗れ！」ときた。

整備員に助けてもらって、練習生の席である後席に乗り込み、落下傘の自動索《じどうさく》のフックを機体の定められた個所にはめこんだ。座席の腰バンドと、二本の肩バンドとを整備員に手伝ってもらってはめるまではよかったが、いま一つ何か大事なことを忘れているような気がしてならない。思い出さなければならない。俺はのぼせている。落ち着くんだ、落ち着くんだと自分自身にいいきかせながら、ともすれば爆音に攪乱《かくらん》されそうな自分の思考力をまとめようとするが、どうしても思い出せない。

しばらく座席の床を見つめてみたが、駄目だ。ついで指揮所の方を振り返って思い出そうとした瞬間、脳天にポコンと軽い一撃を喰らうと同時に、

「どこを見てるんだ。何しているんだ！」と怒鳴られた。私は久保教員は後ろにも目があるのかと思ったほどである。

しかし、後で気がついたが、前席の教官席には後席の練習生を観察するためのバックミラーが備えつけられていたのである。また、軽い一撃を喰らったのは、バルサウッドという、当時の飛行機の整形用に使われたウドの大木のような軽い木で作られた棒で、げんこつでは後席までとどかないので、教官がひそかに用意していたものとわかった。

久保教員はまた振り返って、「これをつなぐんだ」といった。私の忘れていたのは前席と後席との伝声管をつなぐことであった。前後席には二本の細いパイプが通り、首からぶら下げた小さいじょうごのような形をした送話口《そうわこう》を教官の耳の方につなぐと、お互いの交話《こうわ》ができるようになっている。「どうだ、聞こえるか」と久保教員の低い大きな声が聞こえた。

「はい、聞こえます」とじょうごに口をつけて、大声で返事を返すと、

「俺は耳はわるくないから、そんな大きな声を出さんでも聞こえる。中ぐらいの声でよろしい」と注意された。

つづいて教官の声――。

「足をフットバーに正しくかけ、操縦桿《そうじゅうかん》を握り、正しい操縦の姿勢になって、操縦席から見た飛行機の姿勢を確かめよ。これがこの飛行機の三点の姿勢だ。その確かめる基準となるものは地平線だ。地平線がよく見えないときは、飛行場の端の地平線を仮《かり》の地平線と考える。

地上でも空中でも飛行機の姿勢を確かめるための基準は地平線だ。地平線と飛行機乗りの縁は切っても切れないものだ。地平線の高さは自分の目の高さと同じである（厳密にいうとそうではない）。地平線は自分である。

その地平線もぼんやり見ただけでは、まだ飛行機の三点の姿勢はつかめない。自分の目と地平線の中間の同じ高さのところに、目安となるものをつかまえる。それもできるだけ飛行機の中心に近いところ、たとえばエンジンのシリンダ、翼の支柱、翼間張線《よくかんちょうせん》、翼間支柱などの特徴

霞ヶ浦航空隊の中間練習機教程時代。飛行場中央の待機所で撮影。後方は九三中練。前列右から3人目が坂井練習生

があるところで、自分の感じと好みに合った個所を自分で見つけ、自分できめるんだ。着陸のとき、この位置まで引き起こして接地すれば、正しい三点着陸となる」（飛行機の三点の姿勢とは、飛行機が地上にいるときの姿勢、すなわち飛行機は、前輪二個と尾輪一個計三個で地上と接している。この三個で支えられて立っている姿勢を三点の姿勢といい、飛行機は三点から出発して、三点の姿勢で着陸する。このため、三点の姿勢は飛行機の姿勢の基本であるといえる）。

私は久保教員の説明を聞きながら、自分の目と水平線を見通す位置になにがあるか、また飛行機のどの個所がよいかをさがした。そして、まず左前方にみえる三番シリンダが、水平線と同じ高さであることを発見した。ついで胴体に取りつけてある翼の支柱にも、三点姿勢の目安をつけた。このことは、きのう操縦座学で習ってはいたが、いよいよ本番である。目を皿のように見開いて、その関係位置を見定めながら、「この位置だぞ、忘れるな」と自分に何度も何度もいい聞かした。

「覚えたか」

「はい、覚えました」

つづいて教官の声がした。

「もう一つ、離陸に際して、もっとも大切なことがある。それは一直線に離陸することである。ところが、飛行機は決してまっすぐには走ってくれない。プロペラは操縦席から見て、右回転をしているから、その回転の偶力《ぐうりょく》によって、機首を左に向けようとする力が働く。エンジンの回転を急に増速する場合、とくにその力が大きくなる。そこで飛行機が機首を左に振《ふ》り出したら、すかさず右足を踏み込んで、方向舵《ほうこうだ》を修正する。その修正をあて舵という。

ところが、そのあて舵が大き過ぎると修正しすぎて、飛行機はこんどは右に回り出す。あてて左足で修正する。初めのうちは、その最初の右足のあて舵がおくれるために、あて舵がかさなって、左、右、左、右と大きく飛行機はくねりながら走って離陸するが、蛇行するのはまだよい方で、あて舵の加減とタイミングがはずれると、飛行機は操縦者の意思に反して、初めに回り出した方へ、どんどん旋回して、いくらあて舵をしても、その効き目は現われず、ついには転覆《てんぷく》するか、旋回の外側の脚《きゃく》を折ってしまうことになる。

そこで、飛行機が機首を振りはじめたかどうか、少しでも早く気がつかなければならない。そのためには、直前方に目標を定めることである。その目標も、なるべく遠距離のものを選ぶことである。遠くに見える山の頂上、森、なんでもよろしい。その定めた目標に向かって、一直線に進むように修正する。

滑走しはじめてまだ気速《きそく》がついていないときは、舵の使いかたは思いきって大きく、気速がつくにしたがって、舵が敏感に効いてくるから、すばやくこまめに使う。飛行機が地面を離れるまで左右の修正は方向舵だけで行なう」

簡単な交話器であるが、はっきり聞きとれた。

「これから出発前の試運転をする。要領をよく覚えておけ」と久保教員が言い終わらぬうちに、いままで静かに回っていたエンジンが、もう生き物のようにコントロールされてくる。いよいよ出発だ。

「貴様、大分ノボせているようだが、みんな初めは同じだよ。そのうちだんだん慣れてくるからな」

さすがにベテラン教官だけあって、新前《しんまえ》練習生である私の心の中まで、お見通しである。この一言で私はすっかり落ち着いた。

エンジンが急にスローになった。久保教員は大きな操作で操縦桿とフットバーを、極限から極限まで数回うごかしてみて、操縦装置に異状がないことを確かめてから、私にも同じことを手足を添えながら教えてくれた。

両手を顔の前にそろえて上げ、それを左右に開いた。チョーク（車輪止メ）はずせの合図である。待ちかまえていた二人の整備兵がさっとチョークをはずした。教官がわずかにエンジンを増速《ぞうそく》する。のろのろと飛行機はすべりだした。

整備員が両翼端《よくたん》に一名ずつついて、離陸地点に向かう私たちの飛行機の旋回を方向舵を見ながら、手伝ってくれる。自重わずか六百五十七キロ、ブレーキのない三式初練《しょれん》は、はじめて歩き出した赤ん坊のように行方が定まらない。ようやく混雑した列線を離れる頃、翼端の整備員がはなれた。

まず、飛行作業は地上滑走からはじまる。飛行機は、空中に飛び上がってはじめて、その全性能を発揮するように設計されているから、地上ではなかなか思うようにならない。無風のときや、風に向かっているときはやりやすいが、横風や追風《おいかぜ》の場合など、飛行機はその構造と性質上、ちょっと気をゆるすと、風上に向かうくせがあり、三式初練では秒速八メートル以上の風の日はひとり歩きはできず、十メートルとなると飛行作業は危険となる。

きょうは北の風なので、離陸する飛行機は、申し合わせたように飛行場の南端寄りの出発線に向かってのろのろと地上を滑走している。

地上滑走は、はじめの間は非常にむずかしく、また危険であるのでやらしてくれない。出発線に向かう地上滑走中にも教官の説明がつづく。

「前後左右をよく見て、地上にいる飛行機で、自分に接近してくるものはないか。出発線に近づくにしたがって、南の方から降りてくる飛行機には、とくに注意する。飛行場の使用は、降りてくる飛行機が優先だ。他機の邪魔にならないか、翼のかげや、見えにくい後方は念をいれて見張り、つねに安全を確かめる」

「さあ出発線についた。もう一度、前方と後方を見張って安全を確かめる。まごまごしていると、次々と降りてくる飛行機、上がる飛行機があって危ないぞ」

「よし、離陸する。手足をかるく操縦装置に添えろ……」

飛行機は北風に立って、急速にスピードを増し、滑走をはじめた。

私はいわれたとおり、操縦装置にかるく手足を添えた。いよいよ実際に飛行機の操縦を教わるのである。

「スロットル・レバー全開！」

エンジン全力回転……ものすごい爆音……武者《むしゃ》ぶるいに似た振動が、飛行靴の踵《かかと》や座席から、全身に伝わってくる。

操縦桿を、前方へいっぱいに突っ込むと、昇降舵《しょうこうだ》は下《さ》げ舵《かじ》となる。まもなく尾部が上がって飛行機は頭を下げた。つまり三点姿勢から、空気抵抗の少ない地面に対して水平の姿勢をとったのである。

これはかぎられた長さの飛行場を、もっとも有効に使うために飛行機に対して、少しでも早く気速を与えなければならないからである。

尾部が上がって水平になると、また急にスピードが増してくる。いままでエンジンと胴体のかげにかくれていた離陸目標が、はっきり見えてくる。枯れた飛行場の芝草が縞模《しま》様《も》の急流《よう》となって、後ろへとんでいく。

教官の緊張した声が伝声管から聞こえてきた。

「この位置まで機首を突っ込むんだ。水平線との関係位置を確かめろ。これ以上に突っ込むと、ペラが地面を叩《たた》いて危ない。よく覚え込め。目標を忘れるな。この位置で自然に浮き上がるまで待て、もうすぐ地面を切る（離れる）。むりに操縦桿で引き上げてはいけない。わかったか！」

私はまだ操縦しているわけでもないのに、夢中で教官の言葉と、実際を確かめながら操縦桿にしがみついていた。

「操縦桿が固い！」

久保教員の声に、はっと気づいて、かるく持ちなおした。飛行場の端にある農家が、木立が、麦畑が、急速にこちらに迫ってきた。

「まもなく離陸だ！　この頃から、突っこんだ操縦桿を少しずつゆるめ、中正の位置までもどしてくる。いま中正だ」

その言葉が終わると同時に、機がふわりと浮いた。自然に浮いたという感じであった。

闘魂《とうこん》こそ勝利への道

下界の林や家が少しずつ小さくなり、視界が大きくひらけていくので、飛行機が、いや自分が、いま地球を離れて空中へ上昇しているのがよくわかる。教官に注意をうながされて、計器《けいき》板《ばん》の高度計を見る。精密《せいみつ》高度計が、時計の秒針くらいの速さで機の上昇力をしめしている。

一般に使用される高度計は、直径五センチくらいの、時計の文字盤のようなものに目盛りが刻んであり、時計の六時の位置（ゼロメートル）を起点として右回り、一万メートルで針が一周する。百メートル毎に、小さい目盛りが刻んであり、千メートル毎に、大きい刻みがつけられ、千メートルには1、二千メートルには2というように数字でしめされ、さらに五百メートル毎にその中間の刻みがつけてある。しかし、練習生用の精密高度計は、高度の感覚にとぼしい練習生に、離陸、着陸のときのように、超低高度の高さのカンを体得させるために精密用の針が、時計の秒針のように余分にとりつけてあり、その針は、一回りで百メートルをしめすほど敏感である。

高度計といっても別に難しいものではなく、一種の気圧計で、薄い銅系統の金属でつくられた空盒《くうごう》が、大気圧の変化によってふくらんだり、へっこんだりするのを、針の動きに変えたもので、精密高度計は、さらにその針の動きを極端に拡大したものである。

ところが、地上にいるとき、高度計の針はいつもゼロメートルを指しているとはかぎらない。その日の気圧によって、その指度は変化する。大きな低気圧が通過するようなときには、飛行機は地上にいるのに、高度計が二百メートルを指していることも珍しいことではない。だからパイロットは、操縦席に乗り込んだら、無意識のうちに高度計の針を〝0〟の位置に合わせるように、こころがけなければならない。

また、高度計の指しているゼロメートルというのは、海抜ゼロメートルという意味ではなく、その飛行機が現在、着陸している飛行場の地面の高さを、かりにゼロメートルと考えているのである。というのは、たとえばAという海抜十メートルの飛行場を出発して、Bという海抜三百十メートルの飛行場へ飛んでいって、着陸した場合（気圧の変化がなかったものとして）、高度計は三百メートルを指しているといったことが起こる。そんな場合は、A飛行場を出発するとき、高度計の指度を、AとBの標高差、すなわち三百メートルをさしひいたマイナス（二）三百メートルの位置に、前もって修正して離陸すると、B飛行場に着陸したとき、高度計は〝0〟を指してくれる。実施部隊で任務飛行に従事するときには、こんなことはたびたび起こるという。

飛行中は、つねに計器に注意して、自分の飛行状態に気をくばるように教えられてはいるのであるが、無我夢中なので、教官に催促《さいそく》されて高度計を見るのが精いっぱいである。

突然、教官の声で、

「スロットル開度《かいど》七十パーセント、回転千五百回転、機首角度を、地平線に対してこの角度にすると上昇速力は四十五ノットに自然にセットされる。いまの状態が普通に使われるもっとも効率的で、経済的で、また安全な上昇飛行の状態だ。地平線との角度を早く自分で発見して覚え込まなければならない。まごまごしていると、第一旋回点がくるぞ!」

私は、スロットル・レバーが、現在の開度を変えないように、しっかりと左手で握って、エンジンの回転を維持しながら、地平線と機首との関係をつかむことに一生懸命になった。そして、初めて気がついて意外だったのは、三点の姿勢より上向角度が、ずっと少ないことであった。

この角度は、数十秒前にはじめて経験した水平角度と、三点の角度との中間くらいであることに気がついた。こんなわずかな上向角度で、いま飛行機は確実に上昇している。ちょっとも の足りないような、そして不思議なような感じが、頭の中を走り回った。

「現在の高度百二十メートル。飛行場の端から約千二百メートル。この地点が、第一旋回点だ。下を見て、自分でよく確かめて、目標をつかめ!」

なかなかいそがしい。すでに教官は旋回をはじめたらしく、いままで後へ後へと流れていた地形地物が、ゆるやかな弧《こ》を描きながら、右の方へ、申し合わせたように動きだした。左上昇旋回だ。教官の操作する操縦装置に、かるく手足を添えながら、その操作方法と操作量を、目を皿のようにして見つめながら、全神経を集中する。まず操縦桿が左に倒され、それとほとんど同時に左足が踏み込まれた。したがって、右足は自然に手前に引くようになる。いままで左右の翼の線とほとんど平行であった地平線が、しずかに右に傾き出して、前方に止まっていた白い断雲《だんうん》が、これもまた静かに、右へ右へと流れはじめた。

これは操縦桿を左へ倒したので、飛行機が左にバンク（傾くこと）したのであって、地平線が動いたのではなく、自分が傾いたのであるが、新前の私には地平線や雲が傾いたように感じられた。

「左上昇旋回は、この要領でやる。旋回をはじめる前に、少し機首を下げて気速を三、四ノット増したところで、旋回の操作をはじめる。これは、旋回中は直線飛行より若干、無理な飛行をするため、空気抵抗がふえて気速が落ちるのと、失速がはやくなって危険なので、あらかじめ用心しておくためだ。手足の操作は、赤ん坊の頭をなでるようにやわらかく、しかも、よくつり合わして行なう。

初心者は、旋回というと、足、すなわち方向舵で行なうように考えがちだが、それは逆であって、飛行機のすべての操縦の基本となるものは手、すなわち操縦桿である。座学で習ったとおり、飛行機は傾いた方へ旋回をはじめるという性質がある。足を使わなくとも、旋回はできる。

たとえば操縦桿を、直線飛行の位置に固定して、左足を踏んでも、飛行機の機首は踏んだだけ左に向きはするが、ほとんど旋回はしないで、斜めに向いたまま、無理な直線飛行をつづけ

（すこし旋回はするが）。これを"芸者のり"という。人力車に乗った芸者は、右か左に上体をねじって、そのスタイルを維持している。方向舵だけで旋回しようとすると、変な格好になって、飛行機に無理が生じる。

左旋回はまず左バンク、一瞬おくるような気持で、そのバンクに追いうちをかけるように、左足を静かに踏み込むと、エルロンの働き（主翼の補助翼。操縦桿を左に傾けると左の補助翼が上がり、左主翼を下げようとする右翼の補助翼は、その反対）によってあたえられた左バンクと、方向舵（左足を踏み込むと、方向舵は左に動いて、機尾を右におす。したがって機首は左に向く。右足を踏むとその反対）によってあたえられた機首を、左に向けようとする働きが調和して、このようにきわめて自然に左旋回が行なえる。

このとき地平線に対する機首角度を変えないことと、バンクの角度を約十五度に保つことが大切だ。第一旋回は九十度直角であるから、旋回をはじめる前に、左九十度に遠距離目標をつかんで、その目標へむかって旋回を行なうことはいうまでもない。

目標が近づいたら、約三十度前付近から、少しずつ旋回を止める操作にうつる。これを旋回をもどすという。やはり手の操作、すなわちバンクをもどす操作が、一瞬先になるが、もどす場合は、はいるときより足の操作をいくらか大きく、強くするような気持でやるとよくつり合う。

目標は、あの一ばん大きな断雲だ。はい、もどせーっ！　このとき、不用意に機首を上げないように……」

教官の、つり合いのとれたスムーズな操作によって、飛行機は旋回を止め、目標の断雲が真正面にきたところで、ぴたりと止まった。

「はい、高度百七十メートル、水平飛行に移る！　――機首を下げながら、しずかにスロットル・レバーを四十五パーセント付近までしぼり、回転千三百回転にセットする。水平飛行の機首角度は、この位置だ。将来、水平直線飛行は、もっとも多く使わなければならない飛行姿勢だ。地平線と目標をしっかりつかんで、千鳥足《ちどりあし》にならないように、また、上がったり下がったりしないように、気をつけなければならない」

私は注意を聞きながら、前方を睨《にら》んで地平線との角度を覚え込むことに努力した。そして、格好の目安をつかんだ。真ん前にいる教官の頭である。教官の頭の上から三分の一、耳のあたりが地平線と一致しているのを発見した。これは、われながらよいことに気がついたと思った。

「どうだ、つかんだか？」

私は、待ってましたとばかりに元気よく、自信をもって答えた。

「はい、つかみました」

「どこにきめたか？」

「はい、教官の頭です」とたんに大きな声で、「バカ！」ときた。

私はしまったと思いながらも、どうしてだろうと思った。

「教官は、人形のようにすわったまま、静止してはいない。動いているんだ。貴様のために不動の姿勢をつづけているわけにはいかない。それに単独飛行がはじまったら、教官は前席に乗っていないんだ。はじめ教えたとおり、もっとよい目安をつかむんだ！」

私はあがっていた。それでもやっと気をとりなおして、エンジンの第一シリンダの頭と地平線が、ほぼくっついていることを発見した。ははァ、この位置が水平飛行の角度だな、と思い、そのことを教官に報告しようとしたら、

「はい、第二旋回点だ。旋回をはじめる！　エンジンそのまま、機首角度を変えないように、バンク約二十度で旋回する。左九十度に目標を定めよ！」

私が水平飛行の目安を一生懸命にさがしている間も、飛行機はぐんぐん前進して、すでに第二旋回点である。なんていそがしいんだろうと思う。

「中央に見える一ばん大きな森はどうでしょうか？」

私は数十秒前に教官の頭を目安にして怒鳴られているので、今度は遠慮しながら聞いた。

「よし、一番よい目標だ。しかし、旋回を終わる直前に、その目標はエンジンにかぶさって見えなくなるから、もう一つ、地平線の上に断雲があるだろう。あれを第二の補助目標にすると、なおよろしい」

今度は半分、合格だ。旋回がはじまった。はやく操作を覚え込もうとする熱意で、思わず手

足に力がはいった。

「手足が固い！　もっとやわらかく、操縦桿は卵をつかんだような気持で、足は綿《わた》の上に置いたような気持で、やわらかく操作しなければいかん」

はっと気がついてみると、私は万力《まんりき》のような力で操縦桿をつかみ、足は棒のようにかたく踏んばっていた。教官のたくみな操縦で旋回がはじまった。シリンダの頭が、寸分のくるいもなく地平線をこするように、なでるように機が旋回していく。私は教官の細かい操作を右手と両足に微妙に感じながら、小学校の頃、習字の時間に先生が、後ろから私を抱きかかえるようにして一緒に筆を握って、筆のはこび方を教えてくれたことを思い出した。

「もどせー！　ここで機首を上げないように気をつける。目標に向かって、バンクをしずかにもどす！　右足をぐーっと踏み込む。はい、目標が正面にきた！　よーそろー（宜候、すなわち、直進の意味）。この要領だ！　これから第三旋回点まで水平直線飛行を行なう。この間が誘導コース中、一ばん距離が長い。ここで水平直線飛行の要領をしっかり教え込むからな！」

そういいながら教官は、後ろへのび上がるようにして、私の顔をのぞきこんだ。そのとき、教官と私の視線が、電流のように瞬間、むすびついた。教官の手から操縦索《そうじゅうさく》をつたわって私の手から目へ、そしてそれが視線となって教官の目へ、一回りして帰っていく。きびしいが、循環する血のような、何物かを感じた。

「よし、やるぞ！」

思わず全身が固くなる。そのとたんに、「手足が固い！」と怒鳴られる。

つづいて教官の説明がある。

「離陸前に説明したように、パイロットは見張りが第一だ」

私ははっとした。離陸してからいままで、自分の操縦だけに気をうばわれて、飛行場や他機のことはすっかり忘れきっていたのだ。この広い空中に、自分と教官だけが飛んでいるように思っていた。いや、まったく自分以外のことを思いだす余裕がなかったのだ。

「教官が操縦するから、手足をはなして前後左右の僚機《りょうき》、飛行場の状態を観察してみろ！」

いわれて私は、あらためて前方を見た。私たちの前方数百メートル、同高度に翼を銀色に輝かした飛行機が目にはいった。その飛行機のもう一つ前方にも、そのまた前方にも。さらに左に目をうつすと、数機が、着陸の姿勢にはいっているのが、手にとるように見える。そのすべての音が、自分のエンジンの音にかきみだされているので、無声航空映画や、パノラマを見ているような感じだ。つい飛行場に見とれていると、

「見張りは前方だけではない。左右、上下、とくに後ろは念《ねん》を入れて見るんだ」

教官に注意されて、首すじが痛くなるほど後ろを振り向いてみると、私のすぐ後ろに、僚機がぴたりとくっついているではないか。

こんなに沢山の飛行機が空中の同じ誘導コースを飛んでいたのだ。私の目は、見えないのと同様であった。心そこにあらざれば、見れども見えず、である。

教官のこまごました注意を受けながら、水平直線飛行がしばらくつづいた。真横に見えてきた飛行場が左後方四十五度付近にきたとき、

「ここが第三旋回点だ。第一、第二旋回点は、離着陸訓練を行なう飛行機が多い場合は、誘導コースを前方へ引きのばして、各機の間隔をとるので、その状況に応じて変わってくるが、第二旋回と第三旋回の間の水平飛行の線と、飛行場との横距離は変えてはならない。したがって第三旋回点は、つねに一定である。第三旋回点が定まっていないと、第三旋回に引きつづいてこれから行なう着陸操作がそのつど狂ってくる。だから第三旋回は、着陸操作の第一ポイントである。第二旋回の要領で左センカーイ。目標を定める地点を、確認する。飛行場との関係角度をようくのみこめ！　この旋回で、とくに注意しなければならないことが一つある。これは大切なことだから、しっかり覚えるように！　いまこの飛行機は、左からの風（北風）に乗せられて、風速だけ右に流されている。これを偏流《へんりゅう》という。この偏流を修正しないと右に流されて、着陸操作の第二のポイントである第四旋回が鋭角、すなわち操作量の大きい旋回となって、よい着陸操作ができない。そのためには、第三旋回を思いきって九十度以内の鋭角でまわり、さらに第四旋回までに、実際の偏流より多い目に偏流を修正して、第四旋回を九十度以上の鈍角、すなわちゆるやかな旋回操作で回るようにする。そうするためには、この第三旋回が大切である。将棋《しょうぎ》や囲碁《いご》と同じで、一歩一歩先をよんで手当をしておくことが肝心《かんじん》だ。着陸は真剣の一本勝負と思え。第三旋回がおわった。はい、もどせー。よーそろー。

旋回おわって一呼吸した頃、この付近から少しずつエンジンをしぼってゆるやかな降下に移る。スロットル開度三十パーセント、スロットルをしぼると目にみえて気速が落ちてくる。機首をこのままの角度でいくと、失速に近づいて危ないぞ。スロットルに合わせて、機首を少しずつ下げる。降下の機首角度はこのくらいだ。よく覚えておけ。ほら、だんだん高度が下がってきた。さあ、いよいよ第四旋回だ。頭を上げるとエンジンをしぼっているから失速がはやいぞ。むしろいまより下げ目にして回る」

教官はいそがしそうに前後左右の見張りだ。私も遅れながらも同じように見張りをした。エンジンがしぼられているので爆音がだいぶ静かになった。

教官は慎重《しんちょう》に第四旋回を行ないながら、飛行場の状態を見て、

「いま離陸した飛行機の真後ろをねらって着陸する。もどせー。いま高度九十、このままの姿勢で、このままの気速を変えないように……。ここで大切なことは、いまの機首角度を変えないことだ。気速の修正はスロットルの開閉だけで行ない、修正は早めに。しぼりすぎると失速するぞ！　だんだん飛行場が近くなってきた。飛行場面に対する降下角度四度半！　高度二十メートルまで、このまま進む。いちいち気速をたしかめるために、計器をのぞいていると、ほかのことがおろそかになるぞ！　気速は慣れてくると操縦桿の手応えだけで、わかってくる。教官がちょっと手を離すから、操縦桿のあたりを試してみろ」

私はそういわれてあらためて操縦桿を握りなおした。そしてその手応えが、上昇飛行や水平

飛行にくらべて非常にかるいことを知った。

教官がまた操縦をはじめた。

「下を見ろ。いま飛行場にはいった。まもなく高度二十メートルになる」

この二十メートルという高さは最後の着陸、すなわち接地操作を開始する大きなポイントとなる高度である。

「いま二十メートル！ ここからスロットルをしずかに手前にひいて、エンジンをしぼりはじめる。同じく操縦桿も手前にしずかに引いて機首を起こしてくる。気速がだんだん落ちてきた。いま十メートル、五メートル、三メートル、エンジン全閉、操縦桿をすくい上げるような気持で手前へいっぱいに引き、このまま待てば、機は地上一フィートで失速となる。はい、着くぞ！ ……」

操縦桿が自分の腹すれすれのところまで引かれた。爆音が急に静かになって、シュルシュルと風を切る音に変わって、ガタン！ という着陸のショックを感じた。着陸の数秒前から私は思わず息を止めていたらしい。その息を、ほっと吸いこみながら、これはなかなか難しい。この微妙な操作をしながら、しかも私に伝声管を通じて説明してくれた教官はなんてうまいんだろう。神技《かみわざ》とはこのことかと思った。離陸してから着陸するまで、せいぜい六、七分の間ではあったが、私にはそれが大変な長い時間のように感じられた。もちろん信じている教官との同乗であるから、危ないとかこわいとかといった感じは、まったく起こらない。いや、感じるどころか、あまりのスピードとめまぐるしさに、そんなことを感じるひまさえなかったのである。

ぶじに第一回の着陸を経験してほっとしている私の耳に、追い打ちをかけるように教官の声がひびいた。

「つづいて離陸する!」

しばらく静かだったエンジンが、ふたたび全馬力で唸《うな》り出し、操縦桿が前方に倒された。尾部が上がって、機はぐんぐんスピードを増した。

「目標は前回の通り」

今度は着陸後のスピードが残っていたので、一回目よりずっと早く地面を切った。

訓練を終わって、機体のならんでいる列線に帰った私は大きな声で報告した。

「坂井練習生、同乗終わりました。ありがとうございました」

「ありがとうございました、は余計なことだ。次が下で待っている。時間は大切だ。交代を迅速にやれ、指揮所に帰ったら、いままでの注意を、頭の中で復習しておけ。よし、交代!」

私は慣れない不器用な手つきで安全バンドをはずし、重い落下傘をぶら下げながら、足かけをさぐって地上に降りた。

次の同乗者の平山練習生が目を輝かして待っていた。

教官に敬礼しようとして、からだの向きを変えた瞬間、足元がグラついてよろめきそうになった。わずか二十数分の間であったが、極度の緊張で私の体が硬直《こうちょく》していたらしい。敬礼を終わって、両手を後ろにまわして落下傘をつかみ、指揮所へ向かって駆けだそうとした私の耳に、

「待てっ、なにか大事なことを忘れてはいないか！」と教官の大きな声が追いかけてきた。私は、しまったと思った。また何か失敗をやってしまった……なんだろう。何を忘れているのだろう。……こんどは意外に早く、その忘れていることを思い出した。それは操縦を終わって、次の者と交代するときは、交代する操縦者に、かならず申しつがなければならない事項がある。燃料の残りの量や、機体、発動機の異状の有無などである。

指揮所に帰って報告を終わり、出発前に斜線で消した自分の姓の頭文字「坂」の字に、もう一本斜線を入れて×印をし、飛行の終わったことを記録した。

この二本目の斜線を引き忘れると、いつまでも飛行をつづけていることになって、黒板の搭《とう》乗割《じょうわり》と空中を見くらべながら、指揮をとっている指揮官の頭を、混乱させてしまうことになる。これをかならずやることもパイロットのしつけ教育の一つである。

指揮所で待機している間、教官は折り畳み式の椅子に腰をかけ、私たち練習生は、お粗末な木の長い腰掛けを使用する。その腰掛けも全員の分がないので大部分は芝草の上に、じかにすわって待機している。

指揮官が、次から次へと離着陸を行なっている飛行機の操縦ぶりを批判しながら、いろいろ

と解説をやってくれるので、待機している練習生は、目を大きく見ひらいて人の飛行ぶりを見ている。

　やがて一時間をすぎた頃、私たち三人組の飛行がひととおり終わったので、久保教員はエンジンを止めて、三人目の岡部練習生と一緒に、指揮所へ帰ってきた。

　この間に整備員は燃料を補給し、機体、発動機を点検して、次の飛行にそなえる。

　私たち三人は、久保教員を中心にして、芝草の上に円陣をつくった。

　教官はうまそうに煙草《たばこ》をふかしながら、模型飛行機で離着陸のやり方を、ひとりひとりについて、ていねいに説明してくれる。機上の教官とはちがって別人のようにやさしい。

「どうだ、難しいか。たいていの者は、自分だけが難しい、自分だけが劣っているのではないかと考えがちだが、教官も練習生の頃は、お前たちと同じようにそう思った。練習生みんなは級友であると同時に、競争相手だ。なにくそ負けてなるもんかという、ファイトを持つことが勝利への道につながるんだ。初めから、うまく出来る者は一人もいない。どんなに操縦の名人でも、初めはみんな素人《しろうと》だよ。ただ一途《いちず》に教官を信じて、同じ注意をなるべく受けないように努力することだ。当面のお前たちの目標は、離着陸の単独飛行だ。頑張れよ、さあ第二回目に出発するぞ」

　第二回目も私がトップであった。私は前回の注意を、頭の中でいそいで整理しながら落下傘をつけた。こうして、午前中が飛行訓練、午後は整備学という日課がつづいて、私たちもどうやら操縦練習生として、この生活にも慣れてきた。

四月十七日、同乗飛行の回数も二十四回をかさね、飛行時間も全部で九時間となった。教官の指導ぶりもますます熱が加わって、きびしくなってきた。

スロットル・レバーの使用法もだいたいわかってきた。この数日、小林教官、山内《やまうち》教官といった教官の中でも最古参の方たちが、ときどき久保教員と代わって同乗してくれるようになった。ほかの組でも教官の交流がはじまったらしい。

私たち練習生は本能的に、単独飛行が近づいたことを知っていた。

そして、教官たちの教え方のその基本はまったく変わらないが、その細かい操縦法には、ひとりひとりの個人差があることにも気がつきはじめてきた。人はそれぞれ性格がちがうように、操縦法もまたちがうのである。もちろん、それには教官の専修機種《せんしゅうきしゅ》からくるちがいも関係があるようだ……。

やがて、ときどき、教官が手足をまったく操縦装置から離してくれることが多くなってきた。それもはじめは安全な水平飛行になってから、

「これから教官は手足を離す、一人でやってみろ!」と注意してから、やらせてくれたのだが、最近では、なにもいわずに手足を添えているようなふりをして、こっそり私ひとりにやらせてくれることが多くなった。

どうやらこの頃から、私も空中におけるカンと技術らしいものを身につけはじめ、着陸のポイントである第三旋回、第四旋回の要領も覚え込み、どうにか飛行場へ一人で機首を向けられるようになってきた。

しかし、まだ二十メートルから後の着陸操作は、とても一人ではやれる自信はなかった。ところがある日、久保教員から、思いがけないことを教えられた。

「単独飛行もいよいよ迫ってきた。お前たち三人、同じ回数、同じように教えてきたが、もう差がついてきた。ほかの組にもときどき乗っているが、みんな上達してきたぞ。しっかりやらないと、おくれをとるぞ」

私たち三人のうち、だれが進み、だれが遅れているかは教えてくれなかったが、お互いに無言の競争をしているのである。久保教員はさらにこう言った。

「単独の第一条件として、お前たちは、着陸操作がうまければ許してもらえると思っているかもしれないが、それは誤りで、いま行なっている訓練は、離着陸訓練であって着陸訓練ではない。駆け足の短距離競走では、まずスタートダッシュに重点をおくが、離着陸でもかならず完全な離陸法をマスターしなければ、絶対に単独飛行は許されない。離陸前に転覆《てんぷく》してしまっては、その後の飛行も着陸もあり得ないのだ。離陸前の地上滑走のあて舵のつかい方を完全に覚え、蛇行せず、まっすぐに目標に向かって離陸できるようになれば、むずかしいと思っている着陸はできるものだ」

確かにそのとおりだと私は思った。空中ではまっすぐに飛んでくれるようになってきた飛行機も、離陸のときは、右に左に頭を振ってなかなか直進してくれないのである。

「きょうからは、とくに離陸に重点をおく。いままで習ったことを、繰り返し思い出して、しっかりやれ」

単独を意識してからは教官も練習生も、ますます気合いがはいってきた。

憧れの単独飛行の日

四月二十日、午前八時、いつものように指揮所の前に整列して飛行開始の命令を待った。小林教官が、本日の訓練項目を「離着陸同乗」と白いチョークで書き入れた。昨日まではこれで終わりであったが、きょうはその右に（　）がはいり、さらに「不時降着《ふじこうちゃく》」という文字がはいった。

数日前の操縦座学で習った不時着法がはじまるのである。私はいよいよ単独飛行が近いことを感じた。単独で飛んでいるとき、もしもエンジンが故障したらどうするかということを、きょうから実習するのである。

教官のいわれるとおり、ここ数日中に単独の離着陸が許されることはいよいよまちがいないらしいが、みんなの操縦技量が、もうそこまで達しているのであろうか。私にはまったく自信がないような気がした。練習生にとって、第一の難関であるところの単独飛行を、私は切り抜けることが出来るだろうか。いや、出来なければ、次の銓衡会議《せんこうかいぎ》でクビが宣告されるのだ。この恐怖は、練習機教程の全期間を通じて、つねに私たちの頭の中から離れなかったのである。

不時着——飛行機乗りにとって、この言葉はイヤな言葉であり、いまわしいことである。

空気より重い飛行機が、機械力と航空力学の応用によってたくみに操作され、重力に打ち勝って飛行しているときは、これほど快適で安全なものはない。

しかし、その重力に打ち勝つ数々の条件のうちたった一つでもバランスがくずれたり、そのほかの原因で飛行がつづけられなくなった場合、操縦者は、予定の時刻に予定の飛行場に着陸することができなくなる。

この場合、うまい具合に飛行場があればもちろん飛行場に着陸するが、飛行場がない場合には、やむをえず普通の地面に着陸するしかない。前者を飛行場不時着といい、後者を生地《きじ》不時着という。

きょうから、この不時着法を実際に習うのである。信頼している教官と一緒だから、安全であることは間違いない。しかし、このとき、操縦を習い出してから、初めて、〝危険〟という言葉が、頭の中にちらりと走るのを感じた。

離着陸訓練中にパイロットが遭遇《そうぐう》すると予想される事故の中で一番こわいものが離陸直後のエンスト（エンジン停止）である。

エンストは、たいていエンジンそのものの故障によって起こるものであるが、ときには燃料コックの切り換えの誤りや、コックを締めたまま離陸してしまって、エンストを起こしたという例もある。これは明らかに操縦者の事前点検のミスである。

飛行機に対して素人《しろうと》の人には、飛行高度が高いほどこわいと感じられがちであるが、それはまちがいで、飛行機乗りには、高度が低いほどこわいのである。飛行中のエンストを例にとってみてもわかるように、高度さえ保持していれば、エンジンが停止して、プロペラがその牽引《けんいん》力を失っても、機首を下げて適当の気速さえ保っていれば、そのときの高度の五、六倍の距離を、安全に飛行することが出来るのである。

だからその間に、適当な不時着場を選定したり、故障を発見して、エンジンの再起動を試みることもできるが、高度が低いとその余裕がない。つまりいきなり不時着を決意し、すぐ敢行《かんこう》しなければならないのだ。

この高度に余裕のない不時着の代表的な例が、離陸直後のエンストである。しかも、離陸直後というものは、高度に余裕がないことのほかに、もう一つ悪い条件が重なっている。それは気速（スピード）の不足、言い換えれば失速《しっそく》すれすれの揚力《ようりょく》しかなく、飛行機がやっと空中に浮いているという不安定な飛行状態にあることである。

教官は説明してくれた。

「まず離陸直後にエンストを起こしたら、飛行場に引き返すという考えは絶対に起こしてはならない。いいか、まず自分が、不幸にしてこの危機に直面した場合の処置について、つね日頃からパイロットが頭の中に叩き込んでおかなければならないところの、いくつかの必要条件がある。それは大別して、心理的なものと、不時着法そのものの技術的な観念の二つである」

「最高のメカニズムと厳密な整備点検のもとに飛行を行なっているとはいえ、飛行機は人間が作り、人間が整備し、人間が操縦しているものであって、万能の神ではないから、何百回に一回、何千回に一回のミスや、不運が俺たち操縦者にはつきまとっているともいえる。

これは重力に打ち勝って、空中を飛行する俺たちパイロットが永久にのがれることのできない一つの宿命かもしれない。そしてだれもが、その不運に自分が遭遇し、また自分がミスを起こすなどということを考えているものはいない。

しかし、同時にまたその二つのことが、いつも自分につきまとっているということを、考えないわけにはゆかないのだ。そこでパイロットは、つね日頃から、その不運とミスに直面したときの心構えというものをしっかり持っていなければならない。すなわち人間として、最悪のときに処する決心である」

「まず事故（ピンチ）に直面したとき、第一になにをなすべきか。それは何をさておいても、落ち着くことである。〈しまった、しまった〉と、過去を恨み、自分の不運を嘆き、心を乱す考えを起こすことは、この時点においては、マイナス以外のなにものでもない。まず落ち着いて処置方法を考え、もっともよいと思った方法を、迷わず断行することである。その間、一秒のムダがあってもならないのだ。何度もいうが、まず落ち着くことが、その場合の最大のポイントである」

ここまで聞いて、私は、不時着法は、技術よりその心構えがどんなに大切であるかということを、心に強く感じさせられた。――私は霞ヶ浦を卒業してのち、長い間、実戦部隊の勤務をつづけている間に、飛行中に何度か不運なエンジン故障に遭遇したり、不覚《ふかく》ともいえるミスを起こしてピンチに陥り、空中戦闘では四回も負傷したが、そのたびにその危機をうまく処理し得て、現在、生きているという現実を考えてみると、俺は運も強かったが、危機に遭遇したとき、霞ヶ浦で教官にならった、この「まず落ち着け、つねに冷静であれ」ということを深く肝《きも》に銘《めい》じて、自分は自分なりにその方法を考え、それを心の銘として守ってきたからこそ今日の自分があるのだと思う。

私はその落ち着く方法として、いろいろ考えたが、危機に直面したらまず深呼吸を三回せよ。三回する時間がなければ二回、いや一回でもよい。一回もできないときは、深呼吸をするんだということを考えよ！　これでまず心は落ち着くと考え、つねにそれを実行してきたし、また後輩たちにもこれを教えてきた。人間は、突発的な危機に襲《おそ》われると、反射的に、筋肉が硬直《こうちょく》する。したがって血管も収縮《しゅうしゅく》し、心臓は異常な鼓動《こどう》をする。このような状態にあるときは、絶対によい思案は浮かばないものである。

ここで一番になすべきことは、心を正常にもどし、正しい思考力を呼びもどすことである。

これは落ち着くということを、自分に言い聞かす以外にない。危機に遭遇《そうぐう》した場合、その処置をあわててやったら正しい答えを得ることはできない。

教官はさらに言葉をついだ。

「離陸直後のエンスト処置の方法において、絶対に犯してはならない一つの鉄則がある。それは危急に直面したとき、すかさず操縦桿を突っ込んで（前に倒して下げ舵にする）気速を保ち、そのまま直進することだ。

もちろん直前に、大きな障害物があれば避けなければならない。だが、まちがっても、飛行場に引き返そうと考えてはならない。なぜなら、飛行場に引き返すためには百八十度の大旋回をしなければならず、離陸直後の遅い気速で、しかも飛行に致命的なエンストを起こしている最中に、大きな旋回を行なえば、たちまち失速、キリモミ墜落となるからだ。

とくに旋回飛行中は、正常な飛行状態の場合でも、失速は翼の投影面積《とうえいめんせき》に比例して、速くなるからなおさらである。限られた直前方の、もっとも平らなところに普通の着陸の方法で接地する。接地と同時に、遊んでいる左手を操縦席の前縁にあて、力いっぱい突っぱって、ショックを左手で引き受け、この左手一本を折っても、頭や胸を守るようにすることだ。このとき接地前に、エンジンのメイン・スイッチを切ることを忘れてはならない。これは電路が通じているると、点火系統の火花でガソリンに火がつき、接地してから火災を起こす危険があるからだ」

教官はむぞうさに立ち上がった。そして飛行機の方へ歩いていった。いつもと変わらない、落ち着いた教官の動作に、私は感心しながら、後席に乗り込んだ。

きょうも天気は快晴である。

同乗飛行回数もすでに二十七回をかぞえ、飛行時間も十時間となった。ここ数日来、私がよほどまずい操作をしないかぎり、教官は操縦装置から手足を離してくれていた。

「だいぶ上手になってきた。もうそろそろ、ただ飛ぶだけでなく、外の見張り、計器への注意、飛行場の状態観察も、自分で全部やれるようにならないと、単独飛行は許せないぞ」

エンジンは快調である。やがて第三旋回点だ。

「手足を離せ。教官が不時着法をやってみせる。いま第三旋回を終わった。ここでエンジンが故障したとする」

教官はエンジンをいっぱいにしぼって、メイン・スイッチを切った。急に爆音が消え、静かになった。私は思わずヒヤッとした。爆音のなくなった飛行機は、いやに静かで、空転するプロペラ、機体各部の空気を切る音だけが、シュルシュルと耳をかすめ、ぶきみそのものである。私はどうなるのかと心配になった。

「いまエンジンを停止した。ここで一番注意しなければならないことは気速の保持だ。

まず操縦桿を押して機首を下げ、適当な降下気速にする。プロペラが停止しているので、着陸をやりなおすことは絶対にできないから、かならず一回で飛行場に入らなければならない。

そのためには、いつもの着陸より飛行場へ入る高度を高くもってこなければならない。

いつもは、着陸点を飛行場の長さの三分の一（手前から）付近を狙ってきたが、この場合は、飛行場の中央を狙うようにする。確実に飛行場の端を回る、ということが、先決問題だからだ。したがって第四旋回をはやめにしなければ、高度の沈みも、いつもより早いから飛行場に入れなくなる」

エンジンの停止した空中では、教官の声がびっくりするほど大きく聞こえる。しかし、久保教員の声は、冷静そのものである。教官はたくみに飛行機を操って、機首を飛行場へ向けた。

「これでいつもより三十メートルくらい高く飛行場の端を回ることが出来る。もう安心だ。ところがこのまま着陸すると、大きくオーバーしてしまって、風の弱いときなどは、着陸後のゆき足が止まらなくて、うまく不時着しても場外へはみ出してしまう危険がある。そこで飛行場を、確実にかわり得ると判断したら、早く高度を下げて、接地点を、最初の狙いよりずっと手前に持ってこなければならない。

飛行機は機首を突っ込めば高度は下がるが、そのために気速がついてしまって、着陸操作の引き起こしをやっても、なかなか着陸してくれない。地上すれすれに飛びながら前へのびてしまう。つまり飛行機は、失速以下にならなければ、着陸しないからだ。そこで、速力をこれ以上つけず、効果的に高度を下げる方法をとらねばならない。この操縦法を横すべり降下法《こうかほう》（サイドスリップ）という。いま、十分に飛行場をかわれる目安がついた。これから実際にやってみせる。よく見てろ！」

教官は早い操作で、操縦装置を大きく動かした。私はその特殊な操縦法を見てびっくりした。それは、私がきょうまでならってきた飛行機の操縦法、とくに手足のバランスの調和という操縦術のもっとも大切な条件をまったく無視した、いや、調和とは正反対の操縦法だからである。

教官は、いきなり右足を大きく踏み込んで、機首を右に向け、それとほとんど同時に、右手で握った操縦桿をいっぱいに左へ倒した。この操作は方向舵のはたらきで右へ向きを変えようとする飛行機の習性を、左へ翼をかたむけることによって打ち消したことになり、飛行機は大きくその揚力を減殺《げんさつ》されて沈みが大きくなり、高度は普通の降下より急速に下がるが、気速はまったく変化せず、しかも右へ三十度ぐらい機首を向けながら、飛行機全体は、目標に向かって直進する。

やがて高度十メートルくらいになったとき、

「このままの姿勢で着陸すると接地のときにかならず転覆する。このへんで手足を正常にもどして、普通の着陸に移る。はい、もどせーっ……」

機はなにごともなかったように着陸した。私は適性飛行のときにはじめて宙返りをやらされたとき以上に、この操縦法にはおどろいた。この操縦法は不時着のときだけでなく、大きな横風を受けながら着陸するときにも、偏流を打ち消す方法として利用することを知った。

この日からの数日は、この不時着法と、普通の離着陸同乗の最後の仕上げがつづいた。

二十三日の金曜日、いつものように飛行場は快晴である。北の風三、四メートル、飛行条件は満点だ。例によって整列前の十分間、列線《れっせん》で整備員と一緒になって飛行準備をしていた私は、ふといつもの列線とようすがちがうのに気がついた。

それは用意された飛行機が、きのうより数機多いことと、その多い飛行機の中の数機の前席（教官席）に、丈夫な麻の重い袋を、整備員が綱でくくりつけていることであった。私は不思議に思って、

「これはなんですか？」と、整備下士官に質問した。

すると、その下士官は、「なんだ、知らないのか」というように、こともなげにこう説明した。

「これは砂袋《すなぶくろ》だ。単独飛行のときのバラストだ。初歩練習機は軽いから、教官が前席に乗らなくなると、バランスが狂うからな！」

私ははっとした。

――ひょっとすると、きょうからいよいよ単独飛行がはじまるんだな！　俺はまだまだ単独になる自信はないと思っているのに、ほかの者はそんなに上達しているのだろうか。だれがクラスで第一番目の単独を許されるのだろう。いや、まだ単独がはじまるんじゃなくて、教官がその準備の飛行をきょうからやるのだろう！

思いはみんな同じとみえて、日頃は飛行場では、あまりむだ口をきかない練習生たちも、あちこちにかたまって、砂袋をつんだ飛行機の方を見ながら話し合っていた。

やがて教官が揃うと、いつものように、飛行開始前の指揮官の訓示がはじまった。そのとき私は、指揮所の椅子に赤い布がおいてあるのに気がついた。よく見ると五十センチ角ほどの旗である。噂《うわさ》に聞いたこれが単独の旗らしい。

——いよいよ、きょうからはじまるな！

私の血はおどった。指揮官は開口一番こう言った。

「いよいよきょうから、状態のよい者に単独離着陸を許す。みんな固くならないよう、いままで教官に習ったことを、きょうの第一回の同乗で復習するように、かかれ！」

教官のひとりが、列線に向かって右手を大きく回した。数台のスターターが忙しく動き回って、次々にプロペラが回り出し、いままで静かだった飛行場に爆音が唸りはじめた。

いつものように、離着陸三回、いままでにもまして私は一生懸命に操縦した。ときどき教官が、手を添えて悪いところをなおしてくれる。だが、なぜか教官は、きょうは一言も注意の言葉をかけてくれない。二十分後——地上滑走もどうやら板についてきて列線に帰った。

私はもしかすると、単独を許してもらえるのではないかと願いながら安全バンドをはずしかけた。そのとき、後ろ向きに乗り出して、私の顔を見つめながら、教官は私に言った。

「きょうの出来では、まだ単独はおぼつかない。もう一息というところだ」

私はやはりダメだったかと、がっかりしながら座席を降りた。子供のころ高価な玩具《がんぐ》を母にねだって、たしなめられたときのことをふと思い出した。

指揮所《しきしょ》へ帰ろうとして、列線の後ろを駆け抜けようとした私は、自分の目の前で大きな赤旗を、右翼の翼間支柱にタテにしっかり結びつけ、それをひらひらさせながら試運転している飛行機のあることに気がついた。その飛行機はまぎれもなく、今朝、砂袋を前席に積みこんでいた飛行機である。

私は思わず立ち止まってひらめく赤旗をみつめた。

――いよいよだれかが単独第一号となるらしい。誰だろう。前田か、岡崎か？

日頃うまいと評判の高い僚友《りょうゆう》の名前が頭にまず浮かんでくる。自分でないことだけは確かだ。私は落下傘を両手で、しっかりと握り、一目散《いちもくさん》、指揮所へ向かって走りだした――。

指揮所へ帰って、指揮官に報告しようとする私の前に、出発の申告をしようとしている同僚がいたので、私はその後に立ちどまって順を待った。

「横山《よこやま》練習生、離着陸単独、出発します」

大きな声であった。その声は、極度の緊張で上ずってさえいた。

私は一瞬、言いようのない興奮をおぼえた。それはその声の大きさのためではない。離着陸単独、この単独という待ちにまった言葉が、きょうはじめて、自分たち同期生の口から発せられたからである。

横山練習生——彼は私たち同期生の中でも一番年少で、十七歳の少年であるが、教官中のベテラン小林空曹長の受け持ちで、日頃から技量優秀者《ぎりよう》といわれた一人である。

地上で待機している教官や、練習生の視線を一身に受けながら、翼間支柱に大きな赤旗をなびかせてみごとな離陸をした。

私は心中で拍手をしながら、これを見送っていた。そして、彼が立派な飛行を行ない、ぶじに着陸してくれることを祈った。

第一旋回、第二旋回、そして第四旋回をぶじにまわった横山練習生は、第一回目の単独着陸をあざやかにやってのけた。

私はうまいと思った。そして自分が彼よりだいぶ劣っているのではないか、いや、もうすでに相当の差をつけられてしまっているのではないか。さっきの久保教員の言葉では、単独はまだ許せないとのことだったが、自分は単独にもなれずにこのままクビになるのではないかなどと、自分を卑下《ひげ》する考えが、次から次へと浮かんでくるのであった。

そのとき、横山練習生の着陸ぶりを、じっと見つめていた指揮官が大きな声で、

「たいていの者が、第一回目はなかなかよい着陸をするが、すこし慣れてくると乱れてくるものだ。きょう単独を許す者は、きょう、ただいまの状態がよいから許すのであって、きょう許されない者より、とくにうまいというわけではない。お前たちの技量は、大体同じようなレベルまできている。きょう許されないからといって、自信をうしなうようなことがないように、

教官の教えをしっかり聞いて、頑張れ」

指揮官は私たちの気持を、先刻、見抜いておられる。私はほっとしたが、私の目の前で次から次へと単独を許されていく同僚を見ていると、やはり焦《あせ》る心を押さえることができなかった。

私の組でも、まもなく、平山、岡部の順に単独を許され、訓練の終了までに、全員の約三分の一が単独飛行にはいったが、私はとり残されてしまった。

その翌日、きょうこそはと私はくちびるを嚙《か》んで頑張ったつもりだったが、神は情《なさ》け容赦《ようしゃ》なく私を見放した。つぎは日曜日で駄目。そして月曜日からこんどは雨となった。これが意外の長雨で三日間ふりつづき、二十九日になって訓練が再開された。

数日のブランクが、ともすれば私の心を、滅《め》入《い》らせてしまう。離着陸三回、久保教員の顔色をうかがいながら、きょうも駄目かと私は嘆息《たんそく》した。報告に帰る、その私の耳に、

「坂井、単独を許す。指揮所へ帰って、指揮官に報告してこい。教官はここで待っている。すぐ単独で出発だ」

私は自分の耳をうたがった。まさかきょう許されるとは思っていなかったのだ。私は矢のように息せききって指揮所へ帰り、報告を終わって、ふたたび列線に引き返して、砂袋を積んだ単独機へ飛び乗った。

久保教員が、胴体の足かけによじのぼりながら、安全バンドをかけるのを、手伝ってくれた。

「きょうは、貴様は大変状態がよい、いままでの注意をよく守って、しっかりやってこい。落ち着いて、いまやったとおりやるんだぞ。自信を持ってやれ、よしっ！　離着陸三回、出発！」

ポーンと私の肩を叩いて力づけてくれた。試運転を入念にやってチョークをはらってもらい、離陸地点に向かって、そろそろと地上滑走に移った。

いまからは地上、空中の見張りはもちろんのこと、離陸の目標、着陸地点の選定、みんな自分ひとりでやらなければならないが、自分に出来るだろうか？　教官は自信を持ってやれといわれた——。よし、自分は出来るようになったんだ。だから教官が許してくれたんだ。

そんなことを考えながら、いつもの離陸地点へきてしまった。まず後方を見張って、前方の安全を確かめ、目標を定めた。

「離陸します」

思わず声を張り上げた。そして、私ははっとした。前席には、きょうは教官がいないのである。私は前席のバラストに話しかけていた。しまったと思ったが、ぐずぐずしているときではない。左手で握ったスロットル・レバーを徐々に前に押した。やがて尾部が上がり、気速がぐんとついてきた。目標にむかって直進した。機は思ったよりも私のいうことをよく聞いてくれ、蛇行《だこう》もせずにまっすぐに走ってくれる。

やがてふわりと浮いた。幸運にも前方に僚機がいないので、ゆっくり上昇飛行。第一旋回を規程の地点で回り、第二旋回もぶじ回って、水平飛行に移った。いつもは比較的長く感じる第三旋回までの水平飛行の時間が、きょうは短い。

第三旋回だ。エンジンをしぼりながら第四旋回に向かう。前方と飛行場に注意しながら、第四旋回を回る。いよいよ着陸だ。さいわいに飛行場はがらあきである。いつもの教官の言葉を反芻《はんすう》しながら、着陸目標地点に向かって降下する。二十メートルがきた。エンジンをしぼりながら、徐々に操縦桿を引き起こしはじめる。地上一フィート、と思ったところで、思いきって操縦桿を腹すれすれまで引き起こした。

ガタンというショックを感じながら、私は第一回の単独離着陸飛行をやりとげた。自信を持ってやれ、と言った久保教員の顔が、ちらりと瞼《まぶた》に浮かぶ。つづいて、私はエンジンを増速して、二回目に移った。

ここまでは、文字どおり夢中であった。ただ自分にも単独飛行が出来たんだという事実を確認することで精いっぱいであった。

やがて第二旋回を終わって、水平飛行に移った。ここでやっと少し心にゆとりが出きてきた。

左真横に見える飛行場を、一人で眺めながら、嬉しさに顔面の筋肉がゆるむのを禁じ得なか

憧れの艦上戦闘機操縦者に選ばれたころの坂井練習生(左)。隣は平山巌練習生で、中央は加藤松哉教員。後方は九〇式艦戦

った。

そのときである。突然、私はなにを思ったか、思わず、「バカヤロウッ！」と大声でどなってしまった。なぜどなったか、私にもわからない。

自分でもびっくりした。

後にして思うと、その一言の意味は、早く単独になって威張っていた同僚たちに対するうさばらしか、また日頃、機上で、やかましく指導してくれる教官から受けたコンプレックスへの反発か。それとも感きわまって、思わず飛び出したもの、いやそうでない、おくればせながらやっと単独を許されて、機上でひとりにやにやしている自分に対する叱声《しっせい》であったのかもしれない。

これは後になって知ったのであるが、五十人の同期生の中で、単独飛行を許された日、やはり同じこの場所で、大部分の者がなにかやっているのである。

「おかあさーんっ！」と大声で呼んだ者や、大きな声で流行歌を歌った者、恋人の名前を呼んだ者、みんなさまざまだった。また生意気にも両手をはなして、踊りのまねをやったり、俺は飛行場の方を向いて舌をいっぱい出して、〃あかんべー〃をやったという者もおり、いろいろ

九〇式艦上戦闘機。昭和7年から12年頃まで海軍の主力戦闘機として活躍、第一線を退いたのちは空戦の訓練に使用された

の方法で、それぞれにこの感激の一瞬を表現したらしい。

こうして私も、どんじりながらも、ぶじに単独飛行を経験し、飛行機乗りの卵として、一歩前進したのである。この単独飛行までに、累計飛行時間十二時間三十分を要した。これは決して早いほうではなかった。

やがて科目は、空中操作（特殊飛行）や、編隊飛行の訓練に進んでいった――。

六月二十九日、この日で友部分遣隊における三ヵ月間の初歩練習機の教程をおえ、私たちは霞ヶ浦の本隊に復帰することになった。はじめ五十名だった同期生も、そのあいだに次から次へとクビになり、その数も、わずか半数の二十五名になっていた。その二十五名の中に、私もやっとはいっていたのである。

霞ヶ浦航空隊戦闘機専修班。後方は九〇式艦戦。三列目の左から２人目が坂井練習生（昭和12年11月）

それから四ヵ月間、中間練習機の教程を、また離着陸同乗から習い、十月の末に、中間練習機教程を卒業すると同時に、各自の専修機種の決定（この決定は、本人の志望はもちろん、技量、性格、適性、その他、いろいろのデータをもとにしてなされる）が発表され、私は同僚九名とともに、希望どおり艦上戦闘機操縦者として選ばれ、その後、約一ヵ月間、複葉羽《ふくようは》布《ふ》ばりの九〇《きゅうれい》式《しき》艦上戦闘機の操縦法を学び、十二月の初め、操縦練習生として四月一日に初飛行を経験して以来、まる八ヵ月ぶりに、二十五名がそろって卒業することが出来た。

そして、夢にまで見たあの憧れのとんびのマーク（操縦練習生卒業のマーク）を獲得することが出来たのである。

しかも卒業式にあたって私は、はからずも首席という栄誉をになって、軍楽隊が「誉《ほま》れの曲」を奏する中を進み出て、天皇陛下の御名代《ごみようだい》である伏見宮博恭王殿下《ふしみのみやひろやすおうでんか》の手から、恩賜《おんし》の銀時計を拝受《はいじゆ》した。

この上もない感激であったが、このとき私の心の底を去来していたものは、母の顔だけであった。

こうして十二月三日、教官や隊員たちに見送られながら、私たちは隊門を後に、それぞれの定められた任地へ出発していった。

第二章　宿願の日来たりて去る

初陣《ういじん》の戦い熄《や》んで

昭和十三年の初夏——。九州の佐伯《さいき》航空隊で三ヵ月の延長教育（海軍戦闘機操縦者としての専門訓練）を終えて高雄《たかお》航空隊に配属《はいぞく》されていた私は、そこからさらに、五人の戦友たちと共に、当時、九江《きゅうこう》にあった第十二航空隊へ転属を命じられて中国大陸へ渡っていった。

当時、大陸に進出していた海軍戦闘機隊は、この第十二航空隊（中支）と、第十四航空隊（南支）の二隊だけであり、その中でもこの第十二航空隊は、日華事変《にっかじへん》（日中戦争）の勃発《ぼっぱつ》した直後からすでに約一年間、引きつづいて作戦に従事している歴戦《れきせん》の航空隊であった。

この隊の先輩の中には、南郷茂章《なんごうもちふみ》大尉や片翼帰還の樫村寛一《かしむらかんいち》三空曹など空の英雄たちがきら星のごとくいて、新参《しんざん》の私たちは、庭の隅の雑草ほどにもみとめられていなかった。

当時、私はまだ二十歳を越えたばかりの若僧《わかぞう》であったが、強豪《きょうごう》ぞろいのこの栄誉ある部隊に編入されたことが、ひとかどの海軍戦闘機乗りにでもなったように思えて、大いに光栄でもあり、また肩身の広い思いでもあった。

その頃、漢口《かんこう》はまだ敵地ではあったが、何回も繰り返されたわが方の攻撃のために、漢口の飛行場にはすでに敵機が所在しないものと判断されていた。そのため、ここ数ヵ月間、こちらからしかける戦闘機による空襲はほとんど行なわれていなかったのである。

そんな情況下のある日の午後のことであった。

分隊長の相生《あいおい》大尉が、さりげない様子で指揮所から出てくると、指揮所の黒板に何かさっさと書きはじめた。すると、あちこちに散らばっていた搭乗員たちが、ぱっとその前に駆け寄っていった。もちろん私もその中の一人である。

「漢口空襲搭乗割」

相生大尉は、まずそう書いた。

あす、久しぶりで漢口空襲があるという噂《うわさ》は、すでに数日前から隊内にも流れていたが、

「いったって敵さんはおるまいよ」などと話し合いながら古い搭乗員たちは笑っていた。

しかし、誰がいくことになるのかは、もちろん誰も知らなかった。目的は敵状偵察をかねて漢口上空を制圧するのだという。

南郷茂章大尉。十三空戦闘機分隊長。昭和13年７月18日、南昌上空で戦死。戦死後、少佐に昇進、軍神南郷少佐として有名となった

新参隊員の私たちも、ここに配属されて以来、すでに何回かの出撃はしたが、そのいずれもが、陸軍の作戦を支援するための上空哨戒《じょうくうしょうかい》や地上銃撃などであって、まだ敵機というものに

出会ったことがない。だから、まだ空戦というものを見たこともやったこともない。今度の出撃でも、敵機はきっと出てきまいと古い連中はいうのだが、私にはなんとなく敵に遭遇できそうな気がしたので、なんとかして連れていってもらえないものかと祈っていた。

相生大尉は無造作《むぞうさ》に書きすすんでいく——。

「指揮官　相生大尉」

次は参加搭乗員の名前だ。私は息をのむような思いで相生大尉の指先のチョークから生まれてくる字を見守っていた。

二番機には古参の搭乗員の名がしるされた。

三番機——相生大尉がそう書き終わったとたんに、私は思わず息をのんだ。「坂」という字が、黒板の上にいきなり書かれたのだ。

相生大尉は、いま書いたばかりの「坂」という文字の上に、いとも簡単に∧印をのせた。∧印は下士官の印である。

「やっ！　俺だ！」

私は思わず叫んだ。

搭乗割に書くのはいつも頭文字だけで、士官ならその頭文字を丸でかこみ、准士官《じゅんしかん》はそれを三角でかこみ、下士官には∧印を書き加えた。この隊の下士官で「坂」の頭文字を持っているのは、自分だけである。だから私にまちがいない。

「俺だ！　俺だ！」

こおどりするというのは、こういうときの気持をいうのであろうか。しかも指揮官機の三番機なのだ。なんという素晴らしいことであろう。

元来、指揮官の列機には、よほど技量のある者でなければ選ばれないことになっている。大切な指揮官を守るのが主任務なのだから、勝手な空戦など許されないことになっている。それほど重大な任務をもっている指揮官の列機になんの前ぶれもなく、いきなり私の頭文字が書き出されたのだから、若い私としては、あっけにとられると同時に、体じゅうが、ほかほかと熱くなるような嬉しさのこみ上げてくるのを抑えることができなかった。ひとりでに相好《そうごう》の崩れてくるのを、私は自分の頬に感じた。

相生高秀大尉。坂井が初陣のときの指揮官

しかしこれは、後で考えてみれば、私のうぬぼれだったかもしれない。なぜなら、初陣の私が、指揮官の列機に選ばれたくらいなのだから、この攻撃は、はじめからそれほど重要視されていなかったとも思えるからである。

が、それにしても、このときの私には、嬉しいことがもう一つあった。それは、高雄空から一緒にきていた私の無二の親友宮崎儀《みやざきぎ》太郎《たろう》三空曹も、この出撃に連れていってもらえることになったことである。

翌朝、当時はまだ零戦《ゼロせん》が出現する前で、わが隊の使用機は脚の出たままの九六式《きゅうろくしき》艦上戦闘機だったが、その九六戦が、司令三木《みき》大佐の発進命令と簡単な打ち合わせを終わって、相生指揮官機を先頭に九江飛行場を離陸した。

飛行場の上空を一周しながら、三機ずつの編隊を組む。その数あわせて十五機——すぐさま針路を西北西にとる。

空は晴れて、視界は良好である。敵地の上空とはいいながら、まるで訓練飛行でもやっているようないい気持だ。一時間半ばかり飛ぶと、もう漢口上空である。高度三千メートル。予想していたとおり空には一機の敵影もない。ゆるやかに動揺する機翼の前縁に漢口飛行場が見えかくれしている。そして、またたくまにそれが、翼の下にすべりこんできた。

編隊は、飛行場の周囲をぐるりとひとまわり旋回する。だだっ広い漢口飛行場が、緑の布を広げたように美しい。その芝生の中を、東西にただ一本、代赭《たいしゃ》色の帯をくりのべたように滑走路が走っている。この滑走路は、コンクリートではなく、煉瓦《れんが》層《そう》のような赭土《あかつち》で固めたものであろう。私はもの珍しさも手伝って、飛行場一帯を見回していた。すると、ふとその滑走路のあたりから、ぱあっと赤褐色《せきかっしょく》の砂煙が舞い上がった。おや？　と思って見直すと、小さな黒い

十二空戦闘機隊の全搭乗員。中央が司令三木森彦大佐。最後列左端が坂井三空曹。後方は九六式艦戦（昭和13年9月、九江基地）

ものが動くのが目についた。飛行機だ。しかも三機である。まるで玩具の飛行機が走っているようにも見える。

――や！　離陸するぞ。

私はそう思って見ていながらも、不思議なことにはそれが敵だという感じが起こってこない。しかし、気がついてみると、味方の編隊には、なんとなくただならぬザワメキが起こっている。

先頭の指揮官機がバンクを振ると同時に、大きく右へ急旋回した。私はその三番機なのだから、私も無意識に急いでその通りにした。

ところが、そのときになってもまだ、これから空戦が起こるのだというような考えが、私の頭には浮かんでこない。

そのときである。私はなにげなく、ちらっ

と右の翼の下を見た。瞬間、異様な物体——真っ黒いずんぐりした飛行機が、右後方から六十度ぐらいの角度で、すうっと私の翼下を通り抜けていった。

——あっ！　敵機！

そのときになって、私はようやくすべてを自覚した。と同時に、心臓がドキンとした。

——こりゃ空戦だ！

武者ぶるいというのか、からだの筋肉がケイレンするような感じがした。その次に私の頭に浮かんだことは、出撃前に強くいわれていた言葉であった。

——「どんなことがあっても、隊長機から離れるな」

私は、手前の親指にギュッと力を入れて、思いっきりスロットル・レバーを前に押し倒し、全速で指揮官機の傍《そば》へ寄っていった。そのとき指揮官機からも、二番機からも、なにか物体の落下していくのが目に映った。増槽《ぞうそう》を落としたのだ。

——あっ、そうだ！　と、私も急いで左手で増槽落下引き手をさがした。だが、どうしてもそれが手に触れない。日頃なら、雑作《ぞうさ》なくつかめるのに、どうしたというのだろう。やはり手がふるえていたのかもしれない。

やっと探りあてた。思いっ切り引いた。ガクンと手応《てごた》えがあった。一瞬、機は気速を増した。増槽は落下したらしい。しかし、私が一番最後だったようだ。

もちろん、敵機がどっちへ行ったか、どこにいるか、私にはなにも目にはいらない。ただ無

ソ連製の低翼単葉引込脚式の単座戦闘機ポリカルポフ イ-16。中国空軍の主力機であった

我夢中で指揮官機へすがりついていった。子供が人込みの中で、必死になって親の袖《そで》をつかもうとするあの心理である。

やっと指揮官の傍へくっつくことができた。ほっと安心して前方を見た。そのとたんに驚いたことには、私の真ん前に、脚のないズングリした飛行機が二機、こちらへ尾部を見せて、大きな姿で飛んでいるではないか。まぎれもなくイ－16である。日頃の教育で教えられている通りの形をした、あのソ連製の戦闘機である。敵機はあちこちにいるらしい。

はっと気がつくと、私の機が一番先頭に出てしまっている。私の機のエンジンの馬力《ばりき》が強いので、いつのまにか指揮官機を追い越してしまったらしい。

――どうしたらいいのか？

私にはもう右も左も見ていられない。後ろを振り返る余裕など、さらにない。指揮官機の指《さし》図《ず》をうける暇《ひま》もない。高度は敵も味方も三千メートルなのだが、敵は引込脚《ひっこみきゃく》なので、逃げるときの速度はこちらより速いのだ。

——このまま追撃《ついげき》するか、指揮官機を待つのが正しいか。

私は判断に迷って、一瞬ためらった。

そのとき、私の脳裡《のうり》に奇妙な考えが浮かんだのである。

——敵はなんだって逃げるんだろう？

つまり、こんないい飛行機をもっていながら空戦をしかけてこないのはなぜだろうという疑問が、そのときの切迫した情況とはまったく関係なしに、しきりに私の思考の解答を求めてくるのだった。

そのあいだ、私の行動がいささか鈍《にぶ》ったのか、気がつくと、いつしか指揮官機が傍にきていて、私の機と平行にならんで飛んでいる。

私は敵機から目をはなさない。すると、敵機のすすんで行く方向十浬ぐらい先の空から西方へかけて、一面に密雲が垂れこめているのに気がついた。

——こりゃ、急がにゃならん。

私はそう思った。すると私の機はまたすうっと指揮官機を離れて前方へのめり出してしまった。どうしても私の機の馬力が強いのだ。そのときになって、私はやっと決心がついた。

——おこられても仕方がない。やっぱり撃《う》つべきだ！

敵機との距離は四百メートル。まだ、かなり遠いが、照準器の中に敵機がおどりながらはいっている。私は思いきって機銃（当時九六戦には、七・七ミリ機銃が二挺《ちょう》装備されていた）の発射《はっしゃ》把柄《はへい》を左手で握った。その瞬間、この飛行機を本当に狙い撃ってもよいのだろうか、というような疑問が、私の脳裡をかすめた。悪いことに手を出しかけた自分を、自分の良心が制止するひらめきである。これはふつうの人間としての良心ばかりではなく、はじめて戦場にのぞむ、はじめて実的を狙い撃つときに初心者が感ずる、戦闘機パイロットとしての良心なのだ。

ところが、どうしたというのか、弾丸は一発も飛び出さない。

私はあわてた。すっかりあわててしまった。これは引き方が足らんのだろうと思って、把柄が折れるほど力をこめて握ってみた。それでも弾丸は飛びださない。

——これはいかん。

私はあわてながらも、よく見ると、出ないはずだ。弾丸が装塡《そうてん》されていないのだ。

——しまった！

元来、出撃に際しては、出発のときに半装塡し、いよいよ敵地上空へはいる前には、全装塡にしなければならないのである。半装塡では弾丸は出ないのだ。落ち着いていたつもりでも、初陣の私はやはり上がっていたのだ。私は全装塡にすることを忘れていた。あわてて全装塡にする。

そのあいだに隊長機は一連射、敵に向かって威嚇《いかく》射撃をこころみた。

この一撃で、敵機はあわてて左へ急旋回をやった。そのために、私との距離がぐんとつまった。もはや距離は二百メートルくらいしかない。敵機は機首を立て直して、また直線飛行に移った。絶好のチャンスだ！　私もやや落ち着きを取りもどしたらしい。日頃の訓練の要領が頭に浮かんできた。私はその訓練の通りに狙いを定めた。今度こそ！　とばかりに私は引き金を引いた。

ダダダッ……と激しい手応えがあって、曳光弾《えいこうだん》を交えた弾丸が、二筋《すじ》の紐《ひも》のようになって流れてゆく。当たっているのかどうかはわからないが、私は把柄《はへい》を握りっ放しだ。それを避けようとしてか、敵機はまたも左へ急旋回した。それでまたもや距離がつまった。

すでに、彼我《ひが》の距離は百五十メートルである。私は把柄をゆるめるのも忘れて撃っている。敵機はふたたび水平飛行に移ろうとした。その瞬間に弾丸が当たったらしい。尾部からパッと黒い煙をふいた。同時に敵機はガクンと機首を下げ、そのまま下方へ突っ込んでゆく。

私はこれを追った。しかし、下方は一面の密雲である。あっと思うまに、いつしか十浬前方の密雲の幕まできてしまったらしい。

気がつくと私は単機になっている。

大空の中に私はひとりぼっちである。周囲には味方は一機もいない。静かなカラッポの大空があるだけである。

飛行服の下は汗でビッショリ、腋《わき》の下をその汗が冷たくすうっと流れていく。のどがカラカラに渇いている。機銃はすでに全弾撃ちつくしている。いかなる場合にも、万一に備えて弾丸はかならず残せという日頃の訓練さえも、私は忘れてしまったのだ。

興奮がいくらか醒《さ》めてくると、今度は妙に心細いような、さびしいような気持が湧いてくる。幼いとき、故郷の田圃道を、日が暮れてから一人でトボトボ歩いていたときのような気持である。

私は機首をめぐらして、ともかくも、元きた方向へ引き返してみた。すると、はるか前方、夕映えの空に鳶《とび》が舞うように、味方の編隊がゆるい旋回をしながら私を待っていてくれた。

私は、なぜか無性に涙が出てきた。悲しいのか、嬉しいのか、私自身にもその気持はわからなかった。

初陣——そして思いもよらぬ出来事——黒い煙を吐きながら落ちていったイ-16——これが空戦というものか。私は、自分が何を考えているのかわからなかったが、ただ一心に何かを考えていた。

この日、私の親友宮崎三空曹も一機撃墜した。彼は滑走路から敵機の舞い上がるのをみとめるや、いきなり編隊から離れて、ツーッと一気に、地上すれすれのところまで急降下して、そのままの姿勢で弾丸を浴びせかけ、あっというまに落としてしまった。

ところが、帰隊してから、私たち二人は、この初陣の手柄を褒《ほ》められるどころか、相生隊長

宮崎儀太郎三空曹。坂井とともに初陣で初戦果をあげた。昭和17年6月、モレスビーで戦死し、二階級特進して中尉となった。撃墜数は13機

からさんざんに叱りとばされた。

「初めて空戦に参加して、味方機から離れて敵を落とそうなどとは身のほど知らずだ」

相生隊長の言によると、私たち二人が、夢中になって敵機に挑《いど》んでいたとき、私たちは少しも気がつかなかったのだが、指揮官機を初めとして、古参連の僚機たちは、いざというときには、いつでも助けられるところに位置して、初めから終わりまで、私たち二人の行動を見まもってくれていたのである。

南昌《なんしょう》基地の憂うつ

地上部隊の漢口攻略と時を同じくして、われわれ戦闘機隊も漢口飛行場へ進出し、ここで連日のように猛訓練をつづけながら、次の作戦に備えていた。その間、しばしば南昌攻略戦にも参加した。

やがて南昌攻略戦も終わり、南昌飛行場もわが方の占領するところとなったので、次の作戦に備えて、われわれもまたここに進出した。

ところが、ある日のことである。敵は南昌奪回《だっかい》のために大軍をもって逆襲してきて、ついに南昌飛行場も、一時は完全に奪回されるという事態が発生した。

これは作戦の都合上、われわれが一時、九江に引き揚げて南昌が手薄《てうす》になってしまったために、その虚《きょ》を衝《つ》かれたのである。この報告を受けると、われわれはすぐに九六艦戦を連ねて九江基地から出撃した。

南昌飛行場の上空にきてみると、飛行場内に掘られた数条《すうじょう》の塹壕《ざんごう》に敵味方が互いにこもって、盛んに撃ち合いをやっている。敵味方の識別がはっきりしないので、うかつには銃撃も加えられない。私は地上すれすれの低空まで舞い降りて塹壕の中を覗《のぞ》き込み、敵の青服をはっきりと視認《しにん》してから銃撃を加えることにした。

狭い塹壕の上を、その塹壕の線に沿って七・七ミリの掃射を浴びせかける。ある塹壕では、私の一撃で五、六十名の敵兵がいっせいに逃げだし、塹壕づたいに窪地《くぼち》の方へ走りだした。

私はそれを追った。そして、最後の逃げ遅れた三人を摑《つか》まえて二撃目を加えた。三人のうち二人はバッタリと倒れた。残った一人は、倒れた一人を担《かつ》いで逃げていく。私はふたたびそれを銃撃した。二人は重なって倒れた。

その後、南昌がふたたび日本軍の手に帰してから、われわれもまた、南昌飛行場へ進駐した。そして、過ぐる日の戦闘を思いだして、ちょうどこの辺であの三人を銃撃したのだがと思いながら、探すともなく歩いてみた。すると、やはり私の記憶どおりのところに折り重なって横たわっている二個の腐爛《ふらん》死体を発見した。一人は陸軍中尉で、一人は雨傘《あまがさ》を肩にかけた兵隊であった。撃たれたときのままの姿勢であろう、兵隊が中尉をおんぶしたまま死んでいる。彼らもまたこうして上官を助けるのかと、私は心を強く打たれた。と同時に、この二人を自分が殺してしまったのかと思うと、じつに嫌《いや》な気持がした。

私はいままでの数回の戦闘でも、幾度か敵機をねらい、そして撃った。また敵兵を攻撃した。燃えさかる敵愾心《てきがいしん》で攻撃した。しかし、その場合、攻撃の相手はいつも〝敵機〟であり、〝敵兵〟であっても、そこに人間を意識しなかった。けれども、いまこうして、私に撃たれて死んでいる〝人間〟を目の前に見ると、麻酔《ますい》から醒《さ》めたときの傷の痛みのように、心が疼《うず》いてくるのであった。私は、ひとりで黙々とそこへ穴を掘り、静かに二個の死体を埋めて黙禱《もくとう》した。

それからまた幾日かたった。南昌はまたもや敵の逆襲を受けた。私たち九六艦戦隊は、すぐに飛び立って地上部隊の掩護《えんご》に当たった。

南昌の南に、やや大きな川が流れている。その付近で盛んに陸上戦闘が行なわれていた。

われわれ戦闘機隊は、敵地上軍の頭上に殺到《さっとう》して銃撃を加えるのが任務だが、前回の南昌飛行場の戦闘と同じに、敵味方があまり接近して撃ち合っているので、よほど注意しないと味方

漢口攻撃を終えて南昌の基地に帰還する途中の十二空坂井小隊の九六式二号艦戦二型。右下が坂井機（昭和14年6月）

を撃つおそれがある。

私たちは注意ぶかく味方の布板《ぬのいた》をさがす。白い布と日の丸の旗が地上においてある。そこが味方陸軍部隊の最前線なのだ。

私はその辺りへ、二百メートルくらいの低空で突っ込み、敵に威圧《いあつ》を加えながら飛び回った。ところが、地上には不思議な風景が展開されている。果てしなくつづく緑の野畑、その一隅では、集落が砲火を浴びて盛んに燃えている。

しかし、集落の人々が立ち騒いでいる気配はまるで見えない。農夫たちは平気な顔をして、水田で牛を使って田植えの準備をしている。彼らから程遠くないところでは、豆を煎《い》るような音がして、機銃の撃ち合いが行なわれ、ヒュルヒュルヒュルン――と迫撃砲弾《はくげきほうだん》が飛び、空からは戦闘機の機銃掃射が繰り返されているのに、彼らは振り向きもしないのだ。悠々と畦《あぜ》をつくり、のんびりと牛を追っている。どこの匪賊《ひぞく》が喧嘩《けんか》しているのかとでもいっているように、ほとんど無関心で野良仕事に精をだしている。さすがに、何千年の流離興亡《りゅうりこうぼう》の歴史の中を生きぬいてきた中国民衆の姿である。そら恐ろしいような、底抜けの力強さを感じて、むしろこっちがぞっとした。

はるか西の方の低空に、味方の戦闘機を一機発見する。うねうねと光って流れる河の面に向かって、しきりに銃撃を加えている。

何かあるなと思って、私も機首をめぐらしてその方へ飛んでいった。すると、河の中ほどに大きなジャンクが浮いていて、ざっと目算《もくさん》したところ、百五、六十人もいようかと思われる青服の敵兵が満載され、向こうからいえば敵前渡河をやっている。

この敵船に対して、味方の戦闘機が機銃を撃ち込んでいるのだが、弾丸が全部オーバーしてしまっていて、船の後方へパッパッと水煙《みずけむり》を上げている。

私は見ていて吹きだしてしまった。

――なんて下手なやつだ！　よし！　俺がやってやる。

私は機首をめぐらして駆けつけた。そして、超低空で彼らの頭上に迫る。敵兵は飛行機におじけづいてか、反撃する者もいない。私は十分に落ち着いて、確実に狙いを定めて、ダダダッと一連射《れんしゃ》、約三百発ほど撃ち込んだ。みごとに命中！　船尾に立って棹《さお》をさしていた兵か船頭《せんどう》かが、もんどり打ってひっくり返り、水煙をあげて河の中へ落ちた。

南昌基地（T基地）上空を飛行中の坂井小隊。垂直尾翼に記入された識別記号の最初の3が十二空を示している

私はそのまま旋回して、また五十メートルくらいの低空から敵船に接近して第二撃目を加えた。今度は全弾が船の中へ吸いこまれるように命中した。

船の中は大混乱である。倒れるもの、河の中へ飛び込むもの、屍山血河というがほんとうに船のまわりは、流れだす血で黄色い河水がみるみる樺色《かばいろ》によどんでいくのが見えた。

それを見た瞬間、ああ戦争というものは嫌なものだと、目をおおいたい気持だった。

その日、南昌の基地に帰って、夕食の卓についたが、どうしても飯がのどを通らない。仕方がないので、私は自分の夕食を、そっくりそのまま窓際へかざり、それから飛行場へ出て草花をさがしてきて供えた。

河水を朱に染めたあの悲惨な情景が、まだ眼底から消えない。

私は合掌《がっしょう》して、「これも戦争のためだ、勘弁《かんべん》してくれ」と目を閉じてじっと心に念じていた。私は、まだまだ戦争というものに慣れていなかったのかもしれない。

最悪の厄日《やくび》の出来事

昭和十四年十月三日、この日は日華事変（日中戦争）を通じて、わが海軍航空隊にとって最悪の厄日であった。

この日、ふたたび漢口へ帰った私は、翌日の訓練用の弾丸を、鼻歌まじりで挿弾子《そうだんし》に詰めていた。

午後二時三十五分、突然、見張所でなにかかん高い叫び声がしたかと思うと、ガラガラッと雷の落ちるような音がした。

「なんだろう?」と、みんなが総立ちになったとたん、戦場に慣れた先任下士官の虎熊《とらくま》一空曹が、「空襲だ!」と叫んで、指揮所から飛び出してきた。しかし私は、「逃げてもしようがない」と、とっさにそう思ったので、水タンクと水タンクの間にうつ伏せになり、頭を地べたにつけて息をころしていた。

すると、ババーンと空気を裂くような激しい音がして、同時に腹にズシーンとこたえる地響きが起こった。はっと気がつくと機銃庫に数発の爆弾が落とされたらしい。

エスベー爆撃機。中国空軍が使用したソ連製の双発高速爆撃機で、写真は昭和17年に中国で日本軍に投降した改良型のSB－2ビス

「うーん、やられた」という呻《うめ》き声が聞こえる。砂埃《すなぼこり》をすかしてみると、あっちにもこっちにも戦友たちが倒れている。

私も右のお尻が痛いなと思って、手をまわしてみると、ぬらりと生ぬるいものが指に触れた。手を引いてみると真っ赤な血だ。しかし、大したことはなさそうだと思った次の瞬間、私はいわば戦闘機乗りの本能で、無意識のうちに九六艦戦の列線の方へ走り出していた。

走りながら上を見ると、ソ連製のエスベー双発爆撃機《そうはつばくげきき》十二機が、高度六千メートルくらいのところを飛んでいるのが目にはいった。彼らは爆撃を終わって悠々《ゆうゆう》と帰還の途についているのだ。

私はやっと列線まで走りついて、驚いてしまった。何十機と列線にならんでいた戦闘機は、そのほとんど全部が被弾《ひだん》していて、どの機からも、ザーッと雨の降るような音がしている。ガソリンの流れ出ている音だ。中には燃え上がっているものもある。被害は意外に大きかった。陸海軍あわせて二百機近くもあった飛行機が、この一回の爆撃で、ほとんど全部やられてしまったのだ。

私は焦《あせ》って走り回った。そして被弾機の中から、やっと一機、被害のない機を見つけ出した。私はすぐにそれに飛び乗って、エンジンをかけてみると、うまくかかった。私はそのまま離陸、飛び上がった。

すると、ほかにもまだ破壊されない機があったらしく、私の後から二機が離陸してきた。私はもう無我夢中だった。全速上昇《ぜんそくじょうしょう》で、一直線に敵の編隊を追った。自分では意識していなかったが、そのときの私は、全身が敵愾心《てきがいしん》と怒りで破裂しそうになっていたらしい。私は敵機を追うこと以外には、なにも考えていなかった。馬にむち打つがごとく、早く早くと、スロットル・レバーを叩く。かくて約二十分、私はやっと下の方から敵の編隊に近づくことができた。

敵は八千メートルの高度をとっている。私の九六艦戦はもうフラフラである。九六艦戦は、一万メートルくらいまでは上昇できることになってはいたが、じっさいには、もうその辺のところが精《せい》いっぱいで、そこまで昇ると、ちょうど金魚が、温水《おんすい》に浮いてアップアップやっているのと同じ状態になり、操縦も意のごとくならないのである。近づいたとはいうものの距離はまだ遠く、射距離にはいっていない。それなのに、敵機からはもうパッパッと黒い煙を吐きだしている。

——おや、撃ってるな。

一瞬、血の凍るような思いもあったが、その反面、敵愾心がさらに燃え上がってからだが熱くなるのを感じた。私は、このときはじめて、敵機に撃たれるということを経験したのである。

敵機は盛んに撃ち出したが、彼我《ひが》の距離はまだ一千メートルくらいはある。だから敵の銃口《じゅうこう》から吐きだされる火はまったく見えない。見えるのはただ煙だけ。そのためか少しも恐《こわ》さを感じない。火を見ないと、どうも撃たれているという実感が湧かないのだ。むしろ敵は、九六戦が恐いので闇雲《やみくも》にあたらない弾丸を撒《ま》き散らしているような感じさえするほどである。

やがて一緒に上がってきた味方の二機が、翼をひるがえして帰っていく。

——不思議だ！　なぜ帰るのか！

わけがわからない。が、詮索《せんさく》している暇《ひま》はない。私は一機でなおも全速で敵を追った。そして、敵機の五百メートルくらい下を水平飛行で追跡し、とうとう敵機の真下へはいりこんだ。

そのとき、ふと下をみると、すでに宜昌《ぎしょう》の上空である。

——よし、俺の死に場所もわかった！

そんな考えが私の心をかすめた瞬間、私はぐっと上げ舵をとっていた。

みるみるうちに敵のエスペー爆撃機が頭上に大きくなってくる。チカチカと光るものが私の機をかすめて流れ去った。

——俺は撃たれている！

今度はなま身に感じる。だが、すでに誰もいない。いくらか心細くなったのであろうか、思わず後ろを振り返ってみる。だが、すでに誰もいない。味方は自分がただ一機だけだ。さびしくなってきた。

しかし、敵機はすでに私の頭上にいる。照準器《しょうじゅんき》いっぱいに大きく映っている。そしてそれが、さらにぐんぐん大きくなってくる。私は、思わず発射把柄をにぎった。ダダダッと強い手応《てごた》え！　次の瞬間には、敵編隊の最後尾の左側を飛んでいた敵機から、ぱっと黒い煙の吐きだされるのが見えた。

まだ実戦の経験にとぼしい私には、たしかな手応えとはいい切れないものがあったが、当ったことは当たったと思えた。しかもその飛行機は、黒い煙を吐きながら少しずつ遅れはじめたようだ。

——しめた！　撃墜《げきつい》できるぞ！

こおどりするような、心のときめきを覚えた。だが、それを確認していることはできない。なぜなら、すでに漢口から百五十浬も遠くへきてしまっていたからだ。

燃料計をのぞく。帰りの燃料がぎりぎりくらいしか残っていない。夢中になって敵を追い、行動半径の極限まできてしまったのだ。そう気がついて搭載燃料を正確に計算しながら、空中戦闘の幕切れのあっけなさと、これ以上追撃《ついげき》のできない残念さを感じながら、私はあわてて反転した。撃墜が確認できなかったのが、なんとも心残りではあったが、もはや仕方がない。

私は針路を漢口へ向けた。

空を飛んでいるのは私一人だけだ。興奮がしだいにさめてくる。でも、私はどうやらぶじに漢口に帰りついた。

帰ってみると飛行場は大混乱だった。戦友たちのうちにも負傷者がたくさんいた。海軍の各中攻隊や戦闘機隊、陸軍部隊の飛行機も、大変な被害をこうむっていた。

この日、漢口飛行場には、約二百機の陸海軍機が置いてあったが、その大半は使いものにならなくなった。そして、さらに悪いことには、漢口基地の海軍航空部隊最高指揮官塚原二四三《つかはらにしぞう》少将が、爆弾の破片で左腕をやられ、航空参謀鈴木剛敏少佐ほか多数が戦死し、負傷者も非常に多く出た。

それにしてもふいを衝いた敵の攻撃は、敵ながら天晴《あっぱ》れともいえる戦果をあげたわけだが、逆にまた敵を甘くみた味方の油断と怠慢《たいまん》に、私は激しいいきどおりを感じた。

その後も、敵は再三にわたって空襲をかけてきたが、味方は二度とふたたび、そんな大被害を繰り返すことはなかった。

常に死とともにあり

やがて、初陣の思い出も深い中国の戦場を去る日が、私にもやってきた。昭和十五年七月の末、私は内地へ転勤を命じられ、苦楽を共にした多くの先輩、同僚たちに別れを告げて、九州の大村《おおむら》航空隊へ帰った。

当時、横空《よこくう》の実験部では、連日のように新鋭戦闘機（十二試艦戦。後の零戦）のテストが繰り返され、すでに装備を終えた零戦若干機が出撃に備え、翼を連ねて横空に待機していた。

八月十一日、十二機の零戦が、中国大陸の戦線へ向けて横空を飛び立ち、途中で大村に一泊、南京を飛び越えて、その日のうちに漢口基地へ着陸した。

この零戦隊は、八月十九日の初陣をへて、九月十三日、重慶《じゅうけい》上空において約三十機の敵の戦闘機と交戦し、その二十七機を撃墜するという大戦果を打ち立てたのである。

しかし、私はその頃まだ大村にいて、脾肉《ひにく》の嘆《たん》をかこっていたのであるが、その年の暮ちかく、大村から、ふたたび台湾《たいわん》の高雄《たかお》航空隊に転勤を命じられ、使用機もここで待望の零戦にかわった。

昭和十六年の春、高雄航空隊（司令、斎藤正久《さいとうまさひさ》大佐）は、陸軍の仏印《ふついん》進駐に呼応《こおう》して海南島《かいなんとう》に進出することとなり、私もその一員として海南島へ移動したが、その年の五月には、ふたたび

漢口基地に進出した零戦隊（昭和15年８月）

漢口の基地へ舞いもどって、先輩、同僚たちとともに大陸の奥地攻撃に参加することになった。

が、この頃にはすでに、敵の戦闘機隊は、重慶を捨ててさらに奥地の成都《せいと》まで後退していた。成都の周辺には、敵の約七つの飛行場が整備されていて、奥地に追い込まれつつも、隙《すき》を見ては日本軍に攻撃をしかけてきた。

わが戦闘機隊もまた、宜昌を中継基地として、ときおり戦闘機隊のみで成都を叩いてはいたが、その多くの場合、敵は通報によっていち早く逃げてしまって、地上ではもちろんのこと、空中で捕捉《ほそく》することも容易ではなかったのである。

しかし、敵の戦闘機隊は是が非でも捕捉しなければならない。われわれはいろいろと研究し、その方法を工夫した。その結果、最後の案

十二空零戦隊。前列左から上平、坂井、羽切、三上、有田の各一飛曹。後列左から野沢三飛曹、加藤一飛兵、伊藤、平本の各一飛曹（昭和16年 6 月、漢口基地）

がきまった。それは、戦闘機による夜間進撃――つまり黎明《れいめい》空襲という手であった。

だが、この戦闘機による黎明空襲は、海軍戦闘機隊はじまって以来のことで、日本ではまだ試みたことのない作戦であった。

単座《たんざ》戦闘機が、夜間に、しかも単独で長距離の進撃をすることは、航法上《こうほうじょう》に不安があるので、大型の一式陸攻に誘導をたのんだのである。

その方法は、まずわれわれの戦闘機隊だけが、宜昌の近くにある敵地に最も近い飛行場へ、前日のうちにひそかに進撃する。そして、夜間に漢口を離陸してくる一式陸攻隊をそこで待つのである。

一式陸攻隊は、一列縦隊《じゅうたい》で間隔を三百メートルくらいに開いてやってくる。そして、その編隊が、ちょうど戦闘機隊の待機

長江（揚子江）上空で訓練飛行中の十二空の零戦一一型。搭乗者は高雄から十二空に戻って間もない坂井一飛曹（昭和16年6月頃）

している飛行場の真上《まうえ》付近にきた頃、わが戦闘機が三機ずつの編隊のまま夜間離陸をやる。

こうして飛び上がったこの三機は、あらかじめ定められている一式陸攻と編隊を組み、単縦陣をつくる。いうならば一式陸攻にぶら下がるようにして零戦隊を空中で集合させる。つまり一機の一式陸攻は、左右にそれぞれ三機ずつ六機の零戦をぶら下げる。そして、そのまま夜間進撃をやって、夜明け前に成都上空へ殺到《さっとう》する。敵はあわてふためいて舞い上がってくるだろう。そこを零戦隊が得たりと叩くのである——。

零戦隊は連日猛訓練をつづけた。この訓練は非常に高度の技術を必要とする訓練であったが、成果は大いに上がり、もはや申し分ないまでに上達してきた。

昭和十六年八月十一日——。いよいよ作戦実施の日がやってきた。われわれ戦闘機隊からは、選《え》りすぐった搭乗員ばかりが集められた。

出撃する零戦は十六機——。これを誘導する一式陸攻は七機——。われわれはかねての訓練どおり夜間の飛行場を離陸して、上空を飛ぶ一式陸攻の排気管から洩《も》れてくる青い炎だけをたよりに舞い上がり、その下にぶら下がり、やがて二十三機の戦爆連合の編隊は、暗黒の夜空を一路成都めざして進んでいった。しかし、零戦四機が途中から引き返したので、陸攻二機もこれを誘導するために反転していった。

この夜は、いつもより一段と暗さの濃い、星明り一つ見えない夜であった。一式陸攻の排気管から出る青い炎だけが、流星のように漆黒の空中を流れ去る。その炎の線を目標に、ぴたりと編隊を組んで零戦隊がつづいていた。

一分が、一時間にも二時間にも感じられるほど長い長い盲目飛行がつづいた。時計を見ると、すでに二時間半もたっている。こんなに長い夜間飛行を、われわれ戦闘機乗りは、ほとんど経験したことがない。だから、途中で自信を失って、何かまちがいをしてしまったんではないかという錯覚を起こすことも、しばしばであった。

飛行機の四辺《しへん》を包むものは完全な闇《やみ》である。いくら目をしばたたいても何も見えない。地平線も水平線も、何もかも見えないということは、凍《こお》りつくような恐怖を感じさせる。だが、われわれはその恐怖と戦い、うちかたねばならない。

尾部に銃座を設けた一式陸攻の胴体の形は葉巻そっくりであったため、「葉巻型攻撃機」というニックネームで国民に親しまれた

わずかに揚子江《ようすこう》だけが遥かなる闇の底にぼんやりと白く見えている。それをただ一つの心頼みに、編隊は闇の中を手さぐりで進むようにして、ついに成都飛行場の上空に、夜明け前にたどりついた。

ようやく空は東の方から明るくなってきた。だが、地上はまだ深い闇の中に眠っている。

黎明の空を大きく旋回しながら、われわれは、闇の底の飛行場から敵の飛行機の舞い上がってくるのを待っていた。

一周……二周……。空は次第に明るくなってくるが、敵機はいっこうに上がってこない。敵は地を低くはって逃げているのではないかという疑念が湧き、焦燥感《しょうそうかん》が胸を焼く。

われわれは出撃のとき、「予定の時刻がきたら飛行場をシラミ潰《つぶ》しに銃撃せよ」との命令を受けていた。

「もうそのときだ」と指揮官機のバンクを合図に、まっしぐらに地上めがけて突っ込みはじめた。

われわれもつづいた。薄明《はくめい》の底に横たわる飛行場が、ぐんぐんと迫ってきた。温江《おんこう》飛行場だった。見よ、暁闇《ぎょうあん》の飛行場には、イ－16やイ－15が多数ならんでいる。しかも各機のプロペラが回転している。離陸寸前である。思いがけない時刻に、突如として空から殺到してきた日本機を仰ぎ見て、整備員たちが右往左往している。私自身も、やっと一機のイ－16に目標がきまって、まっしぐらに急降下し、いきなり二十ミリの一連射を浴びせかけた。この一撃はみごとに命中して弾丸が炸裂《さくれつ》し、イ－16はボッと燃えはじめた。

ところがそのとき、私は奇妙な現象を見た。なんと、私の撃った弾丸が地上でジャンプして、ふたたびスーッと上がってくるのである。あまり低く降りすぎて、そのジャンプしてくる自分の弾丸にやられたものさえいる。

「危ない！」と思って、私は右旋回で急上昇した。すると、明け方の薄闇《うすやみ》の中に、線香花火《せんこうはなび》のような閃光《せんこう》が見えた。敵が機銃弾を撃っているのだ。地上砲火だ。突っ込むときは夢中だったので気がつかなかったのかもしれないが、いざ離脱《りだつ》するとき、後ろから撃たれる弾丸は恐いものだ。しかし、上空に舞い上がってからまた見直すと、まだほかにも沢山の私の見落とした敵の飛行機があり、私の後ろから銃撃にはいった味方機が、敵の二、三機をつづけざまに燃やし

イ－152。中国空軍で多数使用したソ連製の戦闘機。イ－15の改良型でイ－15ビスとも呼ばれた。複葉羽布張り

はじめた。

私も負けてはおれんと、また舞い降りて、今度は目標としたイ－15を狙い、ほんの二、三発も当たったかと思うと、その機はパーッと周辺を明るくして燃え上がった。こっちがビックリするほど簡単に炎上してしまった。こうして温江飛行場の掃蕩《そうとう》は一応おわった。

ふたたび、われわれは高度をとりながら旋回して、地上を見回した。成都周辺のあちこちから黒い煙が立ち昇っている。

「やっているな」と私は、味方機の健闘ぶりを想像した。まだその当時では、敵をすっかりナメきっていたので、戦闘がはじまっても増槽も落としていない。そんな格好で各機が思い思いに上昇し、高度を二千メートルくらいにとって編隊を組み直した頃、夜が完全に明け放たれた。

このとき、はるか西の空に、非常に微小なチカチカと光るものが見えた。敵戦闘機の編隊らしい。

――しめた！　見つけたぞ！　と思って、目をパチクリとまたたいた瞬間、そのチカチカと光るものが、空の中に吸いこまれて消えてしまった。そうなると、もう何度、目をしばたたいても見えない。いつのまにか舞い上がっていたらしい敵の戦闘機群をとり逃がしてしまったらしい。私もその頃では、まだ大して実戦の経験もなかったので、そういう場合にどう処置すべきかもわからず、ただ他の編隊と一緒に空を旋回していた。するとそのとき、急に後方の編隊に動揺がおこり、何機かがさっと急降下していった。その急降下してゆく方向を見ると、はるか下方に、薄い空色のあまり見たことのない複葉機《ふくようき》が一機飛んでいる。最初に急降下していった連中が、早くもその複葉機に攻撃をかけている。

ところが、その複葉機は非常に身軽で、スッスッと身をかわすので、こちらの射弾がなかなか当たらない。四番目に駆けつけたのが私であった。

飛び交う味方機の間隙《かんげき》を縫って、私はその複葉機に近づき、十分な狙いをつけて一撃をかけた。

ところが、弾丸は全部オーバーして一弾も当たらない。こっちのスピードが速すぎて、あまり近寄りすぎたのだ――。しまった！　と思った瞬間、私の真後ろから宮崎一空曹機が割り込んできて、ダダダダダッ！　と一撃をかけた。ところが、それもはずれた。

こうして、われわれが代わるがわる攻撃をかけるのだが、その空色の複葉機は、旋回半径が小さいのを利用してクルクルと身軽に逃げ回るので、どうしても射止められない。まるで妖精のような飛行機だ。そのうちにだんだんと高度が下がって、成都西方の岡の上に出た。そのときである。偶然にも、私が最も撃ちやすい角度へその複葉機がはいってきた。間髪《かんはつ》をいれず、私はバババババッと撃った。

ところが、ほとんどこれと同時に、私の上から飛んできた味方機も一撃を浴びせかけた。どっちの弾丸もうまく命中した！　と思った瞬間、敵機は大きく機首を突っ込んで、キリキリと三旋回ほどしたと思うと、土煙《つちけむり》をあげて地面に激突した。煙も何も吐かず、あっけないほど簡単に墜落してしまった。これが私の、零戦による初めての撃墜であった。

燃料計を見ると、まだ燃料が残っている。このまま引き揚げるのももったいないような気がしたので、私はまた下の方へ舞い降りて地上銃撃をはじめた。

めぼしい目標もないので、いざ引き揚げようと思って周囲を見まわすと、これはまたどうしたわけか、私の周囲には味方機が一機も見当たらない。私はいつのまにか味方から完全にはぐれてしまっていた。気がついてみると、定められた空戦時間はとっくに過ぎてしまっている。それをも忘れて私があんまり粘《ねば》っているので、味方はあきれてみんな引き揚げてしまったのだ。

私は一時間ほどもどりの空を飛んだ。すると揚子江上流の万県《ばんけん》の上に出た。そこで私は、念のため燃料タンクを調べてみてビックリした。翼内タンクも胴体タンクも、燃料計がゼロをさしているではないか。

こいつはしまった、と思った。しかし、どういうわけで燃料がなくなってしまったのだろう。どう考えてみても私にはわからなかった。これじゃとても宜昌までは帰れない。これはえらいことになったぞ、いよいよ敵地に不時着かな、と私は考えこんでしまった。

それにしても、どうしてこういうことになったんだろう？　私は敵地に不時着しなければならないという心細い想念に追われながらも、いろいろの原因を考えてみた。すると、やっとその原因がわかってきた。うっかり増槽を使ったまま戦っていたので、燃料が全部増槽へ落ちて、つまり増槽の中へ燃料をこぼしてしまう結果になったわけだ。

私はぞうっとした。

原因がわかると、今度は増槽が落ちてしまわないかとそれが心配になりだした。そんなことは滅多にあるもんじゃないと思いながらも、あわてて帰りを急いだ。

ところが、引き揚げはじめた頃から、だいぶ怪しくなっていた空模様《そらもよう》が、この辺から急に険悪になって、とうとう大雨になってしまった。

視界は完全に閉ざされている。

この雨雲を飛び越えるか、雨雲の下へ出て揚子江沿いに帰るか、方法はこの二つ以外にはない。もし揚子江沿いにいくとすると、途中に宜昌峡《ぎしょうきょう》という難所がある。両岸の嶮《けわ》しい山が揚子

「宜昌峡」。重なり合う山々のなか、両岸は断崖絶壁が迫り、濁流が水しぶきをあげている揚子江の難所（昭和16年７月頃）

江に迫って聳《そび》え立ち、断崖絶壁《だんがいぜっぺき》をなしている。雨で視界を奪われている以上、超低空で揚子江の川波《かわなみ》すれすれに、這《は》うように飛ばなければならない。そうすると九十九《つづら》折りの山路で自動車を運転するように、曲がりくねった川に沿って急カーブをきりながら、しかも両岸に迫った渓谷をたくみに縫《ぬ》って飛ばなければならない。いまの私には、とてもそんな芸当はできない。

そう思い迷ったあげく、いったん私はいまきた方へ引き返しはじめた。そして、今度は思いきって高度をとり、どこまでつづいているか知れないこの雲を飛び越えるべく決心し、高度を七千メートルまで上げてみた。だが、雲の頂《いただき》は見えず、ゆけどもゆけども雲の壁である。

刻々と時間は過ぎるし、燃料は消費する。

この高度なら衝突する山もないので、思いきって雲の中へ突っ込んでみた。そして、コンパスだけの方角をたよりに雲中飛行をつづけていると、どうしたというのか、飛行機がキュンキュンといいながら急降下をはじめ、たちまちにして千メートルまで下がってしまった。計器飛行を誤ってしまったのだ。

こいつはいかん、と私はまた計器飛行をやりなおした。たとえどんな場合でも、水平線さえ見えていれば、それをたよりにどんな工夫でもできるのだが、皆目《かいもく》なにも見えず、計器だけを頼りに飛ぶということには訓練が不足で（その当時、戦闘機では、ほとんど計器飛行の訓練はされていなかった）、心細いかぎりであった。

私は、昇降度計、旋回計、水平儀《すいへいぎ》、左右傾斜計《けいしゃけい》、その他の計器をできるだけ落ち着いて見直し、細心《さいしん》の注意をはらいながら、やっと機を水平飛行の状態にもどした。

しかし、なんとしても不安は拭いきれない。もしもこのままどこまで飛んでも、雲また雲であった場合に、果たして漢口まで帰れるのだろうか。いたたまれないような不安が、もくもくと湧き上がってきて、すこしでも雲の明るい方へ、明るい方へと心が惹《ひ》かれていく。

だが、私は、そんな誘惑から、思わず知らず機を反転さして、もときた方へもう一度引き返し、いつのまにか万県の上空まで、また舞いもどっていた。

迷いだしたらきりがない。時間は遠慮なく経過する。燃料はいよいよ心細くなってくる。いい気になって、成都上空を飛び回っていたことが痛いほどの後悔となって胸を噛《か》む。しかし、このままでは敵地不時着が目に見えている。それは死だ！　くそ！　こんなところで死んでたまるか、なんとかして帰らなくてはならない。そう思って心は焦るのだが、どうしても宜昌峡が抜けられない。思い悩んだあげく、ままよとばかり思いきって川沿いに飛ぶことを決意した。そして、目をつぶる思いで急降下してみた。はっと思うと、もう揚子江の川面《かわも》が雨煙の底にうっすらと横たわっていた。

よし、この上を這《は》ってやれと、命がけの思いで揚子江沿いに機を這わせはじめた。予想どおり、揚子江は曲がりくねりが激しくなってきて、どうにもぶつからないではすまないようなところへやってきてしまった。

私は観念した。しかし私の手は、必死に操縦桿をにぎっている。両側は高い絶壁である。その頂は雲におおわれて見えないが、相対《あいたい》して迫《せま》る岩肌《いわはだ》は、死を招いているようにぶきみに静まりかえっている。岩肌の曲がりくねったトンネルを、私は曲芸師《きよくげいし》のようにくぐり抜けなければならない。

厚い雨雲《あまぐも》が天井のように私の機に蔽《おお》いかぶさっている。鼻にぶつかりそうな岩肌を避けて、はっと右に急旋回すると、今度は右の翼が岩肌に触れそうになる。あっと思って機首を左に引きもどすと、もうすぐ次の曲折部《きよくせつぶ》が目前《もくぜん》に迫っている。

いまぶつかるか、今度はぶつかると、私はたえず肝を冷やす思いで操縦桿と取り組んでいる。冷たい汗が額からも腋の下からもタラタラ流れている。

だが、私はついに峡谷《きょうこく》を抜けた。この難所を抜けさえすれば、すぐ宜昌だということを知っていたので、私はそのまま雲の中へ突っ込んでいった。

果たして間もなく、宜昌の飛行場が雨雲の流れる下に見えてきた。ところが、その宜昌の飛行場は一面の水である。滑走路も、どこもかしこも、滔々《とうとう》たる濁流に洗われている。先に帰った飛行機であろうか、水の上に二機だけが見える。一機は完全にひっくりかえっているし、他の一機は逆トンボしている。これでは着陸できそうもないが、燃料を考える……。増槽にどのくらい残っているか知らないが、時間から計算しても、とうてい漢口まで帰れるはずがない。私はやはりここへ降りるより仕方がない。といって、果たしてここにうまく降りられるか？　私はどこかに降りられそうな地面がないものかと目を皿のようにして探すのだが、飛行場はもはや完全な湖である。どこにも地面というものが見当たらない。

――これが水上機ならいいんだがなあ。

苦しまぎれに私は愚《ぐ》にもつかない妄想《もうそう》にかられる。しかし、どう考えてみても、不幸なことにわが愛機は、陸上機なのだ。

――この愛機を、こわさずにうまく降りるには、どうしたらいいのか？　ましてやおそらくは先に帰った連中は、欲ばって帰りおくれた私が、どうやってこの湖の中へうまく降り立つかと、あるいは面白半分に、あるいは意地わるく、みんなで見ているにちがいない。そうだとすれば、ここは腕の見せどころだ。どうでもうまく降りて見せなければならない。

そう思って、私はいろいろの方法を考えながら、三、四回上空を旋回してから、そろそろと脚を出し、フラップを全部おろすと水圧でこわすかもしれないと思えたので、フラップは半分にして、割合に頭を上げたアップの姿勢で、飛行機の尻の方から徐々に水につけ、尾輪が地に着くと同時に、思い切って前輪を地面へ着けた。とたんにプロペラが水を叩き泥水がパーッと跳ね上がった。

目の前は、泥水をかぶって何も見えない。しかし、機はゆるゆるとスリップしながらも地面に着き、流れのせいか右の方へ横すべりする。方向舵をいっぱいにきって、左の方向へ修正する。行き足は、水の抵抗で意外に早く停まってしまった。

先着の人はみんなしくじっているのに、一番最後に、そして一番水の多いときに降りながら、愛機をこわさずにうまく降りたというので、後で私は非常に褒《ほ》められた。

この日の戦果は、零戦隊では、地上炎上七機、地上撃破九機、撃墜三機、被弾機八機であった。別に、中攻隊にも敵の戦闘機が襲いかかってきたが、難なくその二機を撃墜したという。してみると、われわれが、遥か西の方の空にチカチカ光るものを見たのは、やはり敵の戦闘機だったのだ。

われわれは、ここで、雨の上がるのを待っていた。

やがて雲も去り、雨がやんだと思うと、見ているまに水がひいて、ふたたび地面のある飛行場となっていった。

われわれはさっそく燃料を補給し、水のひいたばかりの宜昌飛行場を離陸して、漢口へ帰ったのである。漢口に帰ってから、私は柄《がら》にもなく、覚えていた李白《りはく》の詩を思い出した。

朝《あした》に辞《じ》す白帝彩雲《はくていさいうん》の間《かん》
千里《せんり》の江陵一日《こうりょういちじつ》に還《かえ》る

この詩は、李白が四川省から揚子江の三峡《さんきょう》の嶮《けん》を舟で下った感激を詠《よ》んだものだという。私は飛行機で下ったのだが、その感慨《かんがい》はまことにこの詩と同じものであった。

地の果て上空を征く

「相当数の敵機が蘭州《らんしゅう》に集結し、その周辺には敵の飛行基地が着々と建設されている」偵察機からの報告が頻々《ひんぴん》と伝えられるにおよんで、零戦隊に対し、いよいよ蘭州攻撃の命令がくだった。

蘭州は、蔣介石がソ連から物資を輸送するにあたって、なくてはならない北方ルートの拠点《きょてん》であり、わが方はこの敵の拠点に対して、運城《うんじょう》を基地として以来、中攻隊が断続的に攻撃を行なっていた。

私もすでに二年数ヵ月、九六艦戦時代に運城に進出していたことがあった。もちろん九六艦

雲海を見下ろして飛ぶ十二空の零戦一一型。これも漢口から運城へ進出する途中の坂井機である。胴体後半は塗色が異なっている

戦は、〝あし〟（航続距離）が短かったので蘭州攻撃など思いもよらないことだったから、毎日、敵襲にそなえて基地の上空哨戒《しょうかい》ばかりやらされ、中攻隊が大編隊で出撃していくのを、指をくわえて見送っていたものであった。

しかし、世紀の傑作機といわれる零戦が出現して戦列に加わるにおよんで、われわれ第十二航空隊の一部戦闘機隊も、中攻隊の掩護《えんご》や先制攻撃をやる任務を帯びて、成都空襲後、ふたたび運城に前進してきたのである。

運城は黄河《こうが》と渭水《いすい》の合《がっ》するところで、飛行場は、中条《ちゅうじょう》山脈のすぐ北にある平地に設けてあった。その飛行場と中条山脈との間に塩《えん》湖《こ》があって塩水が湧《わ》き出ており、住民たちは塩田《えんでん》をつくり、天日《てんぴ》製塩を行なっていた。

ここは標高五百メートルで鉄道の要衝にも

なっている。非常に寒いところで、われわれがそこへいったのは、八月の末だったのに、午後五時頃の温度は十度くらいの寒さであった。このときは中攻隊が先発していて、われわれは戦闘機だけで漢口から出発した。指揮官は浅井《あさい》大尉であった。機数はせいぜい十七、八機だったと思う。

この付近になると、さすがに黄河の水も青く澄《す》んで美しく、川幅も中条山脈のためにぐっと狭くなっていて、これが黄河かと思われるほどである。しかし、それも渭水と分かれる付近からまた大きくなって北へのぼっている。

われわれは、ここでしばらくの間、攻撃がはじまるのを待っていた。もともとここは、陸軍の飛行基地であったが、陸軍の飛行機では蘭州まで〝あし〟がとどかなかったので、海軍が応援にいったという形であった。

その頃の敵は、こっちが出ていくとすぐ奥地の松潘《しょうはん》（標高千五百メートル）、その他へ逃げ込んでしまい、つかまえどころのない作戦が毎日つづいていた。

われわれが運城へ進出する以前の六月二十三日、蘭州飛行場の強行偵察に参加した零戦三機のうち小林一等航空兵が敵弾に当たって犠牲者となった。その後も数回、蘭州攻撃を行なったが、やはり大した戦果はあがらなかった。

さすがにこの奥地までくると、中国大陸も風物《ふうぶつ》は一変し、このあたりは一木一草《いちぼくいっそう》もなく、果てしない地表《ちひょう》の広がりにすぎないという感じである。

蘭州の町も上空から見ると、どす黒く汚れ果てており、よくこんなところに人間が生活していられるものだと思われるくらいである。沙漠《さばく》でもない乾燥地帯で、まったく荒涼《こうりょう》たる風景である。飛行機乗りなればこそ、こんな奥地まで来られたので、われながらよく来たものだわいと感ぜずにはいられなかった。

蘭州の飛行場は蘭州の町をはさんで、東飛行場、西飛行場と二ヵ所ある。飛行場の南の方に、そそり立った断崖と二百メートルくらいの山があって、そこに機銃座があり、うっかり超低空で地上銃撃をやっていると、逆に上から撃たれた。小林一等航空兵は、二百メートルのこの山の上から撃ち下ろした敵の機銃弾に当たって自爆したものである。（零戦で撃墜された第一号は、成都上空の木村一空曹で、小林一等航空兵は第二番目であった）

木村英一一空曹。昭和16年5月20日、成都上空で対空砲火で撃墜され、零戦の最初の戦死者となった

総じていうならば、この蘭州攻撃は、成都攻撃などにくらべると非常に地味なもので、われわれも二度、三度と攻撃にいきながら、なんのためにこんな奥地まできたのだろうか、大した作戦目的もないのじゃないかというような感じを抱くほど、ひまな攻撃で、大し

われわれがそうしている間にも、漢口基地に残っていた零戦隊は、天水《てんすい》で敵機と空中戦をやったとか、成都上空でも敵機を十数機殲滅《せんめつ》したとか、いろいろと派手な情報がはいってくる。

われわれはひまな奥地へ追っぱらわれたような気がして、脾肉《ひにく》の嘆《たん》に堪えなかった。

八月もいよいよ終わろうという頃のことであった。

偵察の結果、若干の敵の飛行機が蘭州に現われたという情報を得たので、八月二十五日、われわれ零戦隊七機は、陸偵《りくてい》二機に誘導されて、運城基地を飛び立った。

約十分ほども飛ぶと潼関《どうかん》西方で黄河の流れが直角に北方へ向きを変えている。われわれは、渭水に沿ってそのまま西へ飛んだ。まもなく高原地帯になる。一木一草もないカーキ色の土地がつづくだけで、人家は数えるほどしかない。盛夏の八月だというのに緑は一つも見えない。

潼関をすぎて二、三分も飛んだかと思われる頃、右の翼下にカルメ焼きを上から見たような醜怪《しゅうかい》な地形が現われてきた。ちょうどカルメ焼きのように地表が割れている。かつて地球ができたときはこういう具合になっていたのではあるまいかと、なんとなく薄きみわるさを感じたが、それにしてもこれはいったいなんだろうと航空図を引っぱり出してみた。すると、「函谷《かんこく》関《かん》」と書いてある。ああ、これが「函谷関もものならず」と「箱根八里」の歌にある有名な難所か、えらい見物をしたと儲《もう》かったような気がした。大陸戦線ひろしといえども、この函谷関まで見物できるのは、やはり飛行機乗りのありがたさだと思った。

上空から見て、カルメ焼きの割れ目にみえたのは断崖絶壁なのであろう。その割れ目の深さは、北に上るにつれて段々と浅くなり、やがて平地にもどる。深いところは数十メートルもあるのではないかと思った。

もしもあそこへ落ちると、もちろん助からないだろうが、もしかりに助かったとしても、あの谷間を出るのに幾日かかるかと考えた。そして、よくもまあこんなに遠くまでやってきたものだと、しみじみそう思いながら私は飛んでいた。

重慶や成都を攻撃する場合は、もちろん相当の長距離ではあるが、つねに揚子江が真下にながれているので、航法を誤るという心配はなかった。

ところが、蘭州となると、いけどもいけども段丘状《だんきゅう》の同じ地形がつづいている。よほどしっかり航法をやっていかないと、帰り道に迷うおそれがある。

約二時間半も飛んだ頃、はるか北の方にキラキラと光る細長いものが見えだしてきた。それが黄河であった。

黄河が北から下りきって、ふたたび曲がるところに蘭州がある。だから相当に遠方からでも、蘭州のある場所ははっきりわかるのである。

まもなく蘭州飛行場の上空に達した。高度を四千メートルにとって敵の飛行場を見下ろしながら旋回しつつ敵機をもとめたが、すでに避退していて、飛行場はもぬけの殻《から》である。やむを得ず高度を下げて地上銃撃にはいった。だが、飛び上がれない修理中の飛行機とか、格納庫らしいものとか、爆薬庫、燃料庫というようなものを狙って撃つだけである。

撃っているうちに、例によって山の上からバラバラと撃たれる。貴重な零戦をここまで飛ばしてきて、われわれはいまこんな銃撃をやっている。果たしてそれだけの価値があるのか、というような感じが、またしても起こってならない。

この日は、上空制圧二十分ばかりで引き揚げてきたが、その後もこのような出撃を、三回、四回とつづけている間に、今度は蘭州北方の西寧《せいねい》付近に敵の新しい飛行場ができたことを、中攻の偵察機が発見してきた。そして、敵の戦闘機は、どうやらここへ逃げ込んでいるらしいと推定されたので、わが零戦隊は、その報告のあった翌日、さっそく十二機の編隊で出撃した。

零戦隊が基地を飛び立ってから約二時間半——翼下は見渡すかぎりの山岳地帯で、一木一草も見当たらない。牛糞を積み重ねたような黄色い山また山の連続である。その山また山の間を縫って、路が曲がりくねって白く見える——これがいわゆる北方ルートなのだ。

私は思わずうなってしまった。よくもこの奥地にこれだけの道路を建設したものだと、万里の長城を築いた民族の粘り強さに、いまさらのように驚き、かつあきれた。

そんなことを考えながら飛んでいると、ふと遥《はる》か前方に水平線のようなものが見えてきた。そしてそれがまるで海のようにキラキラと輝いて見える。はっと思って航空図をひろげてみると、青海《せいかい》という湖の位置がはいっている。しかし、方向がまるで違う。こんなところに海が見えるはずがないと思いながら、だんだん近寄って行くと、なんとそれは海ではなくて沙漠だった。

われわれは、すでにゴビの沙漠の南端にとりついたようだが、なんとまあ、こんな奥地まで攻めてきたものだと、自分たちの征途の遥けさに、私はまた感慨にふけると同時に、飛べども飛べども果てしない中国大陸というものの広大さに、手応えのないものと戦っているような空恐ろしさを覚えてならなかった。

やがて、右前方に白い四角な平地が見えてきた。新しい敵の飛行場というのはあれだなと思ったとき、すでに先行の一番機が、ぐんと高度を下げて地上銃撃を開始した。

私も列機と共にすぐにそれにつづいてみたが、目標がぜんぜんない。家もなければ飛行機もない。人もいない。ただ飛行場と思われる四角な地面があるだけである。これではしようがないと思って、その付近を飛び回るだけで、一発の弾丸も撃たないで帰ってきた。

帰途、振り返るとゴビの沙漠の水平線が、キラキラ光っていた。蘭州に立ち寄るほどの燃料も、予定も、きょうはなかったので、一路、運城へ帰ってきた。運城へ帰ってみると、また漢口基地隊が大空戦をやって、何機撃墜したとかという情報がはいっている。みんなはくさりきった顔をしていた。

ある日のこと、また出撃命令が下った。中攻隊が一回だけ爆撃をかけたことのある敵の最も奥地の基地松潘《しょうはん》を攻撃するというのである。

この飛行場は地形の非常に険悪な、しかも標高千五百メートルの山の谷間にある。しかもその途中には七千メートルくらいの鋸《のこぎり》の歯のような嶮山《けんざん》が立ちならんで進路を遮《さえぎ》っている。よほどの老練者でないと失敗する危険がある。

指揮官は新郷《しんごう》大尉ときまり、老練な搭乗員が特別に四人だけ選抜された。幸い私もこれに加わることができた。神風《かみかぜ》偵察機（九八式陸偵）一機がわれわれを誘導することになった。

松潘は運城から約五百浬、零戦の作戦がはじまって以来、最大の長距離攻撃であった。

われわれがいそいそと仕度をしていると、選にもれた搭乗員たちがやってきて、ヤキモチをやき、

「松潘なんかにいったって、敵さんどころか、リスもネズミもいやしないよ」と盛んに悪口をいう。

しかし、われわれは意気軒昂《けんこう》、きょうこそは敵機をつかまえてやろうと、午前八時半、神風偵察機を合わせて七機、僚友たちの悪口の歓迎を後に運城基地を飛び立った。

天候はまさに快晴である。

敵さんも、まさか松潘まで零戦隊が攻撃をかけてくるなどとは夢想もしていないだろう。天気もいいし、きょうこそは日頃のうっぷんを晴らせるわい、とほくそ笑んで飛翔《ひしょう》をつづけた。

運城基地を飛び立ってから約三時間、まもなく松潘が見えだす頃だなと思ったときには、翼下一帯は峻嶮《しゅんけん》な高山地帯になっていた。

九八式陸上偵察機。神風偵察機の名で親しまれた長距離高速偵察機。偵察だけでなく戦闘機隊が長距離進攻を行なうときは誘導にあたった

高度計は七千メートルを指しているのに、鋸《のこぎり》の歯のようにそそり立った山の頂が、翼下数百メートルのところに迫っている。見た目にはすれすれの感じである。しかも、まだ八月だというのに、青白く雪をいただいているので、鋭《するど》い牙《きば》が逆立《さかだ》ちして、いまにも嚙みつきそうな威圧を感じさせる。まったく、えらいところへきたものだ。しかもこの先にある飛行場に攻撃をかけるのだから、よほど注意しないと失敗するぞと思っているとき、急に天候が険悪《けんあく》になってきて、みるみるうちに一面に雲の壁ができて行く手を阻んでしまった。なんとかして潜り込む隙間はないものかと、約十分間ほど探し回ったが、どうしても見つからない。晴れていたなら眼下に松潘の飛行場を見たであろうと思われる地点まできていながら、怨《うら》みを残して引き返した。これが、日華事変（日中戦争）中に日本海軍の戦闘機が攻撃のために飛んだ最後の飛行だった。

それからまもなくして、私は運城から漢口へ引き揚げ、その年の九月初旬、太平洋戦争の準備のために、ふたたび中国大陸を去って高雄航空隊へ帰着した。

基地零戦隊健在なり

昭和十六年九月――。私はもともと、漢口に移駐《いちゅう》していた高雄航空隊の一員であったが、第十二航空隊員をも臨時に命ぜられていた。

この第十二航空隊は、前の年の十五年から漢口を本拠として、重慶その他の奥地攻撃をさかんにやり、敵にも味方にもその名を知られていた横山《よこやま》大尉以下の零戦隊がその主力であったが、その横山大尉に、「坂井は俺の隊にくれ」といわれて、私は第十二航空隊とともに行動していたのである。

しかしその私にも、ふたたびはっきりと高雄空の一員として行動するときがきた。九月のある日、「全隊高雄へ帰還」という命令が出たのである。

帰還――とはいうものの、誰の胸にも「新戦場へ！」という厳しい気持が流れていた。いつかの第三連合航空隊司令官片桐英吉少将の感動的な訓示を思い出さずにはいられない。

「――今度こそ日本民族の運命を賭けた新しい大戦争が南の方に起こる――」

いよいよそのときがきたのだと、誰もがそう考えていた。

司令以下の幹部は、すでに輸送機で先発し、私たち搭乗員も、吉富茂馬少佐を指揮官として、二十数機の大編隊を組んで漢口基地を出発した。

大陸の九月はもう秋の色が濃く、澄んだ空には冷たい風が流れていた。眼下に見える揚子江の悠々たる流れ、それに沿って針路は進む。安慶《あんけい》、蕪湖《ぶこ》、南京《ナンキン》……かつて攻め進んだ戦跡が次次と現われてくる。くさぐさの回想が、走馬灯のように私の頭の中に浮きつ沈みつしている。

――親友宮崎一空曹とともに、ソ連製のイ－16を一機ずつ落とした漢口空襲のこと、その漢口空襲では、第五期予科練出身の木村一空曹が、不幸にして地上砲火を受けて私の見ている前で落ちていった、そのときの情景が、いまもなお私の眼底に焼きついている……。

気らくな水平飛行の風防の中にひとり閉ざされて、次から次とこんな回想にふけっていると、編隊はもういつのまにか上海の上空にきていた。

その日は、上海《シャンハイ》郊外の龍華《りゅうか》基地に着陸して一泊し、翌朝出発して針路を南南東にとり、南シナ海、台湾海峡《かいきょう》をひとまたぎに飛び越えて、四ヵ月ぶりで懐かしい高雄基地に、全機ぶじ帰りついた。

それからの毎日は、目の回るような忙しさだった。新しい飛行機の整備、兵員の補充――こうして一ヵ月が夢の間にすぎた頃、高雄基地と目と鼻のあいだにあった台南《たいなん》基地ができ上がった。

まもなく高雄航空隊は全員がここに移駐した。そして「台南航空隊」の看板も新しく、司令斎藤正久《さいとうまさひさ》大佐、副長兼飛行長小園安名《こぞのやすな》中佐、零戦九十二機に神風偵察機（九八式陸上偵察機）十二機を加えて、新しい大戦闘機航空隊がここに編成されたのである。

爽涼の漢口から、猛暑の台湾に移ったのだが、部隊にはだらけた気分などみじんもなかった。黎明、午前、午後、夜と四回に分けて、猛烈な訓練が毎日つづいていた。そのあいだには、海軍のお家芸《いえげい》である着艦訓練も行なわれ、こうして私たちはきたるべき日を待っていたのである。

やがて十一月も下旬となると、基地の空気はいっそう緊張したものとなった。突如、空襲警報が発せられたのもこの頃のことである。

「米PBM（双発飛行艇）一機偵察に飛来《ひらい》、わが戦闘機は目下これを追跡中！」

南に隣接《りんせつ》する高雄基地にある第三航空隊から電話がはいってきたが、このときには、雲の中に敵機を逸《いっ》し去ったという。それからほとんど毎日のように米偵察機がやってくる。基地は完全に灯火管制にはいった。同時にこちらからも毎日のように神風偵察機が放たれていた。

こうして各種の情報が総合された結果、比島《ひとう》の各基地にはB－17（空の要塞《ようさい》）、P－40、P－38など約三百機があるものと推定された。いつの日にかは、われわれの相手となるであろう敵の飛行機である。中国奥地で相手にしたイ－15などとはちがって、その性能はすごく優秀だと

ロッキードP−38ライトニング。「双胴の悪魔」と呼ばれた双発の高速戦闘機。左右の胴体の上面に排気タービンを装備している

いうし、搭乗員の技量も侮《あなど》りがたいと聞いていたが、その頃の私は、日本海軍の戦闘機乗りとして、次の二つのことを考えていた。もしも米英と開戦した場合、日本は果たして勝てるだろうか、ということ。昭和十二年以来五ヵ年間、日本はその国力の何十パーセントかを日華事変に使ってしまったといわれ、またその上に、これからも世界の強国を相手に戦うというが、大丈夫だろうか。日本を指導するえらい人たちは、どんな神算鬼謀《しんさんきぼう》を持っているのだろうか……。

いやいや、軍人はそんなことを考える必要はないのだ。勝負のわかるときまで、とても俺は生きてはいないだろう。俺たちはただ全力をつくして戦えばよいのだ。国家の将来など、俺たちが考えてもどうにもならないことなのだ。私はそう思いつつも、もう一つの思いが、私の胸の中に烈々《れつれつ》と燃えあがってくるのをおさえることができなかった。

それは、大空の勝負師としての意地であった。日華事変の歴戦で鍛えた私たちの腕前ではあるが、今度の相手は、いままでの中国空軍とはちがうのだ。みずから先進国と豪語する米英の空軍だ。きっと、われわれをなめてかかってくるだろう。心の底のどこかに、一抹の不安はあるが、相手も同じ思いにちがいない。

今度こそ、日本人の頭脳が考え、日本人だけの手でつくり上げた零戦を、日本海軍で鍛えに鍛えた俺たちの手で操縦して、目にものを見せてやるのだ。ことに敵の戦闘機にだけは絶対に負けてはならない。いや、絶対に勝って勝って勝ち抜くのだ。これが海軍戦闘機搭乗員の意地なのだ。

自信満々たる古参の私たちではあったが、若い搭乗員たちは果たしてどうであろうかと、危ぶむ気持もないではなかったが……。


いざ日米開戦となれば、わが台南航空隊をはじめとして、高雄その他、台湾の各地に配属された海軍航空部隊の攻撃目標が、比島北部にある敵の主要な航空基地に向けられることは明らかなところであった。

しかし、ルソン島中央部のクラーク・フィールドと、ルソン島の中部西岸のイバという二大航空基地までは、いずれも四百五十浬、マニラ近郊のニコルス・フィールドまでは約五百浬の距離にあった。

日華事変の奥地攻撃における漢口―重慶間の距離は四百五浬であったが、しかし、この場合は、宜昌という前進基地があって、ここでガソリンの補給を受け、整備をし、休息をとり得る利便があった。また宜昌から成都までも同じく約四百浬であった。

したがって、台湾からこれらの比島の各基地まで一挙に渡洋《とよう》するということは、掩護戦闘機の進出距離としては、まったく画期的なことであった。

そこで司令部としても、また近く大作戦があるような気配をうすうす感づいていたわれわれとしても、最も心配したのは、零戦が果たしてこのような長い距離を飛べるかどうかということであった。行って帰るだけのことなら、計算上、かならずしも不可能ではない。しかし、この遠征には、かならず空戦がともなうことを予期しなければならない。空戦時のガソリンの消費量は莫大である。これを計算に入れなければならない。

そういう点をあれこれ考えて、司令部としては、陸上航空部隊の零戦を、いったん航空母艦に収容し、比島至近《しきん》の海域まで運んで発進させる計画を、一応はたててみたのである。

ところが、予定された空母は、日本海軍でも一番小さいものが三隻だけであった。（大型空母はすべて真珠湾攻撃に参加したことを、私は後で知った）

その上、空母を使うためには、陸上部隊の零戦にはあまり縁《えん》のない着艦訓練をみっちりやる必要がある。この訓練をやって、せっかく空母に搭載しても、同時に発艦できる機数は三艦合わせても約三十機くらいで、予定していた零戦の半数にすぎない。とすれば、少々の無理があっても空母を使わない方がいいという空気が濃くなってきた。

こうなると、すぐさまわれわれに要求されることは、いかに燃料を節約して、台湾から直接、作戦に移るかということである。一滴たりともむだな消費は惜しいのである。そこで、大編隊飛行による燃料消費試験が行なわれた。編隊の機数が多くなればなるほど、隊形を整えるのに、少数機のときより余分の燃料がいるからである。これは空中戦闘の訓練以上に真剣に繰り返して行なわれた。

高度四千メートル（途中進撃予定高度）、巡航気速《じゅんこう》（計器指示速度）百十五ノットの制限（これは一式陸攻の気速に最も近く、しかも燃料消費に対して最も経済的な巡航速度とされていた）の下に、発動機の回転を毎分千七百〜千八百五十回転として、気化器のＡＭＣ（自動混合気調整装置）をほとんど爆発不調の寸前まできかして飛行するのだが、この試験の結果、われわれは、次のようなみごとな成績を得るまでに漕《こ》ぎつけたのである。

すなわち私のつくった毎時六十七リットルという記録が、全飛行機隊中もっともすぐれていた。最高が九十リットル、平均で八十〜八十五リットルと計算されたのである。

しかし、零戦の燃料搭載は八百リットルであり、空中戦中の全速時消費量は巡航時の四倍以上という驚くべき消費であり、また出発時の試運転や、打ち合わせに要する消費量や、大編隊を組むために要する空中での消費のことを考えると単機の場合とはまったくちがった、いらだたしいほどの消費がふくまれており、この渡洋作戦準備訓練において、われわれが行なった燃料消費節約に対する努力と研究は、空戦以上のものがあったといえる。そして、この試験の結果に得られた好成績は、基地航空部隊（第十一航空艦隊）司令長官塚原二四三中将をはじめとして、全部隊に大きな自信を抱かせた。もはやわれわれにとって、空母は不要であった。

基地には、真剣な、しかもあわただしい空気が流れていた。昭和十六年十一月の末、われわれ零戦隊の、さしもの猛訓練もいよいよ大詰めに近づき、開戦まもなしの感が、重くるしく搭乗員たちの気持の上にのしかかってきた。

そういうある日のこと、各小隊対抗の地上的掃射競技会《ちじようてきそうしや》が行なわれた。海岸に零戦大の布板《ぬのいた》が張られ、それを目標にして、小隊毎に日頃の猛訓練の手並みを競おうというのである。降下制限は高度五十メートル。優勝した小隊には司令賞がかけられた。私の小隊は、台南空唯一の下士官だけの小隊（他の小隊長は全部士官）である。その意味で注目の的であったし、われわれの意気込みも、士官小隊に負けるものかという暗黙の気合いがみなぎっていた。

「きょうは俺が半分は入れる（命中させる）。あとの半分は二人でたのむよ」と私は、二番機の横川《よこかわ》二空曹と三番機の本田《ほんだ》三空曹の肩を叩いた。

地上には、風速七メートルの西風が吹いている。そのことも計算に入れておくようにと、日頃の注意のダメを押した。二人とも闘志満々《とうしまんまん》である。

やがて十数個の小隊が次々と舞い上がり、次々と地上的に向かって降下しながら機銃弾を浴びせかける。そのたびに、機銃発射の連続音が中空にこだまする。

競技はどんどん進んでいった。

わが坂井小隊の三機はドンジリに離陸し、高度五百メートルの上空で機首をひるがえして左へ切り返し、たちまち一列の縦陣になる。

「よしっ！」

降下角度は三十度。大地がぐんぐんと鼻先へ迫ってくる。制限高度ぎりぎりいっぱい——OPL（電映照準器）の十字形にうつる白い目標が、ついに視野いっぱいにひろがる。間髪をいれず発射把柄をにぎる。

ダダダッ……と手応え。七・七ミリ二梃（携行弾丸六十発）から曳光弾が糸のように流れて飛んでゆく。つづいて二番機、三番機……。われわれは撃ち終わった。機首を上げて、ふたたび上空に浮かぶ。列機を呼んで編隊を組む。近寄ってきた三番機の本田に、風防をあけて、「首尾は？」と手まねで聞くと、彼は苦笑しながら首をかしげている。

二番機の横川は、右手を元気よく上げニコニコ笑っている。「大丈夫です」といっているらしい。

着陸して成績の発表を待つ。命中調査で時間をとっているのがもどかしい。やがて新郷《しんごう》飛行隊長が笑顔で現われて、いきなり大きな声で呼び上げた。

「第一位、坂井小隊、二十七発」

それだけ聞くと、私はもう嬉しさでいっぱいになり、後はもう隊長の言葉も聞いていなかった。司令賞のビール二ダースは、かくてわが小隊のものとなった。

「やりよったな」と褒《ほ》めてくれる戦友たちの言葉も嬉しかったが、それよりも、私自身の心の底に、何かしら力強い自信が、こんこんと湧き出してくるのを感じて嬉しかった。

「これは幸先いいぞ！」

十二月にはいると、「日の丸」を塗りつぶした神風偵察機が、毎日のように南方の空に姿を消していった。

南方の、予定された作戦地域に対する偵察が、本格的に開始され、基地の緊張は頂点に達したかの感があった。

日米の開戦間近しということは、われわれ搭乗員にも、おぼろげながらわかっていたし、台湾各地の基地に展開して、きたるべき日に備えて待機している爆撃隊も、その攻撃目標が南方であることは暗黙《あんもく》のうちに了解していたが、それが南方のどの地点かということになると、われわれはまだなにも確かなことは知らされていなかった。もちろんわが機動部隊が、その頃すでに、単冠湾《ひとかっぷ》を出港して、一路ハワイへ向かっていたなどとは、知るよしもなかったのである。

十二月二日、神風偵察機による台南航空隊の第一回の南方偵察が行なわれた。その日、十一時三十六分、松田義雄《まつだよしお》中尉の操縦する神風偵察機が台南基地を飛び立った。めざすはルソン海峡――この付近に、敵の空母が遊弋《ゆうよく》していないかを確かめる任務を帯びてはいたが、あくまでも隠密の偵察行である。

この偵察飛行は、台南基地から比島方面に向かって飛び、第一回目の変針点《へんしんてん》で、右または左に変針し、第二回目の変針点で、ふたたび右または左に変針して、基地に帰投《きとう》する。つまり、基地と第一回変針点、第二回変針点が三角形を形づくるように飛ぶのである。

松田機は、この要領で高度を八千メートルにとり、十三時に一回目の変針をし、十三時十五分、二回目の変針をして、十四時二十八分、基地に帰投した。

つづく第二回目の隠密《おんみつ》偵察行には、工藤重敏《くどうしげとし》三飛曹が選ばれた。

工藤機は八時五分に発進し、九時四十五分に一回目の変針をし、十時に第二回変針、十一時五十五分に帰投した。そして翌五日には、古川渉飛曹長と上別府義則二飛曹のペアで、五時三十五分発進、九時イバ・フィールドを、九時二十分クラーク・フィールドを偵察して、十二時に基地に帰投した。その偵察の結果、イバ・フィールドの地上に敵戦闘機二十三機、クラーク・フィールドに大型機三十二機、小型機（戦闘機）七十一機が在地しているという報告をもたらしたが、さらに翌六日、松田義雄中尉ほか陸偵三機が、ルソン島方面の洋上索敵《さくてき》に飛び立った。

後日になって考え合わせてみれば、司令部では、この頃すでに時間の問題にまでさし迫っていた開戦の第一撃に備えていたわけである。

しかし、こうした隠密偵察行は、台南空ばかりではなく、高雄にあった第三航空隊によっても、同時に繰り返されていたのである。


台南基地は、文字どおり嵐の前の静けさに明け暮れていた。十二月一日以来、戦闘機隊は全弾装備して燃料を満載し、即時出動の態勢をとって待機していた。

基地はまったく静まり返り、たまに飛び立ってゆく試飛行のエンジンの音が、妙に印象に残るほどひっそりとしていた。

十二月三日、台南基地にいる爆撃機、戦闘機、偵察機の搭乗員全員、約二百名の集合が令された。

そのときの飛行長の言葉が、搭乗員たちの志気をいやが上にも昂揚《こうよう》させた。

「——日本はいま、建国以来の困難に遭遇している。米英を先頭とするＡＢＣＤ包囲陣によって、わが国は、四方八方から圧迫を受け、このままでは経済封鎖による物資の欠乏でジリ貧《ひん》になってゆくことは目に見えており、とくに石油の不足は死活の問題である。石油は世界にありあまるほどあるのだが、日本には一滴も売ってくれなくなった。売ってくれなければ、力ずくでいただきにいくよりほかに、生きていく道はないのだ。それもアラビアやアメリカのような遠いところにいくのではない。ここ台湾から一飛びのところに湧き出ているのだ。俺たち搭乗員が一番槍となって、この油田地帯に乗り込むのだ」

私が、間近に迫った大きな戦いの目的が南方の石油であることをあらためて再認識させられたのもこのときである。

十二月六日、指揮所前に集合した小隊長以上に、分厚いガリ版刷りの印刷物が配られた。いつも渡される刷り物はザラ紙にきまっていたのだが、いったい何の通達《つうたつ》だろうと、ヒョイと見ると、上の方に綴《と》じてある綴じ紙だけがいやに白い和紙である。ところが、きょうのはどうもようすが変だ。

文字に目を移した瞬間、私は思わずはっとして、そこに書かれている文字に吸いつけられた。「大日本帝国は、〇月〇日〇〇〇〇を期して米英蘭と開戦に決す」と冒頭にあり、〇内の数字は追って通知すと書かれている。そして、敵状その他の事項がぎっしりと事こまかに記されている。

日華事変以来、戦《いく》さには慣れたつもりのわれわれではあったが、この一瞬、身心のひきしまるのを覚え、「よし、やるぞ!」と、私は改めて覚悟のほぞを固めた。

顔をかたく緊張させる者、にやりと、わが意を得たりというふうに笑う者、顔色ひとつ変えない無表情の者、飛び上がって喜ぶ者——そのときの感情の現わしかたは、皆まちまちであった。

　翌七日の夜、いよいよ明朝出撃という前夜、わたしたち出撃戦闘機搭乗員四十五人は司令室に集合を命ぜられた。そして、全員が北の方の日本の空に向かって別れの敬礼をした。

　司令斎藤大佐は、いろいろと注意を与えられたのちに、

「いよいよ、明早朝、わが戦闘機隊は、マニラ周辺の敵空軍撃滅に向かって出撃することになった。いままでの猛訓練で鍛え上げた腕前で勇戦してもらいたい。今夜ここに集まった四十五人の全部が、明晩、もう一度ここに揃うことは先《ま》ずないだろう。このうちの何人かは永久に帰ってこないことになるかもしれない。みんな、よくよくお互いに顔を見合わせておくようにな……」

　司令の言葉に、さすが強者《つわもの》ぞろいの私たちも、一瞬、しいーんとなりをしずめて、お互いの顔を見合わせた。

　その夜は、搭乗員全員に赤飯《せきはん》が配られ、小量の酒で明日への出陣を祝ったのち、われわれは宿舎へ散っていった。

第三章　ゼロこそ我が生命《いのち》なり

われ比島上空にあり

戦友に起こされて、私は目をさました。夜明けにはまだ程遠かったが、思ったよりよく眠ったらしく頭が冴えていた。昭和十六年十二月八日の午前二時、われながらいくぶん緊張しているからだに、冬の寒気がしみこんでくる。昨夜から用意しておいた真新しい下着にとりかえ、洗顔もそこそこに、戦友たちと飛行場指揮所へ向かった。

ぶきみなほど静かな朝である。風は無風にちかく、深い星空が満天をおおっている。足もともわからぬほどの暗さだが、通いなれた飛行場への道をいそぐ。張り切っているせいか、きょうはとくに近く感じられる。

整備員は、前夜からの徹夜作業らしく、闇の中に、懐中電灯の灯がめまぐるしく交錯し、あちこちと呼びかわしている緊張した声が聞こえている。

指揮所に集まった搭乗員の顔は、どれもこれも緊張しているが、なんとなく晴ればれとしていて美しくさえ見える。

簡単な戦闘食のおむすびが出た。おいしい。みんな口数も少なく静かに時を待った。

発進は午前四時の予定だった。

ところが、時計の針が三時を過ぎた頃、ふと気がついたのだが、いつのまに忍びよったのか、薄い乳色《ちちいろ》の霧が飛行場をつつみはじめていた。

おや？　と思って見ていると、その霧はだんだん濃くなってゆく。そうして、ついには五メートル先も見えないほどのめずらしい濃霧《のうむ》になってしまった。

予定の四時発進は変更された。まったく予期しない天のいたずらである。だれもかれもが、不安そうに腕時計をちらちらと見ている。

だが、霧はいっこうに晴れる気配もない。五時……六時……七時と時間がむなしく経過していく。ついに〝黎明《れいめい》を期してマニラ突入〟の時刻は遠く過ぎ去り、夜はまったく明け放たれてしまった。

このとき、突然、指揮所から、まったく思いがけない情報が発表された。

「今暁六時、味方機動部隊は、ハワイ奇襲に成功せり……」

一瞬、身内のひきしまるような感動が全員を支配した。とみるまに風のような動揺が起こり、やがてワーッという喚声《かんせい》にかわった。〝血湧き肉おどる〟というのは、このような気持をいうのであろうが、われわれ搭乗員の間には、このとき同時にまた反対の気持が動いたのも事実であった。

もちろん味方の成功が嬉しくなかったわけではなかったのだが、それはそれとしても、われこそは一番槍《やり》と信じていた誇りを、無残に打ち砕かれた失望と、してやられたという忿懣《ふんまん》――そういう気持が、だれもかれもを不機嫌にしてしまったのだ。

しかし、だれにも当たりようのないこの腹立たしさも、結局は意地のわるい霧にむなしい怒りを投げつけて、われわれは地団駄ふむだけであった。

九時をすぎたころになって、さしもの霧も、高く昇る太陽とともに次第に消えはじめた。指揮所からは、あらためて「十時発進」が発令された。われわれは待ちかねたように愛機に向かっていった。

霧が出てからの数時間、われわれが焦燥感《しょうそうかん》につつまれていたのは、じつは、敵に先手をうたれやしないかということからでもあったのだ。ハワイ奇襲によって、太平洋戦争の火ぶたはすでにきられている。敵は当然なんらかの措置に出てくるだろう。それがもしも台湾に対する先制空襲であったら、われわれは出鼻を押さえられてしまう。

もしそうなったら、濃霧のために動きのとれない地上の友軍機は、敵に対してなんらの威力ももたないばかりか、むしろ危険きわまりない爆発物の集団である。

また、敵からの空襲がなかったとしても、こうして、いたずらに時間を空費しているうちに、敵に防御《ぼうぎょ》態勢を整える時間を与えてしまう結果となり、わが方の奇襲攻撃の計画を完全に蹉跌《さてつ》させる。思えば思うほど憎い霧であったと、神ならぬ身の、そのときはそう思ったのであるが、後にして思えば、この霧が、はからずも味方に大成功をもたらす原因となったのである。

轟々《ごうごう》たるエンジン始動の爆音が、たちまちにして全飛行場をおおった。十時きっかりに、まず五十四機の爆撃隊が離陸を開始した。爆弾と燃料を満載した一式陸攻の重そうな姿が、大きな爆音をとどろかせながら動きだした。ところが、あいにくと無風状態だったので、各機とも滑走路をいっぱいに使って申し合わせたように同じ地点で地面を蹴って、やっと空に浮かんでいた。

われわれは、すでに始動させつつある零戦に乗りこんでこのようすを見まもっていた。すると、七機目か八機目かに滑走しだした一機の一式陸攻が、離陸地点の数百メートル手前まで滑走していったとき、突然、右に傾いた。右脚を折ったのであろう。あっと思わず息をつめて見まもっていると、すでに相当に勢いがついていた陸攻は、そのまま右にまわり、ついに右の翼を地面にひきずった。その瞬間、ちらりと赤い炎が見えた。

あっ！　火災だ！　ガソリンに引火したらしい。思わず息をつめたが、ガソリンの火勢はす

洋上を征く一式陸攻。太い胴体とテーパーの強い翼の組み合わせという独特のスタイルは空気力学的に見てきわめて優れていた

さまじく、またたく間に、脚を折ったその一式陸攻の機体をつつんでしまった。

天蓋《てんがい》をひらいて飛びだす搭乗員の影が見える。やがてバリバリと機銃弾がはじける音、次は爆弾が……と背筋を冷たいものが走るまもなく一大爆発！　機は木端《こっぱ》みじんにケシ飛んでしまった。

晴れの門出に、なんという不吉な惨事！　この事故のために、後続爆撃機の大部分と、これを掩護《えんご》する零戦隊の発進が一時さまたげられたが、地上勤務員の必死の働きによって、数分のうちに滑走路がとり片づけられた。

滑走路上には、まだ破片が残っていて、機の車輪がパンクするおそれはあったが、瞬時をも争うときなので、かまわず離陸再開を強行した。

ふと頭を上げると、北方基地を発進した味方の爆撃隊の大編隊が空をおおって、ぞくぞくと南へくだっていく。朝の陽光を受けて、きらきらと輝く翼に、鮮やかな日の丸が浮かんでいる。

十時四十五分、四十五機のわが零戦隊は、全機離陸を終わり、優速を利して、先発した陸攻隊を追う。すぐに視界にはいってくる高雄基地では、すでに発進を終わったのであろう、地上には一つの機影も見えない。

新郷英城《しんごうひでき》大尉を指揮官とするわが制空隊二十一機（零戦四十五機中二十一機が制空隊、他は陸攻隊の直掩隊《ちょくえんたい》）は、爆撃隊に先行して、爆撃十分前に目標クラーク・フィールド基地上空六千メートルに達し、敵の邀撃《ようげき》戦闘機があれば、これを一掃するのが任務だった。だからわれわれは、ぐんぐん本隊を抜いて先行した。

制空隊が、台湾の最南端にあるガランピーの鼻をすぎて間もない頃である。はるか前方の海上に、われわれは双発爆撃機の大編隊を発見した。さては、予想していたとおり敵はやってきたな！　しかし、幸い味方の基地は全機発進ずみのお留守である。せっかくの御入来《ごにゅうらい》にお気の毒千万と皮肉な冷笑も浮かんだが、はじめてみる敵機の姿に、猛然たる闘志が湧き上がってきた。

しかし、新郷隊長は、まったくこれを無視して、わき目もふらずにきょうの目的地へ急いでいる。これは出発前に打ち合わせてあったことだが、万一、途中で敵機に遭遇するようなことがあっても、全機がこのために道草を食うようなヘマはやらず、あらかじめ手はずをきめられていた九機だけが攻撃することになっていたのである。

私はその九機の中の一機として接敵《せってき》を開始した。この間数十秒、敵機は刻々と接近してくる。

いよいよ攻撃開始点に近づいた。ところが、まさに一撃、というところまできて、私はびっくりした。翼に日の丸の陸軍機である。ほっとすると同時に妙な腹立たしさをおぼえた。

きょうは開戦の第一日目、国家と民族の運命が賭けられた大戦争が、ただいまこの瞬間からはじまろうとしている。それなのに陸軍機はこんなところで何をしていたのだろう。もし私たちの九機が、接敵攻撃に先立って、早まって増槽を落としてしまっていたなら、きょうの晴れの戦いに参加できなくなってしまうところではないか！　今朝の霧といい、いままたこの陸軍機といい、なにかしら晴れの門出にケチをつけられたような気がして、無性に腹が立ってきた。

われわれ九機は、いそいで本隊の後を追った。本隊はすでに遥か前方を米粒ほどに小さくなっている。われわれは燃料の冗費を気にしながら懸命にこれを追った。

ルソン島との中間に浮かぶバターン島の上空で、われわれは本隊に追いついた。この島は、まもなく落下傘部隊が降下占領して、傷ついた味方機の不時着に備える手はずである。

エンジンは快調、まさに絶好のコンディションだ。

ああ、ついに比島上空にかかる。左の翼下には、黒ずんで見えるほど深い緑におおわれた山山がつらなり、右の翼下には、南海特有のコバルト色に澄みきった海が広々とひろがっている。絵のように美しい島――この島の上空で、わずか数十分のうちに、彼我《ひが》の激闘が展開されるなどとは、とても想像できない。

すでに、目標突入予定時刻の二十分前――十三時十五分である。酸素マスクをつける。そして、敵戦闘機の邀撃にそなえて、各中隊、各小隊と順を追って整然と距離をひらき、高度を七千メートルに上げて、予定の戦闘隊形をとる。

十三時三十五分、ついにクラーク・フィールド上空に突入した。チラッと、すばやく敵の飛行場をのぞく。

東西に長く広々とした飛行場だ。敵機は見えない。お留守なのかなと、もう一度のぞく。するといるいる、飛行場いっぱいに分散された大型小型の敵機が、数十機……。しめたぞ！と、ほくそ笑みながらも、とうぜん邀撃に上がっているはずの敵戦闘機を早く発見しようと目を皿のようにして見張る。地上の敵機も気になるが、われわれとしては、それよりも、いつ上空から降ってくるかわからない敵機、いつどこから湧いてくるかわからない敵機のほうがよけい気になる。

二分、三分……大きく左へ旋回しながら、われわれは敵をもとめたが、敵は現われない。すでに五分が経過している。

あと五分で爆撃隊がはいってくる。こんなはずではないのだが……と、ひょいと左下に視線を転じた瞬間、やっぱりいた！　敵はこっちに反航《はんこう》してくる。

濃い緑色の迷彩《めいさい》をほどこした小型機である。一、二、三、四……五機だ。それが一群となってやってくる。高度差は約二千メートル！

連続バンクで味方機へ敵発見を知らせながら、何はともあれ増槽を落とさなくてはと、敵機から目を離さず、左手の手さぐりで落下用の引手を力いっぱいグッと引く。ゴツンと手応えがあって、愛機は急に気速を増した。僚機からもいっせいに増槽が落下した。

機からはなれた三百三十リットル入りの細長いタンクは、風圧にあおられて、くるくる回りながら落ちていく。残ったガソリンの尾を白くひきながら……。

いま、こちらに向かってくるのは五機だが、五機いれば、かならずほかにもいるはずである。五機だけということはないはずだと、懸命に四囲を警戒してみたが、不思議に一機も見つからない。

しかし、この敵を攻撃するにしても、高度差が二千メートルでは、あまりにも隔たりすぎている。これでは戦闘にならない。

だが、だからといって、この五機の敵機を、このまま見のがしてしまっていいのか？　あと二、三分後に迫った味方爆撃隊の突入をひかえて、気が気ではない。といって、軽はずみに動くこともできない。はやる心を押さえつけて爆撃隊の突入を待つ。

十三時四十五分、予定の時刻に寸分もたがわず、零戦にまもられた一式陸攻二十七機の大編隊が、西方海上から高度六千メートルで堂々と進入してきた。爆撃隊は、すでに爆撃針路にはいっている。

私も一方の目で、敵戦闘機の行動をにらみながら、もう片一方の目では、爆撃隊の投弾を待つように、いそがしく眼球をうごかす。すでに投弾されたのかどうか、陸攻隊の上空におおいかぶさったわれわれにはわからない。命中を祈るのみだ。

陸攻隊は、クラーク・フィールド飛行場の上空にさしかかった。その瞬間、飛行場全体がパッと褐色の絨毯《じゅうたん》をおおいかぶせられたように見えた。

全弾命中！　ああこの日のために、この一瞬のために……私は思わず機上で瞑目《めいもく》した。涙の溢れ出てくるのを禁じ得ない。

つづいて第二群の陸攻隊二十七機が、また同じコースからはいってきて、これまた的確な爆撃を行なった。日頃の錬成《れんせい》が、これほどものをいうものとは思わなかった。

クラーク・フィールド飛行場は、いまや、もうもうたる黒煙におおわれている。爆撃隊は大きく北に左旋回して、なにごともなかったかのように、整然たる編隊をつくって、帰途につく。われわれ零戦隊は、約十分これにつきそって送ってから、ふたたびクラーク・フィールド上空へ引き返した。

今度は高度を四千メートルに下げた。

クラーク・フィールド基地はすでに大火災を起こし、立ちのぼる黒煙は、四千五百メートルの上空に達している。

空中にすでに敵機はなく、はるか南のニコルス飛行場の上空も同じように黒煙におおわれている。われわれは予定どおり、爆撃にもれた地上機をもとめて、中隊順、小隊順に銃撃にはいった。

低空で飛行場に突入してみると、先頭中隊の銃撃で燃えている飛行機がある。はじめて見る四発機B－17。その巨大なB－17が、二機、三機と翼根のタンクから火を発している。

しかし、飛行場一面をおおった大火災の黒煙に視界をさえぎられて、敵機はもちろんのこと、お互いの機影も見えかくれしているような状態での銃撃である。だが、この頃になってようやく、飛行場周囲の敵の機銃陣地が撃ち出してきた。

こんなヒョロヒョロ弾丸に当たるものかとばかり、私はかまわず高度を三百メートルに下げて、西から東に向かって飛行場の上空にはいった。

いいかやるぞ！　と列機に合図を送ると、私は撃ちもらされたB－17に向かって、真っすぐ突っ込んでいった。

高度計がぐんぐん下がる。二百五十、二百、百五十……。照準器から、B－17の巨大な機体が大きくはみだしている。そいつをぐっとにらんで、まだだ、まだだ、と私は自分を制した。なぜなら、私の小隊は最後まで上空にいた関係で、味方機の銃撃ぶりをよく観察していたからである。

それは、この敵機の図体がバカでかい——われわれがそれまで中国大陸の戦線で見てきたどの敵機よりも巨大すぎる——ことに惑わされて、遠距離から銃撃にはいりすぎ、いたずらに土煙ばかり上げていた不慣れな搭乗員の失敗を見て、俺は、この点を修正して銃撃しなければならないぞ、と思っていたからである。

ところが現実には、照準器から大きくはみだしているこの敵機に接近してゆくにつれて、こんな大きな飛行機をこわしてしまっていいものだろうかというためらいが、ほんの一瞬、私の頭をかすめた。しかし、次の瞬間には、敵愾心《てきがいしん》の塊《かたまり》となって、私は技量のかぎりを傾けてこの巨大機に挑んでいた。

　敵との距離はすでに百メートル！　頃はよしとばかり、私は思いきり発射把柄を押した。二十ミリの発射音が快くとどろき、発射の衝撃が愛機に伝わってくる。

　ダダダッ……！　と発射把柄を押しっ放しで、私はぐんぐん敵に近づいてゆく。高度三十、二十、十メートルで、私は敵機の頭上すれすれに駆け抜けて、左にひねりながら急上昇に移る。振り返って地上を見ると、私の撃った二十ミリ弾を存分に吸いこんだB-17は、翼根付近から、ボーッと火を発している。

　つづいて二番機横川二飛曹も、私と同じ要領でB-17一機を炎上させたが、三番機本田三飛曹のねらったB-17は、命中弾を受けても燃え上がらない。（これはなにかの都合でガソリンタンクから抜いてあったものらしい）

　列機が一通り銃撃を終わったので、また他の獲物《えもの》をもとめた。あっちに一機、こっちに二機と、撃ちもらされた大中小の敵機が翼をひろげているのだ。

　私はふたたび高度を三百メートルまで下げた。さっきの要領で第二撃目にはいろうとしたが、念のためもう一度ふりかえって後方を警戒した。

　と、太陽を背にして数個の黒点が見える。敵もさるもの、味方の全機が地上掃射にはいるのを待って撃ちとらんとする計略である。

まさに味方の危急！　私は銃撃中止を列機に知らせ、大きく左に旋回して、スロットル・レバーを全開にし、速力を増しつつ反撃の機をうかがった。

ところがその間に、敵は高度の優位をたのんで、いきなり反航戦をいどんできた。敵地上空での相討《あいう》ちは、ごめんである。低高度ではあったが、いままでに保った速力と、零戦の軽快な旋回性を利用して、私は左急旋回で敵の左翼下、つまりうちふところの死角へ飛び込んでいった。

敵はさっきのP－40が五機である。

日本の零戦とアメリカのP－40の初めての対戦である。敵は、日本の零戦も、日本の搭乗員も、なにほどのことがあろうと思っていたかもしれないが、この思い切った私の戦法と、零戦のすぐれた旋回性能には、ギョッとしたらしい。その上、うちふところへ飛び込まれて気味わるく感じたのか、パッといっせいに右へ大きくひらいて、青白い腹を見せつつ急旋回にはいり、四機は天に冲《ちゅう》する黒煙の中に姿を消してしまった。

だが、そのとき逃げおくれた一機に対して、私はすでに右後下方に潜りこんでいて、確実に、敵が右旋回してくる出鼻を押さえた。敵はあわてて反対に左へ急旋回した。

これが彼の運命を決定した。彼も僚機と同じに右旋回で黒煙の中へ飛び込めば、あるいは逃げられたのかもしれないのだ。

じつのところ、私も、敵機との相討ちを避けるために、むりな急旋回をしていたので、これ

カーチスP-40ウォーホーク。写真は開戦当時、比島やハワイに配備されていたB型。まもなくC型、D型などの改良型が出現した

以上の操作は限界に近づいていたのである。

ところが、そんなこととは御存じない敵は、ひらりと大きく左バンクして垂直旋回で逃れようとした。そのために敵機の腹が、私の目の前にさらけだされた。これでは撃ち落として下さいといわんばかりである。

私は、敵機が腹を見せた瞬間を的確にとらえて、左前方へ、操縦桿と左フットバーを極度に利かして、機首をぐいっとねじこんだ。

このため敵機とのあいだに、約二百メートルの高度差がついてしまった。敵機と同方向旋回、しかも敵の後下方、これはもう私の絶対優位である。敵は尻に喰いついている私を確認するために、なおも左急旋回をつづけている。これは大変むりな操作である。その証拠には、翼が左右にビクビクと交互に急激に傾いて、まったく自転の寸前である。

絶好のチャンス！　私は機首を下げて、増大した気速にものをいわせて、一挙に高度差二百メートルを左旋回で回復すると、まったく絶対優位の追尾の態勢となった。

零戦の軽快で柔軟な旋回性能は、難なくP－40を追いつめ、すでに距離四十メートル。敵機は照準器から大きくはみだしている。まったくの直接照準で、私は敵の腹の下に槍を突っ込むような気合いで、両翼の二十ミリと座席の七・七ミリを、この一撃とばかりに撃ち込んだ。

一瞬にして敵機の風防がふっとび、機体は大きく左へ一転、急速な錐揉《きりも》み状態となって、煙も見せずに断雲をつらぬいて落ちていった。（この敵機が地上に激突するのを、本田三飛曹が確認してくれた）

この空戦は、時間にして二分たらずのはかないものであったが、これが私の、米軍機を相手にした最初の空戦である。

こうして私が、列機をまとめてふたたびクラーク・フィールド上空へ引き返す頃には、すでに開戦第一日の第一撃を終了した各隊が、思い思いにまとまって、集合地点であるクラーク・フィールド北方三十浬、高度四千メートルの空域へ、味方識別《しきべつ》のバンクも軽やかに帰っていくところであった。

すでに空には一機の敵影もなかった。私の心臓は早鐘《はやがね》のような鼓動《こどう》を打っている。全身はビッショリと汗にぬれて、のどはカラカラにかわいている。さすがに初めての米戦闘機との空戦に、全身全霊のエネルギーを使い果たしたのであろうか。なぜか一抹《いちまつ》の哀愁《あいしゅう》が胸を去来するのを感じつつ、爆音も快調に私は集合地点へいそいだ。

ところが、この日、邀撃に上がった敵の戦闘機の数が意外に少なかったのは、次のような事情であったことが、後日にいたって判明した。

在比島の米戦闘機隊は、日本の機動部隊がハワイを攻撃したという報告に驚いて、とうぜん予想される台湾からのわが空襲部隊を邀撃すべく、もちろんいち早く飛び上がっていたのである。

ところが、日本の空襲部隊は待てど暮らせど現われない。しびれをきらした邀撃部隊は、ついに燃料もつきて、その補給のために、大部分の戦闘機が飛行場に着陸していた。そして一方、大型機は台湾空襲の準備を着々と進めていたのである。

そこへ、突如、日本の大編隊が来襲してきたのである。そのため敵機の大部分は、地上において全滅するという悲運にあったのだ。

どうしてこういうことになったかというと、われわれが霧のために発進がおくれたのが、かえって幸いしたのである。

この日、わが零戦隊の挙げた戦果は、敵戦闘機の撃墜十三機（うち四機は不確実）、炎上三十五機（大型機B－17「空の要塞」を含む）、燃料車一台、ドラム缶二百個であり、これに対して、わが方は、自爆五機（戦死五）、軽傷一、被弾高角砲弾片二十八発、機銃弾二発という軽微な損害であったが、緒戦の第一撃によって散華《さんげ》された尊い犠牲者の名は、いまもって私の胸中に、あるふしぎな疼《うず》きを残している。その名は、広瀬良雄《ひろせよしお》三飛曹、中満良一《ちゅうまんりょういち》飛曹長、佐藤康久《さとうやすひさ》一飛曹、河野安次郎《こうのやすじろう》二飛曹、青木吉男《あおきよしお》三飛曹であった。

「空の要塞《ようさい》」に初挑戦

十二月九日、開戦第二日目である。この日も、ルソン島の敵基地攻撃の命令を受けたわが台南空の零戦二十七機は、高雄の第三航空隊の零戦二十七機と共に出撃した。

しかし、この日は爆撃機隊は出撃せず、零戦隊だけが飛び立った。

――出発してから三時間、零時三十分には、はやくも目的地の上空に到達したのだが、意外にも邀撃してくる敵戦闘機は一機も見当たらない。

クラーク基地では、昨八日の襲撃による残骸《ざんがい》にまじって、撃ちもらした敵機を見つけたので、これを銃撃炎上させ、二日目としては、あまりにも張り合いのない空襲に終わった。

しかし、きょうは出撃前から、天候が悪化するという予報もあったので、「きょうはこれで引き揚げ」と針路を北に向け、全機編隊で帰途についた。

ところが、その頃すでに、北部ルソンの空は相当な密雲《みつうん》におおわれはじめていた。われわれは、そういうことも一応計算に入れて、一路北進をつづけたのであるが、時すでに遅く、密雲はますます濃くなるばかりである。大編隊の行動は困難をきわめ、さすがに錬成を誇った零戦隊も、ついに集団行動ができなくなってしまった。

先行隊を見失った各編隊は、いつのまにかバラバラの混乱状態となり、あるものは雲の上に、あるものは雲の下にと、支離滅裂《しりめつれつ》の状態である。

私も急いで部下の二機をまとめ、飛行機に異常がないかどうかを、手先信号で確かめてから、なるべく緊密《きんみつ》な編隊を組むように指図《さしず》して、雨雲の下に出た。海の上を這《は》うようにしていこうと決心したからである。

なぜならこの雲は、おそらく台湾の北方までおおいかぶさっているだろうし、雲の上をいった場合は、台湾の予想上空と思われる位置で着陸するためには、どうしても高度を下げなければならない。そうなると、平地ならいざしらず台湾のあの重畳《ちょうじょう》たる山岳、ことに新高山《にいたかやま》のような高い山のある台湾で、視界まったくゼロの雲中飛行で、事故もなくそれをやりとげることはまず困難だ、と判断したからである。

私は思いきって、高度を海面すれすれまで下げた。

海が、白波を巻きかえして荒れている。海水の飛沫《ひまつ》が、低空を這う零戦の機体にとびかかり、横なぐりの豪雨が吹きつけている。視界はせいぜい百から百五十メートル。風速もはっきりとつかめないが、日頃の経験から判断して西横風十から十五メートルであろうか。

海上の波頭《はとう》は白く牙をむき、まともに受けたら痛いと思われるほど強烈な大粒の雨が、遮風《しゃふう》板《ばん》をたたき、泡とくだけて零戦をすっぽりとつつんでいる。

比島から台湾の基地までは約四百五十浬だが、天候が悪化した地点から台湾の南端までは約三百浬である。この三百浬をなんとかして切り抜けなければならない。そうした私の気持も知らぬかのように、飛行機は激しい横風をくらってひどく風下に流されている。この偏流を修正しながら、もしまちがって台湾をはずれても支那大陸の沿岸にたどりつくように、私は考えていた。

——廈門《アモイ》飛行場。そうだ、そこを第二帰還目標としよう。

そう決心して、私はいくらか台湾の左にはずれるように、思いきって針路を西の方へとった。目には頼るべきなにものも見えない。羅針儀《らしんぎ》、気速計……あらゆる計器と、日頃の訓練によって培《つちか》われたカンと度胸だけが頼りなのだ。

暴風雨はますます激しい。しかし、その荒れ狂う豪雨の中でも愛機は非常に好調である。エンジンは寸秒の狂いもなく回転している。この低空で、しかもこの暴風雨の中で、列機に長時間にわたって緊密な編隊を組んでいるように要求するのは無理である。

どうしても疲れてくる。はっと思うといつのまにかお互いが視界の外に見えがくれしている。離れたら……それは死を意味する。私はまだともかくとして、列機は、私から離れたら機位を失して帰れないであろう。

——なんとかしてこの二機をぶじに連れて帰らなくてはならない！

私は必死だった。列機は、生命も飛行機も、小隊長である私にまかせきっている。私の一挙《いっきょ》手一投足《しゅいっとうそく》は、そのまま列機の安危《あんき》を左右するものだ。

私は風防を開いて、滝のような雨に顔をさらしながら、二番機、三番機と、かわるがわるに振り返ってみた。彼らも私に応じて風防を開いて、三人が顔を見せ合った。さすがに彼らは、二人とも日頃にない真剣な顔つきをしている。それだけに不安の色も濃くなりつつあるのだ。

――これはいかん、私自身に不安顔があってはいかん！　ここは一番やせがまんでも、〝心配ないぞ、安心して俺についてこい〟というゼスチュアを示さなければならない！

そう思って私はまずバナナをうまそうに食べて見せた。それから飴《あめ》をとりだして見せびらかした。さらにサイダーを抜いてラッパのみに飲んでみせた。列機の二人の顔に初めて笑いが浮かんだ。

――これでよし！　私は内心ほっとしていた。だが、苦しい飛行はまだつづいている。こうして飛ぶこと二時間、距離にして二百浬――航法に間違いないかぎり、台湾南端のガランピー岬の真っ白い灯台がすでに見える頃だ。

しかし、編隊は、なおも海上十メートルから十五メートルの高度をとって飛んでいる。もしも私の計算どおりに、まちがいなく台湾にたどりついているものとすれば、この高度では地上に激突するおそれがある。それがいまや最大の不安である。

緊張が、一瞬、私をとらえる。

――なにか見えないか、なにか見えてくれないか。

私は、空戦前に敵をさがすとき以上に緊張して、目を皿のように見張っていた。

ちょうどそのときである。突然、眼前にボヤーッと黒い影が現われてきた。篠《しの》つく雨の灰色の厚い幕をとおして、ボーッと薄墨《うすずみ》のように滲《にじ》んだ山の影――。

私はとっさに機を左に急旋回さして、かろうじて地上激突を避けた。列機もこれにならった。そして、その左旋回のまま海上をひとまわりする。

安堵感《あんどかん》が、急速に私の心を軽くした。

海上を、羅針儀を見つめながら三百六十度旋回して、もう一度もとの海岸へ機首を向ける。雨の煙幕をとおして、ちらっとガランピー岬の白い灯台が見えた。まちがいなく、台湾の南のはしにたどりついたのだ。私は頭の上の錘《おもり》を一ぺんに取り除けられたように、身も心も軽くなった。

速度を落としながら陸上に向かう。同じ雨雲でも、陸上は海岸より雲高が高い。五十メートルぐらいの雲の裾《すそ》（空間）を発見した。

私は、その雲の隙間《すきま》を縫うようにして、少しずつ高度を上げながら恒春《こうしゅん》基地（ガランピーのすぐ近くにある陸軍の基地）を探した。すると、それはすぐに見つかった。

着陸してみると、三十機程の味方機がすでに着陸していた。同じ台南空や第三空の飛行機だった。

すぐ台南基地へ電話で連絡する。まっすぐに台南基地に帰りついた飛行機はわずか三機、この日、老練をもって鳴る第三空の先輩赤松《あかまつ》（貞明《さだあき》）少尉の率いる一隊は、比島上空で空戦をやったために燃料が尽きて、ガランピーに近い洋上の小島に不時着したが、全員ぶじ救出されたという。

この日は、司令部はもちろん大本営《だいほんえい》も、われわれが全滅したのではないかと非常に心配したとのことである。もしもそういうことになれば、以後の南方作戦に一大齟齬《そご》をきたしたことであろう。

ところが、わが零戦隊は、悪天候を突破して全機台湾まで辿り着き、未帰還機はついに一機も出さなかった。いかに粒よりの練達《れんたつ》の操縦士ばかりだったか——。

赤松貞明少尉

この日は、一同、基地への帰投を諦《あきら》めて、恒春基地の近くにある田舎の温泉旅館に泊まった。冷えきったからだに温泉のあたたかさが骨の髄《ずい》まで滲《し》みこんできて、つくづく生きていることの有難さを味わった。

翌十二月十日、きょうもきのうに引き

つづいての出撃である。前二回にわたる連続空襲で、マニラ周辺の大半の敵航空機を撃滅してしまったので、いますぐ反撃してくる敵の飛行機はあるまいと考えられていたが、この日はビガンに上陸中の味方船団の上空直衛と、デルカルメン基地に対する攻撃が下令され、わが台南空戦闘機隊は、まず浅井《あさい》大尉の指揮する零戦二十二機が日の出前にデルカルメン攻撃に出発しつづいて新郷大尉の指揮する零戦十二機が、九時三十分に台南基地を発進してビガン上空に向かった。

このとき私は、新郷隊の第三小隊長として、先発の浅井隊を追って比島へ向かった。比島への航路は、すでに二度の出撃で通いなれた航路である。いつものとおりの編隊で、まず敵飛行基地の上空へ進入し、約三十分ばかり上空を旋回して索敵《さくてき》したが、敵機は一機も姿を現わさない。そこで予定にしたがってビガン泊地《はくち》上空へ引き返し、高度を六千メートルにとって、上空哨戒の任務についた。

しかし、ここにも敵機の姿はない。かれこれ三十分もたった頃であったろうか。私はなんの気なしに船団の群がっている泊地のようすに目を転じると、船団の近くの海面に、白い大きな波紋《はもん》が幾つかひろがっている。おそらくは水柱も立ったのだろうが、この高度からでは見えない。

――あっ、爆撃だ！

瞬間、そう感じた私は、不覚をとったという自責の念にかられながら、大急ぎで目のとどくかぎりの視界に、敵機の姿をさがしもとめた。すると、いた、いた！　いつのまに忍び寄ったのか、わが編隊より二千メートルも高い上空を、すべるように動いている大型の一機が見えた。

敵機は針路を南にとっている。おそらくは爆弾を落とすなり大急ぎで避退しているのだろう。四千メートル付近に断雲があるだけの青空の中をゆく敵機を、下から見上げると、真っ白く透きとおっていて、まるでガラスか合成樹脂でつくったもののように美しく、空の青さに溶け込んでゆくようにも見える。飛行雲が青空に白チョークで描いたように長い弧《こ》をひいている。発動機が四つついている。

――あっ、B‐17だ！

「空の要塞」と呼号し、絶対不落《ぜったいふらく》を誇《ほこ》る敵のB‐17――いままでも、しばしば偵察の写真などで教えられていたので、その姿は絵としては知っていたが、じっさいに空中でお目にかかるのは、いまが初めてである。

胸がわくわくしてきた。

――果たして絶対不落の「空の要塞」だろうか。よしっ！　零戦の名誉にかけても、このまま帰せないぞ！

私はすぐに追跡を決意した。

――敵はただ一機である。だが、敵がたった一機で攻撃をしかけてくるはずはない。もしこ

ボーイングB−17フライング・フォートレス（空の要塞）。重武装重装甲の四発重爆。写真は武装を一段と強化した最終生産型のG型

の一機を全機で追いかけ、その留守中に他機の侵入を受けたら大変なことになる。それなら、むしろいまの任務を、このまま続行しているほうが正しいのではないか。

私は一瞬、迷った。しかし隊長は、いまのところ他に敵機を認めないと判断した。

こうなると、もう獲物を見つけた猟犬さながらである。前もって定められた三機だけが後に残って、他の七機は、いっせいにこの「空の要塞」を追跡しはじめた。

ところが、敵の高度は高い。しかも爆撃機にしては案外、高空性能がいいのだ。もちろん増槽を落とし、身軽になっての追跡だが、なかなか思うようにゆかず、やっとクラーク・フィールド北方、わずか数十浬のところで、もう一息、というところまで追いつめた。

が、そのときである。どこから現われたのか三機の味方戦闘機が、突然、このB－17に挑みかかった。これは高雄から出てニコルスの敵基地に攻撃をかけていた別行動の第三空の戦闘機だった。

これは第三空にしてやられたかと、なおも追跡をつづけながら見ていると、彼らは型の如く後上方からさっと襲いかかっては反転し、さかんに攻撃を繰り返している。だが、さすがに「空の要塞」――ゆらぎも見せず悠々と遁走《とんそう》する。

なにしろ八千メートルもの高空である。ここまでくると空気が稀薄《きはく》なために飛行機の操作も思うようにいかない。その上、人間の能力も低下している。ちょうど拳闘《けんとう》で回戦数がすすみ、お互いにふらふらになりながら戦っているようなものなのだ。一生懸命のパンチも相手にはとどかず、戦っている本人同士も歯痒《はがゆ》かろうが、見ているほうもまことに歯痒い。

そのうちに、わが隊も、やっと味方戦闘機群の近くまで辿《たど》りつくことができた。しかし、一個の目標に対して数機で攻撃する場合には、お互いに衝突する危険があるので、一ぺんには攻撃をしかけられない。味方機の間隙《かんげき》を縫《ぬ》いながら機をみて攻撃をかける。これをお互い反復するのだ。

しかし、どうしたというのか、弾丸はさっぱり命中しない。これは後でわかったことだが、敵の飛行機があまりに大きかったので目測を誤り、有効射距離と思って撃った距離が、実際より遥かに遠かったのである。

しいのだ。

たとえば三百メートルくらいと思った距離が、実際には六百メートルくらいで撃っていたらしいのだ。

なにしろ搭乗員の頭も六割頭になっているし、飛行機もアップアップだし、みんなが判断を誤って遠くから撃っている。もちろん、この間にも、敵は盛んに十二・七ミリ（ふつう十三ミリと呼んでいる）を撃ってくる。

B－17には、機首、上部、両側、尾部と、砲塔が五つあり、合計十梃《ちょう》の機銃で逃げながら撃ってくる。撃ってくるといっても、敵の銃口から盛んに黒い煙と火花が出るだけで、弾丸はいっこうに見えない。こちらの弾丸も当たらないが、敵の弾丸も当たらないのだ。

もたもたしているうちに、いつしか敵基地クラーク飛行場の近くまできてしまった。ここまでくると、おそらく敵機から基地への電話通報によって、救援のための敵戦闘機が舞い上がってくる公算も大きい。

しかしこちらは、すでに増槽を落としてしまっているし、燃料も相当に使ってしまっている。乏しい燃料で、しかも敵戦闘機と空戦をまじえれば、帰りの燃料が足りなくなる。悪い条件ばかりが頭の中にちらちらして、気は焦《あせ》る一方だが、どうにもならない。

――これではいかん！　私はとっさに決心した。

しかし、この決心を実行に移すためには、みずからを敵の攻撃の前にさらさなければならない。非常に危険ではあるけれども、私は思いきって敵に対して追尾にはいった。

全速で敵機との距離をぐんぐん詰めてゆく。ずいぶん接近したような気もする。しかし、それは敵機の巨大さからくる目の錯覚であり、その上、敵機の速度が意外に速いので、なかなか追いついてはいないのだ。

前方を見ると、私が追尾にはいる前に、もう味方の他の二機の零戦が追尾にはいっている。誰も考えることは同じだなと思うと、この緊張した一瞬にも、私の頰に微笑《びしょう》がのぼってきた。

敵の銃口から、パッパッパッパッと、つづけざまに飛び出す火花と黒煙――。だが、その弾丸が自分に命中するかもしれないなどという懸念《けねん》は、不思議にも少しも浮かんでこない。一心に敵機を見つめながら、ただぐんぐんと追尾攻撃をこころみるだけだ。

だが、やがて私は、おやっ？　と思った。敵機の右翼から真っ白い霧がすうっと流れ出したのだ。いわずと知れたガソリンの尾だ。私の前に攻撃をかけた二機の零戦の射弾が、敵機の翼内タンクに命中したらしい。

――しめたっ！　ここに射弾をぶち込めばきっと火がつく！

私は操縦桿をぐっと突っ込んで、敵機の後下方に潜り込んだ。それはまるで、鯨《くじら》の子が親鯨の乳をのみにゆくような姿勢であった。

私は、ダダダッと、敵機の右翼のタンクと思われるところを狙って射弾を送った。七・七ミリと二十ミリを引きっ放しの連続弾である。

こんどは相当の有効弾があったようだ。

敵機は前よりも一層はげしくガソリンを噴き出しはじめた。機銃弾を撃ちつくしたのか、敵の機銃は、もう火閃も煙も吐かない。こうなれば「空の要塞」といえども、旅客機と同じことだ。

——よしっ、この好機《こうき》、のがすまじ！

心は焦るのだが、たったいまの無理な一撃のためにスピードを失い、敵にぐんと引き離されて、どうも思うように距離が詰まらない。敵機も相当の速度なのだ。

そのうち、私もまた弾丸を撃ちつくしてしまった。これでは味方の邪魔になるばかりだと考えて、私はすぐ後ろの味方機にゆずった。そのとたんに、後続機の射弾が、また左翼のタンクに命中し、火花がパッと散った。

敵機はスピードをつけるためにぐんぐん高度を下げはじめた。それを追って、私も高度三千メートルくらいまで下がっていった。

もちろん、弾丸は撃ちつくして一発もないのだが、私は初めて見る「空の要塞」という機が珍しくて、その正体と、その落ちる姿を見極めたいという欲求を抑えることが出来なかったのだ。

私はなおもぐんぐん近寄っていく。

すると、突然、敵機から何かが飛び出した。はっとして見ると、たちまちそれがパッと開いて、三つの落下傘になった。

私はこの落下傘を危うくかわして、なおも敵機を追った。しかし、敵機はついに、ルソンの山々にかかっていた密雲の中にその姿を没してしまった。

撃墜までは確認できなかったが、初めてB－17と戦闘を交え、相当の有効弾を与えたという私たちの報告は、基地を湧き立たせた。そして私たちは、この空戦によって、敵のB－17は、少しくらいの命中弾では容易に落ちないことを知り、また、機体があまりにも巨大なために、目測による距離感に錯誤《さくご》を生じ、命中率を非常に悪くすること、そしてさらには、敵の砲塔が、機首、上部、両側、尾部と五ヵ所にあり、その砲火はきわめて優秀で、射撃も非常に正確であることなどが、今後の戦訓として語りあわされた。

事実、この空戦で味方機にそうとうの被弾があったのである。私の機も、十三ミリ弾二発を被弾していた。

つくられた空の軍神

終戦の年の十二月十五日のことであった。私はAP通信社の東京支局長ラッセル・ブラインズ氏と会見した。

それは、日本の撃墜王に会いたいというブラインズ氏の意向を、当時第二復員省史実調査部《ふくいんしょうしじつちょうさ》におられた奥宮正武《おくみやまさたけ》氏（元海軍中佐・戦後航空自衛隊空将補）が伝えてきたのだが、そういう意味では私よりもっと多くの撃墜記録をもっている先輩もいるだろうからといって断ったが、東京にはそういう人はいないから是非といわれて、この会見になったのである。

そのときのいろいろな話のうちに、ときにあなたは、昭和十六年十二月十日にB‐17とルソン上空で空戦をやらなかったか、という質問が出た。

忘れもしないB‐17との初見参なので、その旨《むね》を率直にこたえると、「何機でかかったか」とか、「どのくらい命中弾を与えたか」とか非常に細かく聞く。

当時は戦犯問題のやかましかった折《お》りではあり、私は、彼が何を問わんとしているのか、ちょっと思い惑《まど》ったが、思い出すままに、そのときの模様をありのままに話すと、いちいちうなずいて聞いていた彼は、

「それで、そのとき、そのB‐17を撃墜したのか」と問いかけてきた。そこで私は、

「確かにガソリンは相当に噴きだしていたし、乗員が三人ほど落下傘降下したのを認めたから、まず相当の打撃を与えたとは思うが、撃墜は確認できなかったので、撃墜とは報告しなかった」と答えた。すると、彼は破顔《はがん》一笑した。

「君、あれは確実な撃墜だったよ」と言って、私の肩をポンと叩いた。

そしてさらに言葉をつづけて語るところによると、それは太平洋戦争において、というよりは、「空の要塞」がつくられてから最初の撃墜であって、アメリカではこの日を、「空の要塞」撃墜第一号の記念日にしているというのである。

「空の要塞」は、絶対に落ちないという満々たる自信があったればこそ、あの日は掩護戦闘機もつけずに、しかもたった一機で悠々と乗り込んできたわけなのだが、それが案外あっさり(そうでもないが)やられたので、戦訓的な意味で記念日にしていたのであろう。

いずれにしても、戦後、アメリカ側の公式記録を調べてみると、この日の出来事は、アメリカの陸軍航空首脳たちを、まったく驚倒《きょうとう》させたらしい。

当時アメリカ陸軍の花形戦闘機は、ベルＰ－39とカーチスＰ－40であったが、その火器は七・七ミリ銃と十二・七ミリ銃で、性能もあまり芳《かんば》しいものではなかったが、この火器で実験して落ちないのに、零戦にあっけなく落とされたのだから、日本の空軍を見くびっていたアメリカの航空首脳たちが驚倒したのも当然だったろう。

しかし零戦が、「空の要塞」初撃墜という栄誉を担《にな》い得たのも、零戦に装備していた二十ミリ機銃の威力に負うところが大きく、しかも日本の戦闘機が二十ミリを持っているなどということは、当時のアメリカの航空首脳にとっては想像に絶するところだったのだ。

そういえば、台湾の基地を飛び立った零戦が、クラーク・フィールドまで一飛びに飛び、しかも比島上空で格闘戦《かくとうせん》を演じるほど脚が長いなどとは夢にも考えていなかったろう。

マッカーサー元帥は、四年ほど前に太平洋戦争の回顧録を発表しているが、その中で、戦後九年にもなっているのに、「当時クラークを襲った日本の戦闘機は、台湾の基地から飛来したと称しているが、信じ難い。母艦から飛び立ってきたのが真実だと思う」と書いている。

B-17が落ちたという報告を受けた米軍首脳は、落下傘で降りて助かった搭乗員を訊問《じんもん》して、設計を再検討した結果、あのとき私が、B-17の尾部ギリギリまで近づいて撃ちこんだ弾丸が、もっとも効果があったと断定したのである。

米軍はただちに全部のB-17に尾砲《びほう》をつけ、さらには機内にゴム板をはりめぐらせて、被弾した場合には、自動的に弾丸の穴をふさいで火災を防止する方法を講じた。

このあたりは、アメリカらしい決断のよさで、日本側が劣勢《れっせい》になってからでもぐずぐずしていて、航空機の改良を怠《おこた》っていたのといい対照である。

しかし、それにしても、B-17が簡単に落とされたとなれば、米軍全体の士気も低下して、作戦に重大なヒビがはいってくることも、当然に予想される。

こうなっては手遅れなので、戦争末期の頃の日本の大本営発表も顔負けするようなデタラメな発表を行なった。

「――コリン大尉以下十名の搭乗せるB-17は、圧倒的な日本空軍の攻撃を排除しつつ、ビガンの敵上陸地点を襲った。戦艦ハルナ、戦艦ヒラヌマほか約四十隻の日本艦隊は、上陸作戦中であったが、B-17は五百ポンド爆弾三発を投下、そのうちの一発はハルナに命中、二発目はヒラヌマに命中、ともに大火災を生ぜしめたが、敵艦載機数十の包囲攻撃を受け、故障を生じたコリン大尉は、B-17をそのまま降下させて、ハルナに体当たりを敢行しこれを撃沈せしめた。コリン大尉の勇戦こそは全軍の範とすべきである」

左は、クラーク・フィールドでケリー機の落ちるのを目撃したカーツ大佐（当時中尉）

日本人がこの発表を読めば、だれもが吹き出すだろう。ヒラヌマなんて戦艦は、日本海軍はおろか世界の海軍にさえその名をとどめぬし、「榛名《はるな》」はその日マレー水域にあったのである。しかし、連日の相つぐ悲報にくさりきっていたアメリカ全土は、この発表で大よろこび。コリン・ケリーはたちまち軍神となり、日本の金鵄勲章《きんしくんしょう》功一級にも相当するオーナー・メダルを授けられ、ケリーの息子が将来成長して、陸軍士官学校か海軍兵学校を志望するときには、無条件の優先入学を許すという大統領発表を行なった。（この子供は成長して士官学校にはいったそうである）

その日、私が空中から見たところでは、「長良《ながら》」級と思われる軽巡一隻のほか、五、六隻の小艦艇が上陸作戦中で、B－17が高高度から落とした数発の爆弾は、水上に大きな波紋を描いただけで、わが艦船の損害は皆無だったのだ。

そして、その後、一、二年たつうちに、まだ「榛名」が健在であることがわかると、アメリカ軍は、ケリーの戦果の改訂版を発表したが、それでもなおかつ二隻に爆弾が命中し、クラーク・フィールドに帰還する途中で、B－17が落とされ、私に撃たれて死んだ機銃手のほかの八名の搭乗員を落下傘で飛び降りさせたが、ケリーは降りるのが間に合わず、B－17と運命を共にしたから、やはり英雄だ、というのであった。日本の零戦は、残酷にも落下傘で降りる八名に対して、執拗《しつよう》な機銃掃射《そうしゃ》を加えたが、命中しなかったとつけ加えている。

もちろん、この掃射うんぬんはデタラメもひどいもので、とにかく私は前にも述べたとおり、このB－17の落ちるところを確認できなかったほどで、日本海軍の公式記録には、「撃墜確実と思われる」と書いてあったに過ぎない。

その後、昭和二十九年には、当時日本にきていた極東空軍のフランク・カーツ大佐（当時）が、人を介して面会を申し込んできたので、一夕《いっせき》食事を共にして懇談した。カーツ大佐は、太平洋戦争当時中尉だったが、ケリーのB－17が落ちるのを、クラーク・フィールドのコントロール・タワー（航空管制塔）から目撃していたので、相当くわしくそのときの状況を教えてくれた。

しかし、この大佐までが、

「君は、あの日、どの母艦から飛んできたのか」と聞くので、零戦の航続力はこれこれだったと教えてやると、彼は唖然《あぜん》としていた。

私に撃たれた後のB－17は、機内に火災を生じ、エンジンは被弾していなかったので、なんとかクラーク基地に滑り込もうとしたらしいが、さらに尾部に命中弾を受けて、火災が猛烈になったので、ケリーは全員に降下を命じたという。ケリー自身が、どうして降りてこなかったかはいまだにはっきりしていない。その日、実際には二機出撃して、一機は日本軍の上陸地点が見あたらずに帰ってきたとのことであった。

最後にカーツ大佐は、

「ケリーは三発の爆弾を積んでいって三発投下したと聞いているが、本当に命中したのか？」

と聞くので、高高度水平爆撃だったので、一発も当たらなかったと答えると、

「やっぱりそうだったのか」とくさっていた。

視界、火の海と化す

さて、三日間にわたる連続大攻撃で、比島にあった敵空軍の勢力は、そのほとんどが潰滅《かいめつ》したものと思われたが、なおも攻撃の手をゆるめず、わが台南航空隊の零戦二十七機は、高雄の一式陸攻二十七機と戦爆連合の大編隊を組んで、四たびクラーク・フィールドとニコルス・フィールドの残敵《ざんてき》攻撃に出撃することになった。

この日、台湾の空は透きとおるように青く晴れ渡っていた。八日のような濃霧もなく、九日のあの大豪雨《ごうう》も、なにごともなかったかのようにカラリと拭《ぬぐ》われている。

わが台南航空隊は、新郷大尉が指揮官となり、私が第二中隊第二小隊長として、これに従うこととなり、午前八時に台南空基地を出発した。この日は天候にめぐまれ、快適な飛行をつづけた。

出発前の打ち合わせでは、高度六千メートルでクラーク・フィールド上空に侵入することとしていたが、攻撃目標の前方およそ五十浬付近まで進んだところ、クラーク・フィールド一帯は四千メートル以下が一面の密雲におおわれていて、爆撃不能であることがわかった。そこでわが零戦隊は、ただちに、これも出発前の打ち合わせどおり飛行場銃撃を行なうこととなった。さいわい空中には、敵の邀撃戦闘機の姿をぜんぜん認めない。わが戦闘機隊は、目標をイバ飛行場に変更し、爆撃隊と一応わかれて針路を西にとり、イバ上空に先行した。

イバはクラーク・フィールドの真西にあたる海岸寄りの飛行場である。

わが戦闘機隊は、敵の邀撃戦闘機が上がっていることを、もちろん予想しながら近づいていったのだが、ここでも敵機の姿をぜんぜん認めない。地上には、五、六機のP－40の姿が望見《ぼうけん》される。

指揮官新郷大尉は、第三中隊だけを敵機の奇襲に備えて上空約四千メートルに残し、みずから一、二中隊の零戦十八機をひきいて急降下を開始した。

零戦は、次々と地上銃撃にはいる。夕立の飛沫のように、飛行場に土煙が上がる。

いよいよ私の番だ。列機二機が追ってくる。

大地が直角になってぐんぐん迫ってくる。高度約二百メートル。地上のP－40が照準器いっぱいにうつり、まさに発射把柄をにぎろうとした瞬間、突然、目の前にすさまじい閃光《せんこう》がひらめいた。一瞬にして、視界いっぱいが火の海と化してしまったように感じられた――。大爆発が機体のすぐそばでおこり、飛行機が激しいショックを受けて、吹き飛ばされるようにぐらぐらっと動揺した。あっ、と私はほとんど無意識で、とっさに左へ急旋回すると同時に、操縦桿をいっぱいに引き、垂直旋回で、その大爆発を避けた。

避けながらも、頭のどこかで、私は、この爆発はいったいなんだろうと考えていた。果たしてなにごとが起こったのだ？

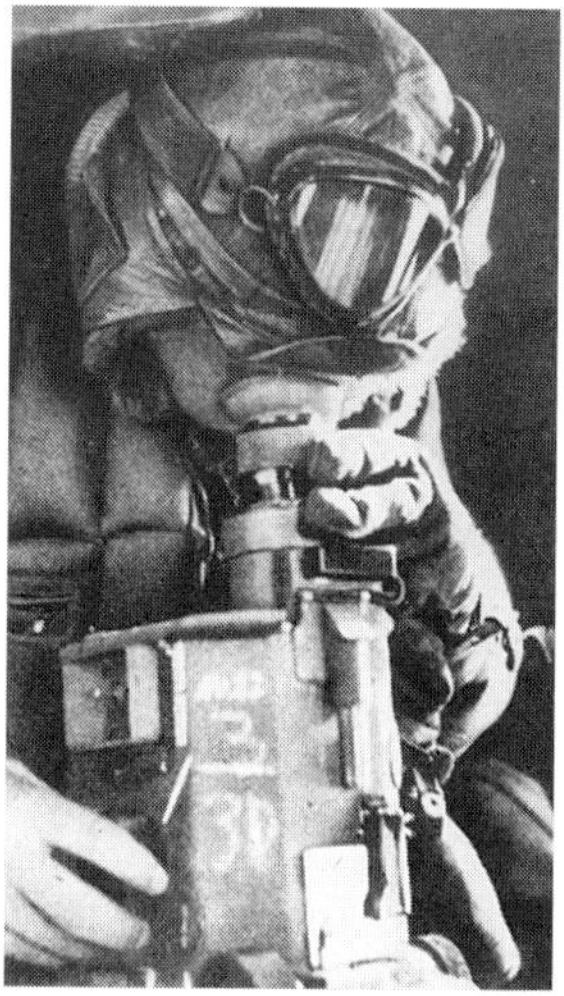

水平爆撃の照準中の一式陸攻搭乗員

しかし、急場にのぞんで上昇しながら、上空をひょいと見ると、爆撃を終えたばかりのわが一式陸攻二十七機が、悠々と東の方へ飛び去ってゆくではないか。（その頃の一式陸攻は、水平爆撃であり、このときは高度六千メートルで投下したらしい。一機が、六十キロ

爆弾を十二発ずつ抱いているからその二十七倍、つまり三百二十四発の爆弾が、私の銃撃直前に私の鼻先で炸裂《さくれつ》したわけである）

——やれやれ危なかった！　あと二、三秒も銃撃進入が早かったら木端微塵《こっぱみじん》だったな！

私はほっとすると同時に、味方の爆撃隊の軽率さに腹が立ってきた。

私より先に突っ込んだ零戦は、このときすでに飛行場を離脱《りだつ》して、第二撃に備えて上空旋回中だったのでぶじだったし、私の列機は私の後についていたのでなんのこともなく、私だけが間一髪《かんいっぱつ》の危険に遭遇したわけだ。そのくせ私は、私自身を、なんと幸運に恵まれた男なんだろうと思わずにはいられなかった。私はかすり傷一つ受けていなかったのだ。

それにしても、私に対しては軽率だったが、味方爆撃隊のお手並みは、まことにみごとなものだった。投下した爆弾は全部が飛行場内に落下し、メラメラ燃え上がる火炎は、飛行場一面をなめまわしている。

森の中にかくしてあって、しかも、われわれ零戦に発見できなかったP－40も、敵のあらゆる施設も、一切《いっさい》がいっせいに炎上しはじめたのだ。

ところが、この意外な出来事のために、私は本隊と別れ別れになってしまったので、急いでわが小隊の二番機（横川二飛曹）と三番機（本田三飛曹）に対して連続バンク（集合の合図）を振り、そのまま指揮官機の後を追おうと思ったが、さて、列機をそばへ呼んでから、燃料計を見ると、まだまだ燃料に相当に余裕がある。そうなると、このまま引き揚げてしまうのが、いかにももったいないような気がしてきた。

私はまだ残っている敵機がありはしないか、もし残っていれば、たとえ一機でも、どうせ本隊と離れついでに――という気になって、高度を五十メートルの超低空まで下げて、敵の飛行場上空を大きく左旋回しつつ念入りにさがしてみた。すると、このとき、椰子畑《やしばたけ》の中に上手に隠蔽《いんぺい》された一機のP－40が、ちらりと私の目のはしをかすめた。

――よし、これを叩いてやろう。列機には、ひとまず後に残るように命じておいて、私一機だけが地上約十メートルのところまで降下した。

敵機が確実に照準器いっぱいにはいる。私はぐっと発射把柄をにぎる……。

二十ミリの一撃で、そのP－40は簡単に燃え上がった。その真っ赤な炎の色と黒煙を目に入れながら、急速に右へバンクいっぱい、垂直旋回の操縦桿をひいた。その瞬間、ガンガンという音が機体にひびいた。相当の衝撃だった。と、突然、フットバーを踏んでいた右足の膝あたりに、焼けつくような痛みを感じた。

――畜生！　やられたか！　とっさにそう思いながらも、まず気になったのは燃料タンクを撃ち抜かれていはしないかということだった。すぐに調べてみる。胴体タンクがやられれば、ガソリンが流れ出してくるはずだが、それはない。急いで左右の翼に目をやる。

果たして大きな穴が、右翼の前縁にあいている。風防の中から、いそいで後部の方を振り返ってみる。ガソリンの尾もひいてはいないようだ。

――よし、翼内タンクも大丈夫だ！　しかし、右足がひどく痛む。ほんの一瞬間の出来事だが、機体をかすめて右下から上へ、機銃弾が流れている。敵の高射機銃陣地から一斉射撃を受けているらしい。私は操縦桿を左手に持ちかえ、機銃弾を避けながら、右手で膝のあたりを撫《な》でてみた。

飛行服は破れているが、大した出血もしていないらしい。しかし、非常に痛いばかりでなく、右足がまるで利かなくなっているのに気づいた。止《や》むをえず、左足だけでフットバーを操り、エンジンを増速し、操縦桿を引いて上昇に移った。

高度がぐんぐんと上がりはじめる。地上砲火からはもう安心だが、こういうときに敵地上空を飛ぶのは具合がわるい。ひとまず海上に出よう。

針路を北にとる。落ち着いて、もう一度、機内を点検してみる。相当の命中弾を受けたように思ったが、自分の座席から見たところでは、三発しか喰っていないようだ。しかし、七・七ミリ機銃の支基《しき》がこわされている。ここに当たった弾丸がはねかえって膝に当たったのかな。それなら大したこともあるまいが、エンジンには相当の被弾があるらしい。

――これは困ったことになったぞ。これでは台湾までの帰投は、ちょっと無理かもしれない。

そう考えていたとき、私は出発前の指示を思いだした。

「もしもマニラ付近でやられたら、まず海岸に出ろ。海上には不時着してもいい。それから様子をみた上で陸へ泳ぎついて、ジャングルの中にひそんでおれ。陸軍がすぐに進撃してゆくはずだ。それまで密林の中に頑張って生きておれ……」

私はその指示を、いま頭の中に反芻《はんすう》してみた。それがいまの私の行動をきめるのだ！

──よし、なにはともあれ、腹ごしらえだ。

私はこの日の航空弁当の巻き鮨《ずし》を、残さず食べてしまった。そして、バナナを、と思ったが、これは貯蔵食糧にしておくことにした。

時計を見ると、まだ午後一時である。日没まではまだ相当の時間がある。日没まで海上を泳ぎ、日が暮れてから陸に這《は》い上がって、ジャングルに隠れる──私はそんな決心をした。泳ぎには絶対の自信がある。四歳から習って河童《かっぱ》同然なのだ。

しかし、行けるかぎり北の方へいこう。ビガンにはすでに陸軍が上陸している。なんとかしてそこまで辿《たど》りつきさえすれば……というのが私にとっての最上の方策である。私はそのために最大の努力をはらうべきなのだ……。

私は列機を側《そば》へ呼び寄せた。横川も本田も、ひどく心配そうな顔をして近寄ってきた。私はエンジンを指さして、手を左右に振って見せた。

「エンジンが駄目だ」という意味である。そして、「先に帰れ」と命令し、私だけが単機で北へ北へと飛びつづけて、とうとうビガン上空にたどりついた。

ビガンの飛行場は、海岸からちょっとはいった丘の上にあった。滑走路の長さはせいぜい六

九七式戦闘機。陸軍最初の低翼単葉式戦闘機。抜群の空戦性能を持ち、日華事変初期から大戦初期まで陸軍の主力戦闘機として活躍

百メートルくらいしかない小さな飛行場である。すでにここは陸軍が確保している、ということは知っていたが、その丘の上の小さな飛行場の端に日の丸の旗が大きくはためいているのを見て、私は嬉しかった。

私は、すぐに脚とフラップを出して下降し、着陸にはいった。しかし、飛行場が非常に狭いために、あっというまに飛行場の端《はし》に近づいてしまった。飛行場の端は崖《がけ》になっている。

危ない！　私は驚いてブレーキを力いっぱい利かした。

崖際《がけぎわ》ギリギリで反転して、私は指揮所と思われる天幕張りの前まで滑走していった。その飛行場は陸軍の九七式戦闘機隊の基地であった。内地から移動してきたばかりらしい脚の出ている九七戦が、約二十機ほど飛行場にならんでいた。

　私はエンジンを止め、機から外に出て、まず気になってならなかった発動機と燃料系統の被弾状況を調べはじめた。

　すると、陸軍の搭乗員や整備兵たちもすぐに駆け寄ってきて、いろいろ手伝ってくれた。ざっと見たところでは、敵弾は幸運にもほとんど致命部《ちめいぶ》を避けている。

　――この分なら大丈夫、台南まで飛べる！　と思ったが、地上に降りて立ってみると、なんと右の足首と右膝が非常に痛む。歩くと片足をひきずる歩きになってしまう。しかし、それも大した負傷ではなさそうなので、このまま帰ろうと決心したとき、また一機の零戦が不時着してきた。見ると、同じ台南空の佐伯一等飛行兵曹である。彼の機も敵弾を受けている。しかし、彼もこの調子なら帰れると判断したので、まもなくそこを飛び立ち、二機編隊でルソン海峡を飛び越えて台南基地へ帰還した。

　基地では、私たちの帰りがあまり遅かったのでテッキリやられたものと思ったらしいが、ヒヨッコリ翼をつらねて帰ってきたので、先に帰還していた戦友たちは、「よかった、よかった」と私たちの機にとびついてきた。そして、機から降り立った私が、ビッコをひいているのを見ると、すぐに肩を貸してくれた。新郷隊長は心配そうに、

「早く手当を受けろ」とせきたててくれる。すぐに傷を調べてもらったが、打撲傷ていどの負傷だった。

「きょうは大変な目にあいましたよ。すんでのところで味方の爆撃にやられるところでした」と、ことのいちぶしじゅうを話したところ、新郷隊長は大憤慨《ふんがい》、ぷんぷん怒りながら、「陸攻隊に厳重に抗議してください」と斎藤司令に申し入れている。

私からも司令に報告するとともに、一式陸攻（中攻隊）の不用意な爆撃に対して抗議していただきたいと上申《じょうしん》した。どうにも癪《しゃく》の虫が納まらなかったのである。

わが〝さかい〟は死なず

十二月も半ばになると、開戦の当初には約三百機の勢力を保有していたといわれるこの方面の敵機は、わが航空隊の大攻撃を受けて、すっかり潰滅《かいめつ》してしまった。比島には、もはやわれわれ零戦隊の敵はいなくなってしまったのである。

たまに出撃命令が出されても、味方輸送船団の上空直衛《ちょくえい》ていどの閑散《かんさん》とした作戦ばかりであった。

ところが、十二月の末になって、わが台南空は新しい命令を受け取った。それによると、ボルネオ以南の新たなる敵を攻撃するために、ボルネオの北東端から約百浬東にあるスール諸島のホロ基地へ進出せよという。作戦領域は、このように異常な速度で南へ南へとひろがっていたのだが、その先陣をつねにうけたまわらなければならないのが、われわれ海軍航空隊であっ

ホロ島の第三一六基地における台南空戦闘機隊搭乗員。中列中央が斎藤司令、その左が小園副長、左端が新郷飛行隊長(昭和17年1月)

たのだ。

あすは大晦日《おおみそか》という三十日にいたって、零戦二十七機の大編隊が、神風偵察機に誘導されて、朝九時に、住みなれた台南基地を飛び立った。

ところが、この大空中移動にあたって、私は甚《はなは》だありがたくない役を仰せつかってしまった。それは、以前私が、燃料消費節約実験で一時間の消費量六十七リットルという大記録を出したことがたたったのである。つまり、この日に空輸する零戦二十七機の中にまじっている特別に燃料を喰うタチの悪い零戦に、私が乗れというのである。

この零戦は、大めし喰いのドラ息子のようなものだが、一家をあげての大移住に連れてゆかないのもかわいそうだし、一機でも余計に運びたい大切なときでもある。

当時、台南空には五十四機の零戦があったが、すぐに使えるのは、そのうちの六割くらいしかなかった。このドラ息子の零戦は、大めし喰いではあるが、からだは丈夫で大いに使える。とうぜん連れていってもらえる仲間に入れられたのだが、さて、この大めし喰いの飛行機に誰を乗せるか？　ということになって、結局、白羽《しらは》の矢が私に立てられたのだ。

私は気持としては非常に面白くなかった。長途《ちょうと》の大飛行を快適な機でゆくのと、とくに燃料消費量の多い機でゆくのとでは大変な違いである。

しかし、とにかく先任搭乗員という責任もあり、私がやらなければ、誰かが苦労するだけのことなので、ともかくも引き受けた。

台南から進出地点のホロまでの直距離は千二百浬（約二千二百キロ）。単座戦闘機が、しかもこの大編隊で千二百浬もの長距離を、一挙に空中移動するということは、いままで世界にもその例をみない壮挙《そうきょ》だった。

それもそのはず、千二百浬といえば、通いなれた比島《ひとう》への道の倍以上の距離である。なにかしら大きな夢をみているような気持が、心の底から湧《わ》き上がってくる。

台南の基地を飛び立ってから三時間が経過した。いつもの道だったら、もうマニラ上空に達している頃だ。しかし、これで半分——一種の感慨をもって眼下を見おろす。

この大きな比島にも、すでに地上部隊が、リンガエン湾から上陸しているはずである。それどころか、首都マニラの北部に近い地点を攻撃していることだろう。

マニラ市街は、数日来のわが空襲によって、いまなお盛んに炎上しているらしく、市街の空は天に冲《ちゅう》する黒煙におおわれている。地上の激闘がしきりに想像される。しかし、空はなにごともないかのように静まり返っている。

私は機上で昼めしをすました。それからまた三時間、午後三時に、私たちはぶじにホロ島飛行場の緑の芝生の上へ着陸した。

ほっとして飛行機から降り立ったとたんに、私は猛烈な暑さを感じた。考えてみると、私たちは、真冬の台南から真夏のホロへ一足飛びに飛び込んでしまったのだ。だから暑いのも当たり前だが、やはり一種の驚きに似たような気持を感じながら、気になっていたドラ息子の燃料消費量を計ったところ、他の飛行機とほとんど変わらない。こういう証拠が出てくると、飛行機が悪いのではなく、使いかたが悪かったことになる。これでこの悪名高き〝大めし喰い〟は、その名を返上したわけである。

ホロへ着いて間もないある日、基地に一騒動《ひとそうどう》が持ち上がった。突然、私たちの飛行場の近くでパンパンと銃声が起こったのである。

一同が押っ取り刀で飛び出してみると、モロ族というこの島の現地人の一族が馬に乗って、拳銃をかざして襲撃してきた。彼らはじつに勇敢な性質で、見なれない日本人が上陸してきたものだから、彼らも一度は山の中へかくれていたのだが、機を見て日本人なるものと一戦まじえんものと、かくはやってきた次第なのだ。

しかし、多少は土地なれしていた陸戦隊の連中が、なんとかうまく手なずけて大事にいたらずにすんだが、後ではむしろ味方になって大いに手伝ってくれるようになった。

ホロ飛行場は、比島とボルネオの間のスール諸島の一つの島にオランダ軍が造ったものだが、ずっとボルネオに近い。

島には小規模の波止場があり、そこから遠くないところに飛行場があるのだが、この飛行場がまた変わっている。一面に緑の芝生でおおわれ、五十分の一の傾斜がある。つまり五十メートルに一メートルの割りで海の方へ傾斜している。

だから離陸のときには、高い方から低い方へ滑走《かっそう》し、着陸するときには、風があってもなくても、またどんなに風が吹いていても、低い方から高い方に向かって接地しなければならないという、まことに使いにくい飛行場だった。

内地なら厳冬の一月だというのに、ここでは夜になると蛍《ほたる》が飛んでいる。その蛍がまたじつにみごとで、合歓《ねむ》の木には何万という数の蛍がたかっている。ちょうど樹木の形につくられた蛍光灯を見ているようであった。

その一月の下旬にタラカン島の完全攻略がおわり、タラカン飛行場の整備もなかば出来上がった。

すぐにバリックパパンの上陸作戦が開始されるというので、われわれは未完成のタラカン基

「帽振れ」の見送りを受けて発進する零戦二一型。タラカン基地といわれている

地に進出し、連日、バリックパパン占領のために送られてくる輸送船団の上空直衛に当たることになった。

ある日、われわれはタラカン島へ移動せよとの命令をうけてホロ基地を出発した。

二百七十浬の海上を飛んで、タラカン基地へ着陸してみると、ひどい飛行場で、先行した二機の零戦が泥んこの中に突っ込んで大破しており、若い搭乗員が泣きべそをかいていた。

しかも、基地の設営能力が非常に弱いので、その全完成を待っているわけにはいかず、全機の移動を強行したのだが、ここはひどい僻地《へきち》で、電灯もない。民家を宿舎にあてがわれたが、夜はロウソクをかこんで過ごす始末だった。

飛行場は宿舎から二千メートルほど離れた

ところにある。

移動した翌朝、私たちはトラックに乗って飛行場へ出かけたが、道端には幾つもの屍《しかばね》がころがっている。みんなオランダの兵隊である。

その腐敗《ふはい》しかかった死体に、何か異様な動物が群がって貪《むさぼ》り食っている。はじめは鰐《わに》かと思ったが、そばへ寄ってみると長さ二メートルもあるトカゲだった。

われわれが側へ寄っていっても、大きいからだの割りに小さな目玉をギョロギョロさせているだけで、別に逃げようともしない。いよいよ近づくと、さっと身をひるがえして傍の流れに飛び込んだ。

その川の水は茶褐色《ちゃかっしょく》に濁《にご》っていて、その表面には石油が浮かんでギラギラ光って流れている。その石油の臭いが強く鼻をついて道端の死臭さえかき消されるほどだった。ただ命令のままに戦うつわものに過ぎない私たちにも、戦争というものの本質を知り得たような気がする、そんな臭いなのだ。

地上部隊も作戦に追われて多忙ではあろうが、敵味方を乗り越えて、人間として、どうか一刻も早く葬《とむら》ってやってほしい。祈るように私たちは無言で顔を見合わせた。

田中國義《たなかくによし》（現存）という一等飛行兵曹がいた。彼はここでB－17二機を一挙に撃墜するという珍しい殊勲をあげた。

この頃のB−17は、新しく尾部に砲塔をつけたもので、このB−17の出現は、大型機に対するわれわれの攻撃戦法を変えさせた。それまで、われわれが得意とした戦法は、敵機に追尾して後部から射弾を浴びせることであったが、敵が尾部に砲塔を持つにいたって、この攻撃法による効果は急激に低下してしまった。

そこでわれわれは、B−17の前方に待機して、刻々と近づいてくるB−17に対して真正面から攻撃をしかけることになった。しかし、この方法は、ときには効果もあがったが、敵もまた、飛び込んでゆくわれわれに対して、猛烈な射弾を浴びせつつ逃げ失せてしまうので、すぐに効果がうすれてしまった。こうして結局、最後に一番効果をあげたのは、この「空の要塞」の遥か上空から、敵に背を見せて急降下を開始し、降下しつつもひねりこみながら敵に銃弾を浴びせるという果敢《かかん》な戦法だった。

田中國義一飛曹。B−17を2機同時に撃墜するという離れ業を演じた。最終階級は少尉。撃墜数17機のうち12機は日華事変（日中戦争）中の戦果

一月二十四日の朝のことであった。田中國義一飛曹は、バリックパパンに揚陸《ようりく》中のわが船団の上空直衛を命じられて、部下二機をひきいてタラカン基地を飛び立った。

バリックパパンの泊地上空に到着して間もなく七、八機からなるB-17の編隊が、わが船団めがけて来襲してくるのを発見した。

「空の要塞」七、八機に対して三機くらいで立ち向かったとしても、これを撃滅するなどとは思いもよらないことであった。しかし、味方の船団を敵の爆撃から守る――これがきょうの戦闘機隊に課せられた任務だった。どんなことがあってもこれだけはやらなければならない。そのためには、敵の態勢が整わぬうちに、つまり敵が爆撃進路にはいってしまわないうちに、こっちから攻撃をかけなければならない。

こう考えた田中一飛曹は、早めに反航して果敢な攻撃を試みた。真っしぐらに突っ込みながら、先《ま》ず第一撃をかける。もちろん、敵の照準を阻害するためであった。

この一撃で、敵機は零戦の姿を認めたらしく、あわてて全弾投下した。もちろん早目の投弾だから全弾海中にむなしい水柱を立てたのみである。

爆弾を捨てた敵機は反転してジャワ方向へ全速で避退しはじめた。味方船団を守る任務を果たすことができた、という心の余裕が生じた田中一飛曹は、そのまま追撃にはいり、三機で入れかわり立ちかわり、執拗に敵編隊に後上方からの攻撃を繰り返した。

と、そのうちに、田中小隊長機が、敵の二番機に数十メートルの距離まで接近して浴びせかけた二十ミリ弾が、敵機の操縦員に命中したらしい。敵機は煙も火炎もふかずに、大きく右に傾いたかと思うと、ぐらりと背面になってしまった。そして、このとき雁行《がんこう》していた敵の一番機（指揮官機）の上へ背中合わせに重なって、たがいにプロペラでむしり合いながら、もつれあって墜落していった。

基地に帰った田中一飛曹は、そのときの空戦の模様を、手ぶり身ぶりも面白くこう語っている。

「きょうはまったくおかしな戦《いくさ》だった。ちょうど右に敵機を発見して、先ずその前上方から攻撃したんだ。少なくとも二度は完全に捕捉《ほそく》した。確かに弾丸は敵に命中してるんだが、ぜんぜん落ちないんだ。しかし、奴らはあわてて全弾投下だ」

隊員たちと一緒にこの報告を聞いていた私は、この一撃の後で、田中一飛曹が演じたB－17二機同時撃墜のあまりにも珍しい撃墜ぶりを聞いて、あっけにとられたが、さすがに田中一飛曹なればこそと、すっかり感心してしまった。なぜなら田中一飛曹は、零戦が出現するまでの九六戦時代には、最高の撃墜記録を保持していたベテランなのである。

翌日、今度は私が、バリックパパン上空直衛の命令を受けた。ところが、わがタラカン基地の飛行機は、まだホロに残っていたり、あるいは、すでにバリックパパンの各地に一時的に分散されていたりしたので機数が少なく、そのため、この日の私の列機は上原定夫《うえはらさだお》二飛曹機ただ一機だった。

爆撃に失敗したきのうの敵は、きょうもきっとやってくるだろう。きのうの田中一飛曹から聞いた敵の進撃高度は六千メートルであった。きょうもその高度以上でくるだろう。そう判断して私は、高度を七千メートルにとって船団の上空を哨戒することにした。

たった二機でバリックパパン泊地の上空を旋回しながら、私の目はたえず敵の予想進撃方向をにらんでいた。

——何分かたった。南の方、スラバヤにつながる青い空に、チラッと光るミジンコのようなものを感じた。それが動いていて、やがて胡麻《ごま》粒よりも小さな一つの点になった。

「きたぞ！」と私は二番機に合図をし、同時に全速で反航にはいった。

彼我の距離はぐんぐんと近づいてくる。近づくにつれて、その動く点は形のあるものとなり、やがて串だんごが七本一列にならんだように見えはじめた。だんごの数は四つ。四つの発動機がそう見えるのである。お互いに急速なスピードで接近するのだから、敵機は見る見るうちに、ぐんぐん大きくなってくる。距離約一万メートル……。一列にならんだ串だんごは、もはやあの銀色の翼を、ピカピカと陽の光に輝かしている、B－17七機の散開《さんかい》した姿だった。彼我の速度から計算して、二十数秒後にはぶつかり合うはずである。

私はぐっと上昇した。そして高度差五百メートルで前上方へ出た。その刹那《せつな》、敵の巨体が、私の機翼の前縁へ頭を突っ込んだ。反射的に私は、発射把柄を握りしめた。

——まだ早い、いま撃ってもムダ弾丸だ！　とは思ったが、まず敵を混乱させてしまわなければならない。そう思って私は発射把柄を握ったのだ。間髪《かんはつ》を入れず、私の機の二十ミリと七

・七ミリ四梃の機銃が火を噴いた。

弾丸の滝が敵機の頭上に落ちていった。当たっているのか外れているのか、ぜんぜんわからない。

が、敵の翼下にバラバラと落ちてゆく黒いものが見えた。敵はあわてて爆弾を落としたのだ。おそらく敵は、爆弾を抱いたまま弾丸を喰らって大爆発を起こしては大変だと考えたのだろう。

こうしてきょうの敵機も、味方船団よりもはるか遠くの沖合いに爆弾を捨ててしまった。敵は大きく編隊のまま左旋回して、ジャワの方へ引き返しはじめた。

成功だ！　味方船団を守る、という第一の目的は果たされた。すぐ追撃だ！　しかし、待て！　眼前のこの敵に気をとられて、その隙に別の一波が来たらどうしよう。そう思って、私ははやる心を抑えながら空の隅から隅まで見張って、敵の後続機を探し求めた。

しかし、敵影はぜんぜん見当たらない。よし、大丈夫だ！

私の心には余裕のようなものが湧いてきた。列機を振り返る。「やるぞ！」という合図なのだ。

風防の中に、上原二飛曹の若い紅潮した頰と、キラキラ光る目が見えた。彼は懸命になって私についてくる。翼を触れ合うばかりにしてついてくる。

私は敵の後上方約七百メートルのところへ出た。そこから急降下でぐんぐん敵に迫りながら、私は自分の目の前全部が飛行機の面積で埋まってしまったように感じた。それほどB－17は巨大な爆撃機なのだ。これならでたらめに撃っても当たるのじゃないかと思うほどだ。

とりあえず敵の一番機（指揮官機）を……そう思いながら私はねらった。敵も猛烈に撃ちまくってくる。

一機四梃ずつ（後上方を撃てる砲塔）七機、合計二十八梃の銃口から撃ち出される機銃弾がキラキラ光って、ちょうど砂を握って投げつけてくるような感じだった。白熱した黄色——ちょうど電球を昼間見るような感じである。そのキラキラ光る線が、自分の顔に集中して、つづけざまに流れてくる。しかし、それらはすべて私の顔をはさんで左右に流れてゆく……。

こんな大きな編隊と空中戦を演じたのは、さすがに初めての経験だった。敵の防御砲火のすさまじさを初めて思い知らされたのだが、不思議なことには、自分が落とされるという感じは、まるで湧いてこない。爆撃機の振り回す機銃と戦闘機の機銃とでは、命中率は七対一である。だから爆撃機なんかには落とされるもんか、という昔からの観念が、私に不敵な自信を与えていたのであろう。ところが、実際には、向こうの命中率は非常によかったのである。が、私は知らぬが仏で、のんきなものだった。

私は、敵機からとびだしてくる反撃の光の交錯の中へ突っ込みながら、二十ミリの連射を加える。その弾丸の紐《ひも》が、ぐんぐんとのびて、敵の一番機の胴体に吸いこまれてゆくのがよくわかる。

夜なら、赤い火がパッパッと閃くのが、よく見えるのだが、昼間なのでそれも認められない。しかし、敵機の胴体からは何かがはがれて、バラバラと私の方に向かって飛んでくる。二十ミリ弾の炸裂によって破壊された、敵の機体の金属の破片なのだ。それらが、私の機体の下方を流星のように飛んでゆく。それを見ても、私の射弾が命中していることはよくわかる。だが、それでも敵機は、燃料もふかなければ、火も吐かない。

私は、なにか薄気味のわるい怪物と戦っているような感じになってきた。焦りを感じつつも、私は確実に七回、反復攻撃を繰り返した。

——さすがは「空の要塞」だ！

私は攻撃を繰り返しつつも、首を傾けて感心している。これはもう、いままでのわれわれの常識外の出来事である。そう考えながらも、私はなおも発射把柄を握りつづけている。そして、その弾丸は当たりつづけている。だが、それでもなお敵機は揺らぎも見せない。

私の額には、汗がダラダラと流れてきた。この手応えのなさはどうだ？　敵のこの不敵さはどうだ？　〝恐ろしい〟という感じさえ、湧き起こってきた。

そのときである。七機雁行して私の前をゆく敵の編隊に、わずかな動揺がおこった。敵の編隊は、三機が右方へ、四機が左方へと分離しはじめたのだ。と同時に、上原が興奮したように、右に曲がる三機の方の一番左端の一機を指さした。そのB－17の左エンジンの後方から、わずかずつ薄黒い線が尾をひいて流れている。

——やったぞ！　と思ったが、このときにはすでに私の弾丸も残り少なくなっていた。しかし、敵の方でも撃ちつくしてしまったのか、あまり撃ってこない。おたがいに撃ちつくしたのだ。

私もすでにへとへとだ。しかし、最後の一撃分だけはまだ残っている。

——もう一撃！　そう思って煙を噴きはじめた敵機をじっと見ていると、煙を吐きだした敵機の左エンジンの回転がすこしずつ遅くなって、しだいに編隊から取り残されはじめた。

——よし、こいつは喰えるぞ！

私はスロットル・レバーを叩くようにして、思いきって敵の後方五十メートルまで肉薄した。見ると敵機の後部砲塔はメチャメチャに壊《こわ》れているのだ。射撃もすでにやんでいる。私は操縦席と思われるところを照準器いっぱいに入れて、最後の一撃——七・七ミリと二十ミリの残りの全弾をこの一点に撃ち込んだ。

チロリと炎が見えた。黒煙はますます濃くなっていった。そして、敵機は次第に左右に大きく揺れ、よたよたしながら、だんだん高度を下げてゆき、やがて下方の雲の中へ姿を没してしまった。

タラカンに帰ると、私はこの日の攻撃状況を新郷大尉に報告した。それから二、三日たって、味方の偵察機が、バリックパパンとスラバヤの間の小さな島に、その「空の要塞」の残骸を発見した。

この空戦で、私の飛行機も、翼端に三発か四発被弾していた。たいていは被弾の瞬間に気がつくのだが、この日だけは基地に降り立ってはじめて気がついた。夢中でやっていたわけである。さて、基地で、そのとき新郷隊長は私に聞いた。

「貴様、どういう攻撃法をやったか」

「大型機攻撃の基本どおり、高度差七百メートルから後上方攻撃を連続してかけました」と私は、そのまま報告した。新郷隊長は、「ふん？」というように考えていたが、つづいて、

「敵の防御砲火はどうだったか」と言う。

「まあ、お話にならんほどのはげしさでした。よく自分に当たらなかったものと思っています」

新郷隊長は、突然、笑いだした。

「『空の要塞』の七機編隊に後上方を連続してかけて落とされないなんて、まったく不思議な化物《ばけもの》だよ、貴様は……」

結局のところは、わらい話ですんだとはいうものの、この「空の要塞」の大編隊に後上方からの攻撃をかけるなんて、むこうみずな暴勇であって、よくぞぶじで帰れたものと、私は後になってから身ぶるいした。まだ本当にアメリカ機の恐ろしさを知らない悠長《ゆうちょう》な戦法だったのである。

しかし、こういう無茶な空戦を幾度か重ねるごとに、アメリカ機に対する認識が、そのたび

ごとに改められて、後の尊い戦訓となったのである。

その後のラバウル時代には、こんな幼稚な戦法は棄《す》てられて、同高度正反航攻撃、なおすんで背面攻撃などと、その撃墜には最後までてこずって、戦闘機との空戦以前に、大型機の撃墜に心を砕いたものであった。

ところで、台南空には、〃さかい〃という名の搭乗員が四人いた。その〃さかい〃も、フィリピン攻撃で一人、ボルネオのバリックパパン上空の邀撃戦で一人、それからジャワのスラバヤ上空の空中戦闘でまた一人と、三人まで戦死してしまった。よく待機所の雑談で、「次は貴様の番だな」などと冗談をいわれたが、この戦死した三人の「さかい」は三人とも酒井と書いた。「酒」でないのは私ひとりである。だからそのつど私は言い返した。

「なあに、俺の坂井は上り坂だから絶対に落ちないよ」

表面では強気なことをいいながらも、内心薄気味の悪さを感じつつ、戦闘機乗りとしての節制にひたすら努めた。（いまでも私が酒をのまないのはそのためである）その冗談が当たって、とうとう私の坂井だけは死ななかった。けれどももし死んだとすれば、あの「空の要塞」七機に挑んだときであったかもしれない。私は内心いまでもそう思っている。

昭和十七年二月上旬のある日――。

「バンジェルマシン敵基地を奇襲して地上の敵爆撃機を撃滅せよ」との命令を受けた。

　このバンジェルマシンの敵基地に対しては、それまでにも数回奇襲をかけたのだが、いつも事前に敵に感知されて、こちらが殺到したときには、敵の飛行場はいつも藻抜《もぬ》けの殻だったのだ。

　それで、今度は手をかえて黎明《れいめい》に出発することにした。午前五時、まだ薄暗い飛行場に整備員の懐中電灯が蛍火のように飛び、明滅する飛行場の朝霧を蹴《け》やぶって、新郷隊長以下の零戦九機がタラカン基地を飛び立った。

　敵の哨戒とレーダーを避けるための超低空飛行である。編隊はジャングルすれすれに、しだいに明るさを増しつつある大気の中を飛んだ。隊長機を先頭に一列縦陣《じゆうじん》の機影が、ボルネオのジャングルの樹海《じゆかい》の上を矢のようにかすめる。

　距離にして二百五十浬、飛行時間一時間四十分、ジャングルはどこまでも果てしない。やっと海岸が見えた。そこがバンジェルマシンだ。

　超低空、地上銃撃の姿勢のままで飛行場に飛び込んだ。ところが、またしても飛行場は空っぽである。敵機は一機もいない。――またしてもやられたか！　とがっかりしたが、しかし、「念には念を入れろ」の譬《たと》えもある。

　飛行場の北の端に、鬱蒼《うつそう》たる森がある。その森がなんとなく臭《くさ》い。そう思ってか、僚機がさぐりの一連射をそこへ撃ち込んだ。と、とたんに大爆発がその森から起こった。やはり爆弾か燃料かがかくされてあったのだ。

——よし、ここだ！　と、私たちはさらに低く飛んで、その森の中をのぞきこんだ。すると、いるわいるわ、いわゆる頭かくして尻かくさずの譬《たと》えのとおり、幾つかの飛行機の尾部が、隠蔽《いんぺい》しきれないで見えている。

わが編隊は、しめたとばかり、入れかわり立ちかわり、みんなで銃撃して、六機か七機あった敵機をぜんぶ炎上させてしまった。しかも、われわれの射撃で、燃料も弾薬も、次々と大誘爆を起こし、森の中は、たちのぼる火炎と爆発の連続で、たちまち火の海となった。

私が最後の一撃を加えたときは、あまり低く降りすぎて十メートルそこそこ——ほとんど森の梢《こずえ》にひっかかるほどだったが、そのとき、突然、大爆発が脚下《きやつか》におこった。

私は愛機もろとも、爆風のために下からぐんと突き上げられた。飛行機がしなって、ぎゅっといったように感じ、同時に、なにかがガツンと当たったようなショックを感じた。機も私もよろめく感じだったが、機は、とにかくそのまま飛びつづけて、全機そろってタラカンへ帰ることができた。

しかし、私は飛びながらも、さっきのガツンという音が気になってならなかった。着陸と同時に飛び降りて、大急ぎで機体を点検してみると、翼の裏がわに意外なものを発見した。それは弾丸ではなくて、敵の飛行機のジュラルミンの骨格がねじれたまま、私の愛機のメンスパー（主桁）に喰いこんでいたのである。

私は、いまさらながらぞっとした。もしも私が、もう少し低く飛んでいたら、おそらく、きょうこそ私は生還できなかったであろう。

スラバヤの大空中戦

バリックパパンの基地から、連日、神風偵察機が飛び立っていった。昭和十七年二月、ボルネオ本島の完全攻略が終わって、セレベス島もそのほとんど大半が日本軍の占領するところとなり、蘭印軍《らんいんぐん》の本拠であるジャワ攻略がいよいよ開始された。神風偵察機は、スラバヤ周辺の敵航空基地の偵察をつづけ、その結果、作戦方針も決定した。

例によってわが戦闘機隊は、先制空襲によって敵の在ジャワ空軍を撃滅することになり、バリックパパンにあったわが台南航空隊の零戦隊の全部と、セレベス島のメナドにあった第三航空隊戦闘機隊の一部が、これに参加することになった。

出撃は二月十九日の朝。機数は零戦隊二十七機である。われわれ台南空の零戦隊は、開戦以来、空戦らしい空戦は、まだあまりやっていないが、いよいよきょうこそは、ジャワ周辺に集結した敵の戦闘機と大空中戦を演じることができる。

偵察の結果、予想される敵機の数は、およそ五、六十機。われわれは、開戦以来、順調に戦いをすすめ、大して苦しい思いもせずに、ここまでやってきてしまった。しかし、戦争とはこんなものではないはずだ。ここいらでフンドシを締め直してやるのでなければ、戦争を甘く見るくせがついてしまう。それはかえって士気の阻喪《そそう》をまねく。

そのためにもきょうの戦いは絶好である。比島で得られたような楽勝が、きょうの空戦でも得られると予想しているものは誰もいない。

われわれは、まだ夜の明けきらないうちに起き出して、装具をととのえ、真っ暗な飛行場へ出ていった。

飛行場の草は朝露にしっとりと濡《ぬ》れていた。そして、このときすでに天候偵察の一番機（中攻）が、排気管から青い炎を吐きながら離陸していった。

次第に夜が明けてきた。天候偵察の二番機が出発した。その頃には、天候偵察の一番機から、刻々と無電がはいってきて、気象班は、われわれの前程の天候予測を一生懸命にとっていた。それによると、朝は非常に霧が深かったが、太陽がのぼるにつれて、その霧もはれるのが常識であり、海上からスラバヤにかけての天候は快晴とのことであった。

この無電情報で、一同は、きょうはまちがいなくスラバヤにいけるぞ、と晴ればれとした気持で、刻々と迫ってくる出発命令を待っていた。

午前八時、進撃隊搭乗員整列の号令がかかり、司令斎藤正久《さいとうまさひさ》大佐から次のような訓示があった。

「――諸君は、ジャワ攻略部隊の第一陣先鋒として、本日、こちらからすすんで先制空襲をかけるのであるが、敵の邀撃《ようげき》戦闘機隊はかならず撃滅するように。その成果如何《いかん》が、今後の上陸作戦を大きく左右するものであるから、諸君の、きょうの任務は重大である。大いに頑張ってもらいたい」

　この日の指揮官は、剛勇無双《ごうゆうむそう》といわれた新郷大尉であり、私は新郷大尉の指揮する第一中隊の第二小隊長であった。

　八時三十分、二十七機の零戦隊は、一機の故障機もなく離陸し、堂々スラバヤめざして進発した。

　神風《かみかぜ》偵察機が零戦隊を誘導する。四千メートルの高度をとり終わった二十七機の大編隊は、快晴のジャワ海の上空を、針路を二百十三度にとって、海また海の空を南下していった。

　約二時間、バウエン島が右前方に見えはじめ、つづいて平坦なマズラ島が薄ぼんやりと見え、さらにジャワ本島も視界にはいってきた。マズラ島から狭い水道をへだてた対岸がスラバヤである。編隊は少しずつ高度をとりはじめた。

　スラバヤの黒ずんだ市街が前下方に見えはじめる。編隊はいよいよ突入隊形にひらきはじめた。

　一時三十分、スラバヤ上空に突入——そのときすでに敵機は、ほとんど同高度でわれわれを迎え撃つために舞い上がっていた。各十七、八機くらいの編隊が、三団に分かれて上空を旋回していたが、あっというまもなく彼我いりみだれての空戦にはいってしまった。

この日の空中戦は、敵機を見つけてから空戦にはいるまでの時間が、ほんの数十秒くらいしかなかった。しかも、われに倍する敵機群と、ほとんど同高度で遭遇したために、最初から混戦模様の乱戦になってしまった。

わが方の発見と、敵の発見が同時だったので、高度をとりなおす余裕もなく、いわゆる同位戦にはいってしまったのである。地上の戦闘でいえば、お互いに白刃を抜きつらねた敵味方の両部隊が、大平原で、いきなり斬り合いにはいったような情況で、お互いにもっとも身近な敵をもとめて襲いかかってゆくのである。

その日の敵は、われわれが前年の十二月八日、クラーク・フィールドで出合ったアメリカの戦闘機などとは、比較にならぬほどの装備を持ち、しかも闘志満々だった。

私は列機二機と共に、新郷指揮官の編隊、および第三小隊と連絡をとりながら、自分にもっとも近い一番左の端にいた敵の編隊群に戦いを挑んでいった。

そして、われわれの先頭に立っていた指揮官機は、敵の中央編隊へ、指揮官機の右後ろにいた浅井大尉の編隊は、敵の一番右端の編隊に向かっていった。

味方は新郷指揮官機以下の九機。敵は十七、八機。互いに接近して左旋回で戦闘に巻き込んでいったが、敵も数をたのんでなかなか勇敢である。ぐんぐんわれわれに向かって突っ込んでくる。私はその敵に対しながらも、機種はなんだろうとよく見ると、いままで一回も遭遇したことのないカーチスP－36が主力らしく、ほかにも見なれたP－40数機もまじっていた。

カーチスP-36。アメリカ陸軍の戦闘機。ホーク75Aという名称でイギリス、オランダ、中国などにも輸出された

このときP-36一機が、私に向かって殺到してきた。私はすばやく左に反転する。ところが、敵は愚《おろ》かにもそのまま直進してくる。このときとばかり私は、右に急旋回して、驚いているP-36の追尾には いった。私は敵機の真後ろにぴたりとついて、敵機との差をぐんぐんちぢめた。敵は右に旋回した。しかし、そのちょっとした動きで、わが機との差は忽《たちま》ちちぢまった。

距離五十メートル！　私は例によって、素早く後方を振り返って、自分に向かってくる敵機のないことを確かめてから、照準器いっぱいに確実に敵機を捉えた。そして、射程距離を約四十メートルにつめてから二十ミリと七・七ミリ機銃を撃ち込んだ。放たれた機銃弾が、まるで生きもののようにのびて、敵機の胴体と両翼の根元に吸いこまれてゆく。確実に命中！　瞬間、敵機は右翼を根元から吹き飛ばされて空中分解を起こし、そのまま不規則な錐揉《きりも》み状態となって落ちていった。胴体の濃緑色《のうりよくしよく》と、翼に描かれた黄色い三角の蘭印軍マークが、あざやかな印象となって私の目に残った。敵の操縦士は脱出することができなかった。

私は急上昇して元の位置へもどった。そして、次の獲物《えもの》を狙って素早く周囲を見渡した。少なくとも六機が炎につつまれて落ちてゆく。敵味方の戦闘機が激しく空中を飛び回っている。

垂直旋回で敵機に喰い下がって追い回しているもの、宙返りで巴戦《ともえせん》をやっているもの、自分の機体の三倍くらいもの長い炎を吐きながら落ちていくもの、命中弾によって瞬時にして空中分解するもの、炎も煙もふかずに物すごいスピードでキリキリ横転しながら落ちていくもの、まことに凄絶《せいぜつ》な情景だが、落ちていくものは、そのほとんどが敵機だった。そして敵味方の撃つ曳光弾《えいこうだん》が、地上を背景にして美しくシュッシュッと飛んでいる。こいつは流れ弾にやられるかもしれないぞ、という心配が、ちらりと頭に浮かんでくるほどの激しい乱戦だった。

と、このとき、突然、P－36一機が、わが機に向かって反転してきた。私は旋回してこれを邀撃しようとした。すると次の瞬間、他の零戦が急上昇してきて、このP－36めがけて二十ミリ機銃を浴びせかけた。敵機はもろくも撃墜された。

ふと気がついて高度計を見ると、四千メートルを指している。いつのまにか二千メートルも降下していた。お互いに無理な操作をやっていると、飛行機の高度は次第に下がるのが常である。そして敵機の三群も、わが二十七機も、いつのまにか一つの渦巻《うずまき》の中心に集まり、一塊《ひとかたまり》になって、思い思いに敵を求めて空戦をやりはじめた。その空戦の渦の中で、一機の零戦が、P－36の尻に喰いついて懸命に追っているかと思うと、そのすぐ後ろにP－36が喰いつき、またその後ろに零戦という具合に、敵味方四機が、交互に一列につながった単縦陣《たんじゆうじん》で、お互いに弾丸を撃ち合いながら走り回っている。この奇妙な単縦陣が、ときには斜め宙返りになったり、ときにはひねり込んだりして戦っている。大変な激戦である。敵も、なかなか勇敢に向かってくるのだが、やがて次第に零戦隊に押しまくられてきた。周囲の状況がめまぐるしく変化し、急激に運動が交錯《こうさく》しているので、どの敵をえらんで攻撃を加えたらいいのか見当もつかない。

一機のP－36が、自分の機体の二倍もある炎の尾をひきながら私のそばを走り抜けていった。もう一機のP－36は、はげしく左右に揺れている。パイロットが戦死して操縦不能に陥っているのだ。

ところが、下方では、三機の敵戦闘機に追われた味方の誘導機が、パッパッと周囲にきらめく敵の曳光弾を避けようとして、必死にもがいている。

一機の零戦が急降下すると、敵の一番機の燃料タンクめがけて銃弾を浴びせ、これを爆発させた。そして、急降下から今度は急上昇すると、この零戦は二番目のP－36を下方から捉えた。敵の三番機が、この勇敢な零戦を迎え撃とうとして旋回したが、そのときにはすでに零戦は、敵の二番機に翼も触れんばかりに迫っていた。もう遅い！　たちまち敵二番機の操縦席の窓ガラスがこなごなに射抜かれてしまった。

このとき、もう一機の零戦が私の横にきて、手を振っていたが、やがて降下して、味方の誘導機を守りながら空戦圏の外へ連れ去った。

これらはすべて一瞬のあいだの出来事であり、もちろん私自身も、大空いっぱいに繰りひろげられた戦闘の渦の中に巻き込まれていたわけだが、このときやっと、敵の一機をうまく摑まえることができた。私はこの敵に後下方から斜めに突き上げていって、急激な垂直旋回をしながら直接照準で一連射浴びせかけたが、二十ミリは荷重のために弾丸が三、四メートル後方へはずれて敵機の胴体をまたいでしまった。

すると、この機銃の発射音におどろいた敵機は、急激な左ひねり込みで、例のごとく垂直降下で逃げはじめた。私もこの逃げる敵機にならって、急激な左ひねり込みで、そのまま敵機と同じ恰好《かっこう》で垂直に追尾していった。そして、距離五十メートルくらいから、こんども無修正で第二撃を浴びせかけた。確実に数十発の命中弾を与えたと思われた頃、敵機はパッと黒煙を噴きだした。しかもその黒煙が、私の顔面へ真正面から襲いかかってきた。

それでも私は、その黒煙をたぐるようにして追跡し、なおも撃ちつづけていると、敵機はパッと火を噴いた。これでよし！　と私は、操縦桿をぐっと引いた。撃墜を確認している暇はない。私は機首を引き起こして、ふたたび敵味方が入り乱れて戦っている空戦場へ急上昇で引き返していった。

そのときである。胴体に青い線を二本描いた零戦が、私の目の前二百メートル程のところを横切った。浅井中隊長機だなと思った瞬間、どうしたというのか、浅井大尉機が、突然、大爆発を起こしたのだ。あっと思って、次に見なおしたときには、もう空中にはなにも残っていなかった。中隊長がやられた！　そして、このときすぐに私の頭に浮かんだことは、俺の中隊長を落とした奴は、どいつだ！　すぐ仇討ちだ！　ということだった。

ところが、浅井大尉機に弾丸を撃ち込んだと思われる敵機はどこにもいない。いくらさがしても見当たらない。地上砲火によって落とされた飛行機を見たことがあるが、いまの中隊長機は、ちょうどその場合とよく似た情況だった。しかし、この混乱した大空戦の最中に、いかにあわてた敵といえども、まさか地上から撃ち上げるはずがない。なんで爆発したんだろう。まったく不思議だった。

私はそんなことを考えながらも、またあわただしく空戦の渦の中へ巻き込まれていった。だが、後で考えてみて、あの乱戦だ、最初に私が心配したように、やはり運悪く、流れ弾が中隊長機に当たったのではないだろうか。しかもそれが、さらに運悪く二十ミリ機銃の弾倉に当たったのではないだろうか、と思った。それ以外に爆発を起こす原因は考えられなかったのだ。

空戦がはじまってから、もう三十分もたったように、私には非常に長い時間が経過しているように感じられた。帰りの燃料のことも心配になったので、時計を見ると、じっさいには六、

消えていく。

しかし、その頃には、さしもの乱戦ももう終焉《しゅうえん》に近づいていた。空戦の渦の中に残っているのは、もうほとんど味方の零戦ばかりで、わずかに残った敵機は、はるか遠方に黒点となって消えていく。

——戦闘は終わったのだ！　味方零戦隊は、がっちりと編隊を組んで、高度二千五百メートル付近を悠々と旋回している。

私は味方の被害が気になりだしたので、大ざっぱに味方の機数をしらべてみた。すると、なんと二十何機いる！　これはきょうは大勝利だぞ！　私は嬉しくなった。と同時に、空戦が終わったのなら、ついでにスラバヤ飛行場の恰好《かっこう》をよく見ておこうと思い、私は地上に目を移した。

スラバヤ飛行場は静まり返っていた。私は、さらにマズラ島との間の非常に狭い海峡——スラバヤ海峡に目をそそいでみた。すると、もう一つの飛行場があるのを発見した。

これは、私たちにも知られていないものであった。儲《もう》けものをしたと思って、よくその形を見おぼえるように観察し、つづいて目をスラバヤ市街に転じたところ、敵の一機が、私より千メートルほど下方を、南へ向かって飛んでいるのを発見した。

——よし！　帰りがけの駄賃《だちん》にこれも喰ってやろう！

周囲のようすに気をくばりながら、私は編隊から離れて急降下し、禁じられている深追いにはいっていった。

眼下を逃げてゆく敵機は、すでに空戦圏内《けんない》から離れたという安心感のためか、割合にゆっくりしたスピードで飛んでいる。私はたちまち追いついた。

しかし、私の心の中には、絶対禁じられている深追いをしているという気の咎《とが》めがあるので、なるべく早くこれを片づけて、素知らぬ顔をして編隊にもどろうという焦りがあった。

だから撃った弾丸は、射距離が遠くてうまく命中しなかった。しかし、この第一撃で、敵機は私に狙われていることに気づき、急に頭を下げて全速で逃げはじめた。

第一撃をしくじった私は、こいつはしまった、追いかけようか、帰ろうか、と一瞬ためらったが、えい、ままよ、毒を喰らわば皿までもだ、叱られてもかまわん喰ってやれと決心して、私も高度を下げ、敵機の真後ろ二百メートルくらいの距離に喰いついて、ぐんぐんと追っていった。

高度計の針はすでに零メートルをさしている。目測にして地上約二十メートル。敵は右に左にジグザグのコースをとりながら、スラバヤの南方マラン飛行場と思われる方向へ逃げはじめた。

まるで超低空の空中サーカスだ。森を飛び越え、民家を飛び越えて、どこまでも私は追いかける。

P‐36の飛行能力は、わが零戦よりもかなり低い。零戦のほうがずっと速く、優秀な性能で、装備もいいし、旋回や上昇の速度も、ずっと速い。しかし、零戦は急速度の降下には不向きで、そのために私の早まった射撃で、P‐36は私との距離を、一時はぐっとひらいてしまった。あるいは、もっと高い高度から急降下していたら、みごとに逃げられたかもしれない。しかし、低いところから突っ込んだので、地上に衝突するのをおそれてか、敵機は普通の速さになってしまった。こんどは私が、零戦の優秀性を見せるときがきたのだ。

敵は必死になって、右や左につづら折りに飛行しだした。敵が旋回するたびに、私は内側からその出鼻を押さえ、敵機との距離をちぢめていった。

敵機は低く低く、木々の梢《こずえ》や民家の屋根をかすめるように飛んで必死にのがれ、私に燃料をつかわせ、攻撃を中止させようとした。だが、私は敵に接近した。

敵のマラン航空基地が見えてきた。だが、かまわずエンジンをオーバーブーストに押して最後の追い込みにかかった。

敵機との距離、五十メートル、いまだっ！　と私は、P‐36の操縦席めがけて発射把柄をひいた。二十ミリ機銃は弾丸がなくなっていたが、七・七ミリの方が敵の操縦士をつらぬいた。敵機は田圃《たんぼ》のなかに突っ込んでひっくりかえった。

私は、すぐに左急旋回で味方のいる方向へ帰りはじめた。だが、弾丸はすでに一発もなく、高度は極度に低いし、もしここで敵機に襲われたら処置なしである。やはり深追いはするものではない、と後悔を感じはじめたが、もはや一刻も早く味方のいるところへ帰る以外にない。私は大いに肝《きも》をひやしつつ、全速力で味方の集合地点へ向かった。

この日の集合地点は、マズラ島北方二十浬の海上上空、高度を四千メートルにとって、左旋回で待っていることになっていた。私は戦々恐々としながらも、大急ぎで飛んだが、幸い敵機にも出合わず、味方編隊に合同することができた。

この日の空戦で、あっぱれな働きをした零戦の中に、先に書いた誘導機を救出した零戦がある。

われわれ戦闘機隊をスラバヤ上空まで誘導してくれた神風陸上偵察機は、スラバヤが見えたらひとまずマズラ島の北方に退避して、そこで旋回しながら空戦の終わるのを待つことになっていた。帰路を、また戦闘機隊の誘導に当たる任務があったからである。

もともと、陸偵という機は、空中戦の性能も全くなく、装備もないので、もしも敵の戦闘機に見つかったら逃げる以外に手はないのである。

ところが、その陸偵の搭乗員も、はるかに見える敵味方入り乱れての壮烈な空中戦につられて、ついうっかりと空戦場に近寄りすぎていた。

果然、敵の戦闘機に発見されるところとなり、三機に襲いかかられた。しまった！　と思ったときには、すでに叩き落とされる寸前にまで追い込まれていた。ところが、味方零戦機の中

ヤシの実を両手に、大満悦の坂井一飛曹。激しい戦いの合間の憩いのひとときである（昭和17年）

の中田《なかだ》二飛曹が、激しい空中戦の中でそれを見つけ、追われている陸偵を単機で救出に向かい、せいぜい一分くらいのあいだに、敵の三機をバタバタと叩き落としてしまったというのである。

　これは後でわかったことであるが、じつはこれも前々から約束があってのことだったのである。陸偵の搭乗員が、きょうはすこし空戦場に近寄ってとくと観戦するから、もしやられそうになったら助けてくれというので、中田二飛曹は、よし俺が引き受けたと、お互いの間に話し合いができていたという。二人は霞ヶ浦の同期生だったのだ。

　それにしても、その約束を、激しい空中戦のさなかにまちがいなく実行できるほど、その頃の搭乗員は、すばらしい腕前を持っていたのである。

　が、この日、集合地点に定められていたマズラ島北方二十浬の上空に、まちがいなく集まってきた味方は、割合に少なかった。距離が遠すぎたのと激しい空中戦のために、燃料を思いのほかに使い果たしたので、各機が思い思いに帰っていったらしい。

　こういう場合、たいていは中攻隊が、帰路と思われる方向に、途中まで迎えにくるのがつねであった。経験の浅い搭乗員たちは、中攻隊の厄介《やっかい》になって帰っていくが、大半のベテラン組は、なにをお前たちの世話になんかなるもんかと痩《や》せ我慢をしてフラフラしながらも帰っていったのだろう。

この日の戦果は、撃墜四十数機、邀撃してきた敵戦闘機の大部分を撃滅したわけで、このためにその後は、この方面では大した空戦も起こらなかった。敵はこの日、われわれの空襲を、われわれがジャワ海に出るまで感づいていなかったらしい。われわれ零戦隊が、バリックパパンに進出していたことは、敵も気づいていたらしいが、まさか戦闘機が、一気に四百三十浬の空を押し渡って、ジャワのスラバヤまで攻めてこようとは、夢にも思っていなかったようだ。そのことは、この空襲後、ジャワにあった敵の司令部がかわした電報の中で、日本の機動部隊がジャワ海に侵入してきたらしいというようなことをいっているのを見ても推定できる。

ところで、この日の味方の被害は二、三機であった。帰ってから、私は自分の燃料の消費量をしらべてみたところ、まだ百五十リッターくらい残っていた。節約して飛べばまだ二時間は飛べる。久方ぶりの空戦の快勝に、バリックパパンの基地はわき立った。

浅井機の爆発の原因は、正確なことはわからなかったが、二十ミリの弾倉《だんそう》が自爆したのではないかとも考えられた。

いずれにしても、日華事変（日中戦争）以来、中隊長としてつねに勇敢に戦ってきた浅井大尉を、早くもここで失ったことは、われわれ一同にとって寂しいかぎりであった。

浅井大尉は、温厚な、そして沈着な人で、なかなかハンサムでもあった。

とくに文章と絵がうまくて、戦いの余暇には基地付近で絵筆をとってスケッチなどをしていた。文章もやさしい美しい文章で、戦場の折々《おりおり》の感想などを記していた。

浅井大尉の遺稿《いこう》の一部が、昭和十七年の『新女苑』に〝海南島の思い出〟〝ボロ島の大晦日〟〝敵機撃攘《げきじょう》〟などと題して、絵もそえて載《の》っていた。やさしく、しかも勇敢な青年士官であった。

なんじ心おごりしか

越えて二月二十五日午前九時、十八機の零戦隊は、マラン基地に残存する敵戦闘機を撃滅すべき命令を受け、バリックパパン基地から出動した。私はこんども第一中隊第二小隊長だった。

出動してから二時間余、編隊はすでにスラバヤ飛行場を左眼下に見ながら高度四千メートルで飛翔《ひしょう》していた。

私の時計は十一時二十分を指している。雲量は二千メートル上空で五――。

例によって前後左右を警戒しながら飛んでいた私は、このときわが編隊の後方約三千メートルのところに、フロートをつけた複座、複葉の敵偵察機らしいものを発見した。さっそく編隊

フォッカーC14－W水上偵察機。オランダ製の複座水上機

のまま静かに前方に出て中隊長機に近寄っていった。

私は風防をあけて敵の方向を指さし、「あそこに敵が一機いるから、自分の小隊がいまから攻撃に行く」という意味のことを手真似で伝えた。

中隊長はニッコリ笑って、「了解」の合図を返した。

私は、列機二機をひきつれて、友軍機にもさとられないほどの静かな行動で、すこしずつ味方編隊から遅れていった。たった一機の、しかもゲタばきの敵機に手間どっては、友軍機と離れすぎてしまう心配もある。はやく片づけてしまえとばかり、私は敵機の真後ろから忍びよった。

敵機はぜんぜん気がついていない。のんきなものである。一撃で撃ち落とすつもりで、全速でぐんぐんと近寄っていった。そして予定どおり二百メートルくらいから一斉に機銃弾を浴びせかけたところ、なんとしたことか、射弾が全部敵機の前方へ流れてしまった。敵機の速力が、予想以上におそすぎたので、射弾が全部オーバーしてしまったのだ。

敵はふいに目の前に曳光弾が流れだしたのでびっくり仰天、あわてて降下旋回し、そのままくるくると小さな円を描きながら急降下していく。

敵は非常に身軽だ。しかも旋回半径が非常に小さい。これではさすがの零戦でもついていけない。仕方がないので、そのまま大きく左旋回で敵を中に包みながら、次の行動を見まもることにした。そして、約千メートルばかり離れたところに位置して、敵が左右どちらに逃げても、すぐに応じられるような両にらみの態勢をとった。

敵は一目散《いちもくさん》に逃げてゆく。こんなものに手間どっていたんでは、きょうの出撃の主目的たるマラン上空の空中戦に間に合わなくなるおそれもあると思ったが、このまま見逃すのはどうしても惜しい。もう一撃――この一撃で落としてやれと決心して、今度はスロットル・レバーをしぼり気味にして速力を落とし、エンジンの過冷に注意しながら慎重に敵の後方に回り込んでいった。そして今度は、距離百メートルまで接近してから照準を定めたが、二十ミリ機銃は、後の空戦に備えて使わないことにし、七・七ミリだけで、百メートルから四十メートルくらいに迫る間、弾丸を撃ちつづけた。

すると、今度はみごとにきまった。弾丸は敵の搭乗員を二人とも貫いてしまったらしく、敵機は大きく左に傾いたとみるまに、くるっくるっと錐揉《きりも》みの状態で落ちていった。

私は、やれやれと思って額《ひたい》の汗を拭ったが、本隊のことが気になって完全撃墜かどうかを確認している暇がない。しかし、私の最後の射弾と同時に、ぐーんと敵機は低下しはじめたので、撃墜はまずまちがいないと思った。

時計を見ると、これまでに三分を要している。飛行機の三分は、大変な行動差を生じている。これはいかんと大急ぎで本隊を追尾すべく、高度二千メートルくらいまで急上昇した、その瞬間である。

またしても、私の機の右前方四千メートルくらいの距離にある断雲を縫って、小さな黒いものが見えかくれしながら、西から東へ横切っているのが、目にはいった。

もちろん敵機である。どうしようか、とほんの一瞬、迷ったが、これが戦闘機乗りの本能とでもいうのであろうか、いつのまにか敵の頭を押さえるように、急いでその方へ近寄っているのであった。

零戦は快速である。またたくまに私は、敵機の真正面二千メートルくらいまで接近していった。そして、あらためて見なおしてみると、なんとそれは、双発の兵装《へいそう》のないダグラス輸送機である。

輸送機！　こう確認した瞬間、私の頭に浮かんだことは、

——この輸送機には、敵の重要人物が乗っているにちがいない、ということであった。

――どうしようか。武装のない輸送機だから、撃墜するのは、赤子《あかご》の手をひねるよりわけはない。しかし待てよ、もしこの輸送機を生捕《いけど》りにすることができたら、どういうことになるか？　敵の要人を捕虜にすることができる！　これは撃墜するより以上のすばらしい成果であるはずだ！　それに戦闘力のない民間機を落とすことは、日本海軍戦闘機のプライドが許さない。よしなんとかして生捕りにしてやろう。それには、敵に近接して、敵を威嚇《いかく》しながらバリックパパンの基地まで連れて帰ってやるのだ。

私はそう決心した。

私はぐんぐん敵に近づいていった。

すでに敵も私を認めているらしい。しかし、輸送機の悲しさ、私がぴったりと彼と編隊を組んでいるほど近づいているのに、反撃することもできないのである。

私は敵の操縦員の顔が見えるところまで近づいていった。そして、敵の頭を押さえるように、威嚇射撃を敵機前方の空間に加えながら、敵の針路を変えさせようと試みた。しかし、これは撃墜するより難しいことだった。私の立場にひきかえ、敵輸送機のパイロットは必死であったろう。

私は敵の輸送機と並行に飛びつづけながら、天蓋《てんがい》を開いて右手で拳銃を握った。拳銃で方向を指図しようと思ったからだ。ところがここで、私は思わぬ不覚をとってしまった。

というのは、このダグラスの前方に雲があったのだが、そう大した雲とも思わなかったの

ダグラスDC－3輸送機は双発輸送機の最高傑作で、C－47などの名で軍用にも供された。写真は軍用のC－47

で、あまり気にも留めていなかった。ところが、敵はその雲の中へ、いきなり突っ込んでしまったのである。

――しまった！　と大急ぎで、その雲の下をくぐって先回りをして敵の出てくるのを待った。ところが、その雲につづいて、すぐまた別の雲があり、敵はちらっと姿を見せたと思った瞬間、すぐまた別な雲の中にはいってしまった。しかも、その雲はだんだん大きくなっていって、望見すると、スラバヤ付近の上空の厚い大きな雲につづいている。

敵は、輸送機としては相当あぶないような操作を繰り返しながら、必死になってその雲の中に遁走《とんそう》を試みる。逃がしてなるものかと、私も懸命になって雲の中を突き進んだが、まるで目かくしをした鬼ごっこみたいなもので、なかなか摑《つか》まらない。そのうちに雲は、とうとう大きなスコールになってしまって、ついに私は敵機を見失ってしまった。残念無念と歯嚙《はが》みをしたが、どうにもならない。

基地に帰投してから、このことを新郷隊長に報告したところ、隊長も、

「それはきっと敵さんのおえらがたが、作戦会議かなにかのためにバンドンあたりから乗ってきたものだよ。いっそのこと落としてしまえばよかったのに、惜しいことをしたなあ」と残念そうだった。この頃は、スラバヤが落ちる直前で、味方の地上部隊は、まだぜんぶ上陸していなかった。

二度も道草を食ったので、私の小隊は、本隊からだいぶ遅れてしまった。しかし、まだ間に合うだろうと、私は部下の二機をひきつれて、全速力で本隊の後を追った。

幸いにして、針路も誤らず、約十分ののちには本隊に合流し、高度五千メートルでマランの敵飛行場上空に突入することができた。

味方の編隊は、飛行場の上空を大きく左旋回して五、六分間も、敵を待ってみたが、どうしたわけか、敵の戦闘機は地上から舞い上がってこないし、また上空からも降ってこない。察するに、わが出撃をはやくも探知して、敵はすでに避退してしまったのだろう。

それにしても、きょうは地上銃撃はやらないという新郷隊長の言葉だったから、どうやら手ぶらのまま帰るのかなと思った。そうだとしても、私だけはさっきいきがけの駄賃に一機の敵

を屠《ほふ》っているから、非常に好運だった、とそんなことを旋回しながら考えていた。

味方編隊は、なおも飛行場上空をぐるぐる回っている。私もそれについて回っているのだが、気がついてみると、味方編隊は先頭からぐんぐんと高度を下げはじめている。そして、つづいてわれわれの編隊も、いっせいに編隊をひらいた。戦闘隊形だ。おや？　敵もいないのになにをするのだろうと思いながら、私は前の機につづいた。

敵機が姿を現わしたのなら、まず増槽を落とすはずである。

ところが、その増槽も落とさずに、ぐんぐん高度を下げている。もう三千メートルだ。いや、もう二千メートルだ。どうも高度の下げ方が、いつもの地上銃撃の場合と同じ要領である。いったいなにをしようというのかしら？　出発のとき、隊長みずから、「本日は地上銃撃は行なわない」と言っておられたのだから、まさか地上銃撃をやるのではあるまい。

高度はすでに五百メートルだ。何をするのだろう？　そう思って下を見た途端、あっ！　と私は口の中で叫んだ。飛行場のまんまん中にB－17が三機ならんでいる。視力自慢の私ともあろうものが、きょうに限って、どうしてそれが、いままで目にはいらなかったのか！　やはりさっきの撃墜で心おごっていたのか。あるいは、ダグラスを取り逃がしたことに心を奪われていたのか、恐ろしいことだと、ひやりとする思いで反省のホゾを噛んだ。

新郷隊長は、三機のこのB－17を地上掃射《そうしゃ》で焼く決心らしい。もちろん第一撃は、指揮官新郷大尉のものである。

隊長機は先頭で降下していって、まずそのB‐17に二十ミリの第一撃を撃ち込んだ。

ところがその弾丸は、全部オーバーして敵機に命中せず、飛行機の左前方に積んであった敵のドラム缶《かん》に当たった。そのためにドラム缶がいっせいにチョロチョロと火を吐き、やがて勢いよく燃え上がった。

この第一撃の失敗を、後で新郷大尉は、あんな大きなものをねらって撃ったのにドラム缶に命中してしまったとは、さすがに俺は恥ずかしくて、顔が真っ赤になったよ。みんなの見ている前だからねえ……と頭をかいていた。

こうして、地上のB‐17は、二中隊の掃射をつづけざまに浴びたので、私が射撃にはいる頃には、すでに三機とも、じゃんじゃん燃えはじめていた。

私は、こいつはしまった、遅れた、と残念な気がしたので、もっとほかにいい目標はないかと飛行場の周辺を物色してみたが、何もない。掩体壕《えんたいごう》の中までのぞきこんでみたが、完全に空《から》っぽだった。

こんなことをして手間どっている間に、地上砲火が撃ち出されてきた。

飛行場周辺の七、八ヵ所から、ダダダダダ……という七・七ミリの音と、ドドドドド……という四十ミリ機銃の音とが入りまじって聞こえてくる。

敵弾が無気味な尾をひいて私のまわりを流れる。なかなか正確に撃ってくる。頭の上をキラキラと飛ぶ敵の射弾を避けるために、グウーンと機を急降下させはじめると、すかさず射弾は

日本機を欺くためのオトリ機。いろいろな機に似せたものが各地で使われたが、これは中国奥地の基地に置かれていたP−40のオトリ機

下の方から飛んでくる。これはいかん、と私はまた急上昇する。すると今度は、真後ろから正確にスルスルと弾丸がのびてくる。敵ながらあっぱれといいたいほど、非常にうまく撃ってくる。変なもので、空中戦闘で、敵機に撃たれるときは、敵もなかなかやるわいと、憎しみよりもむしろ懐かしささえ感じることがあるが、地上砲火は、私だけの感じかもしれないが、じつに癪《しゃく》にさわる。

私はこんなふうにして敵弾を避けながら、なおも執拗《しつよう》に地上から目を離さずに飛び回っていたら、ついに獲物を発見した。光って見えた。双発の飛行機である。機種はわからないけれども、まさしくほんものの飛行機である。その獲物のまわりにも、十機ぐらいの飛行機があったが、それがオトリ機（ニセ飛行機）であることは一目瞭然《いちもくりょうぜん》であった。

私はほとんど本能的に、と言っていいほどの夢中さで、まっしぐらにその目標に向かって突っ込んでいった。

ぐんぐん高度が下がる。私は、地上十五メートルほどの超低空まで舞い降りた。そして、照準器いっぱいに確実に目標をとらえてから、発射把柄をにぎった。

二十ミリ機銃弾が、数十本の紐となって、私の機と敵機とをつなぎ、弾丸は、確実に敵機の翼内タンクのあたりで炸裂している。

ところが、どうしたというのだろう！　敵機からはいっこうに煙も出ないではないか。これは命中個所が悪いのかなと思って、さらに角度を変えて、もう一度撃ち込んでみたが、それでも燃えない。化物と取り組んでいるみたいで、いささか薄気味の悪いような気さえしてきた。

そのために焦りすぎたのであろうか、低く降りすぎて、飛行場の水溜《みずたま》りに撃ちこんだ二十ミリ機銃弾のハネ返りが、泥水の飛沫《ひまつ》となって、私の機の遮風板《しゃふうばん》に、パッパッとはねかえってしまった。

そのときになって、私ははっと気がついた。

——そうだ、この飛行機は燃料を抜いてあるんだ。燃えないのが当たり前だ！　しかし、これだけ弾丸を撃ち込んでおけば、当分は使いものにはなるまい。

私は銃撃を止めてふたたび舞い上がり、あらためて編隊を組みつつある本隊に合同した。

バッファローとの戦い

越えて二月二十八日、わが戦爆連合の二十四機は、スラバヤの中部南岸のチラチャップ港を攻撃した。攻撃隊は一式陸攻十二機と、これを掩護する任務をおびた零戦十二機であり、零戦隊の指揮官は新郷大尉、私は第二小隊長だった。

午前十時、われわれ零戦隊は、マカッサル基地から飛来した一式陸攻隊と、バリ島飛行場の上空、高度六千メートルで合同し、一路チラチャップへ向かった。

この日の戦闘機隊の任務は、爆撃隊の直接掩護だったので、われわれは、陸攻編隊の七百メートル前上方に位置して飛んでいた。

やがてチラチャップの港が、白い断雲の隙間《すきま》に認められた。十二時である。港には船影が一隻も見えない。敵の護送船団は、われわれが到着する前に避退してしまったのであろう。残念だが、港には適当な目標が見あたらないので、桟橋《さんばし》付近から倉庫の建ちならぶ港湾施設一帯に対して、二百五十キロと六十キロの全弾を投下した。

十二機の一式陸攻の腹から、七発ずつの爆弾が黒く光って降っている。壮観そのものである。

われわれ戦闘機隊は、旋回しながらその爆撃効果を見ている。二、三発は海中に落ちて水柱をあげたが、大部分は港湾施設に命中した。立ち昇る黒煙、崩《くず》れ落ちる倉庫群——。

——よし、みごとだ、うまい！

爆撃を終わった一式陸攻隊は、長居は無用とばかりすました顔をして帰途につく。彼らは針路を変えてジャワ海の海上へ出る。約五分間ほど、われわれ戦闘機隊は一式陸攻隊を送って共に飛んだ。しかし、燃料も十分あるし、弾丸は一発も撃っていない。なんだか物足りない感じがしてならない。

そのときである。指揮官機が大きくバンクを振って右に変針しはじめた。

——ははア、いくんだな。

私は思わずニンマリとした。というのは、出発のときに、チラチャップでもし敵にも出会わず、また予定どおり掩護の任務を完了したら、帰りには爆撃隊を安全地帯まで送り帰してから、マラン、スマランの敵飛行基地へいってみようじゃないか、ということになっていたのである。

新郷隊長は、いまそれを決意したらしい。爆撃隊も、ここまで送ってくれれば、もう敵戦闘機の追撃もあるまい。

われわれは一式陸攻隊へ手を振って別れる。飛行機は快調である。もうまもなくマラン上空——と思われる頃、前方に巨大な積乱雲が光っているのを見た。八千メートルほど高く上がっている雲の柱である。

そして、ふと気がつくと、その巨大な雲の柱のまわりを蜂《はち》のような感じのするずんぐりした飛行機が四機、ぐるぐると回っているのが見えた。

——見なれない飛行機だ、何をしているのだろう？

だんだん近づいてみると、それはバッファローだった。初めてお目にかかる新機種である。

——よし、落としてやれ！

新しい闘志がむくむくと湧いてくる。

ところが敵は、まさか零戦隊が、いまごろマラン上空まできていようとは思っていないらしく、相変わらず、まるで遊んでいるようにぐるぐると雲の柱のまわりを回っている。

戦闘はまったくわれわれに有利である。われわれは敵と同高度の六千メートルに位置して、いっせいに増槽を落とした。戦闘開始の合図だ。

敵の航行隊形は、二機ずつ翼をならべて相前後《あいぜんご》した四機の編隊であり、前後の間隔は三百メートルくらいである。

味方の十二機は、われ先にと、この敵に向かって突っ込んでいった。私は後列の敵をねらった。

——よし、きょうの第一撃は俺がやってやる！

こう気負いたって敵に近づきながらも、一応は警戒のために前方の二機に目をやると、どこをどう回りこんでいったのか、もうすでに敵の一番機に味方零戦が喰いついて黒い煙を吐かせ

ブリュスターF2Aバッファロー。アメリカ海軍の艦上戦闘機。台南空が蘭印で戦ったのはオランダへ輸出された機体である

ている。なんてすばやい奴だろう。ちらっと横目で見ながら私も、後の一機に対して後方から突っ込んでいった。

狙われたバッファローは、とたんに大きく左の垂直旋回《すいちょく》で受け身の戦法にはいったが、一旋回もしないうちに、私はピタリと敵の真後ろにとりついてしまった。

音に聞いていたバッファローだが、すこぶる旋回性能が悪い。これでは勝負にならない。

敵は後ろにくっついた私をふり離そうとして、しきりにもがくが、それは駄目だ。零戦の優秀さがしみじみ有難くなる。

敵との距離二百メートル——少し遠いとは思ったが、私は機銃の引き金を引いた。いつもの私なら、百メートル以上はなれていては引き金を握らないのだが、きょうは少しちがう。というのは、きょうは味方の十二機に対して敵が四機、しかもすでに敵の一番機は黒煙を噴いている。

ぐずぐずしていると味方に横取りされるおそれがある。なんでもかんでもまず第一撃をかけなくてはと、少し遠い射距離とは思ったが早目に引き金をひいてしまったのだ。ところが幸いにも、敵はゆるい垂直旋回をやっていたので、そのうちの何発かが命中してしまった。

大した手応えとも思わなかったが、それでも尾部からシューッと黒煙が噴き出した。そして、意外にあっけなく、敵機はそのままスローロール（緩降下）を繰り返しながら落ちてゆき、やがて下方の積乱雲の中にスポンと呑まれてしまった。

私の与えた傷は、敵にとってかならずしも致命傷ではなかったかもしれない。しかし、飛行機乗りの常識として、積乱雲の中に巻き込まれた飛行機は絶対に助からないはずである。私自身も、かつてその中にちょっと飛びこんで、ひどい目に遭《あ》った経験を持っている。なにしろ上昇気流と下降気流とが、ものすごい力で渦巻いていて、その力は、ときには一式陸攻やダグラスのような機さえ揉《も》みくちゃにして、完全にバラバラに分解させるだけの力を持っている。

戦闘機でも、日本海軍では、積乱雲に突っ込んで助かったものは、私の知るかぎりでは一人しかいない。それほどの、いわば魔神《まじん》の怪力をもつ積乱雲のど真ん中へ、しかも手傷を負って飛び込んだのだから、あのバッファローは絶対に助かってはいまい。

私は深追いをやめて、すぐに次の敵に機首を向けたのだが、すでに相当の距離がひらかれていたので、敵機は積乱雲の端の方にうまく逃げ込んでしまった。

私の長い空戦生活の中で、バッファローと会敵《かいてき》したのは、これが初めてであり、しかもこれが最後であった。

第四章　死闘の果てに悔いなし

帰国の夢やぶれて

昭和十七年三月の初旬、比島、ボルネオ、ジャワの広大な地域に散らばっていたわが台南空も、東印度諸島のバリ島に集結した。ジャワ本島の完全攻略も目睫《もくしょう》の間にせまり、われわれは次の作戦命令を待っていた。

バリ島は、赤道に近いところとも思えないほどの温和な気候に恵まれ、段々畑が山の頂上まで耕され、また水田が山の上まであり、故国日本を思わせる風情もあった。火山地帯なので温泉に恵まれ、われわれも交替で湯治《とうじ》としゃれこんだこともあった。バリ島の女の舞踊は優美《ゆうび》で、繊細《せんさい》で、不思議な魅力にあふれていた。

われわれがこの島に集結をはじめて、わが隊の一部の先発隊がバリ島飛行場に到着した翌日のことであった。

その日の午後、われわれが、〝指揮所〟でぶらぶらしていたとき、突然、すごい爆音が飛行場に近づいてきた。われわれのうちの一人が、窓の外に顔を出したかと思うと、あわててひっこめた。目の玉を丸くしている。

「オイッ！　B-17だ！　着陸してくるぞ！」

われわれはどっと窓ぎわに駆け寄った。

大戦初期に比島で、日本軍が生け捕りにしたB-17

確かに舞い降りてくる。巨大な「空の要塞」が脚を出し、エンジンを絞り、着陸姿勢をとっているではないか。私は目を疑った。しかし、B-17はすでに大地に車輪をふれて軽く揺れている。ブレーキの音が聞こえてくる。次の瞬間、われわれは戸口から飛び出していた。ここに着陸してくるからには、捕獲された敵機にちがいない。われわれはそう信じたのだ。

ところが、そのとき機関銃の発射音がひびきわたって、われわれを仰天させた。あわてた陸軍部隊の軽機関銃隊が、接地したB-17に向かって、いっせいに射撃をはじめたのだ。驚いたのはB-17であった。

日本軍のバリ島進出があまりにも速かったのでそれを知らずに、バリ島飛行場はまだ自軍に確保されているものと思って、着陸してきたらしい。だが、一斉射撃を受けては、いかに間抜けな敵でも、事態の危急に気づいたのだろう。四つのエンジンが、突然、ゴオーッとうなりを上げた、と見るまに砂塵を後ろへ吹きとばして、B－17は滑走を開始し、あっというまに空中へ舞い上がって、やがて飛び去ってしまった。

ふいの出来事だったので、追撃することもできず逃がしてしまったが、そのまま知らん顔をして着陸させていたら、まんまとB－17を生捕《いけど》りにできたのにと、われわれを大いにくやしがらせた。

そんなことがあってからまたしばらくして、バリ島での休養にもそろそろ飽《あ》きて、若い元気な搭乗員たちが退屈を感じはじめた頃、内地帰還の噂《うわさ》がぱっと隊内にひろがった。支那事変以来、戦地に長い者から帰還がゆるされるというのだ。思えば私も、昭和十四年の秋に内地を出てからすでに二年有半、隊内でも最も長い戦地生活をつづけてきた一人だったので、久方ぶりの内地での生活を夢みて胸を躍《おど》らせていた。

三月十二日、山下政雄《やましたまさお》少佐が新郷大尉の後任として、内地から到着し、われわれの新飛行隊長になったことを告げた。

「新郷大尉は転属となった。いまから、内地に帰還する者の名を呼ぶ」

山下少佐が内地帰還組の名を呼びはじめると、みんなはしいーんとして耳を傾けた。私は、もちろん、いの一番に自分の名が呼ばれるものと思って胸をときめかしていたが、一番目は私でなかった。二番目も違う。三番目でもない。私は、おかしい、おかしいと思いながら、山下少佐の呼び上げる七十名もの名前を聞いていた。ところが、私の名前はついに呼ばれない。私はがっかりしてしまった。その落胆《らくたん》ぶりが、われながらかわいそうなほどだった。

帰還組は約半数で、名目は、東京防衛ということであったが、じつはこの頃すでに、ミッドウェー攻略の計画が着々とすすめられていて、帰還組はこの作戦に転用されるのであったが……。

とにかく私は諦めきれずに、新任の山下飛行隊長に聞いた。

「どうして私は帰れんのですか？」

すると、山下隊長はにやりと笑いながら、言った。

「貴様は別だ。われわれは、これからニューブリテン島のラバウル基地へ進出する。貴様も一緒に行ってもらわねば困る」

すげない返事である。帰還組がなければそれほどにも感じなかったであろうが、まったくがっかりしてしまった。

しかし、それでも私はその晩、ゆっくり考えて思いなおした。

――開戦のときから俺は、この戦争で勇戦奮闘して死ぬ覚悟をきめていたではないか。これから新戦場のラバウルというところへ行く。しかもこんな大部隊なのに、一下士官の俺に、司令をはじめ幹部の人たちが、〝坂井、お前は別だ〟と言った。ということは、これまでもそうであったが、これからも台南空は俺を必要としているということだ。それだけでもお前は満足に思うべきだ。

私は日本に帰りたがる自分の心に、そっとそう言い聞かせた。だが、ニューギニアの東の島――ニューブリテン島のラバウルなどといわれても、当時の私たちには、まったく聞いたこともないところで、なんだか遠い島へ流されていくような気がして、さびしさは禁じ得ない。

ところが、そのラバウルが、後には南太平洋決戦の主力基地となり、また、このときの内地帰還組にはミッドウェーの海水が待っていたのである。

まったく人間の運命ほどわからぬものはない……。

地獄のラバウルへ

それからまもなくして、われわれラバウル組は、開戦以来、生死を共に戦ってきた愛機の全部を、内地帰還組にゆずり渡して、貨物船小牧丸《こまきまる》の船倉《せんそう》に詰めこまれ、ラバウルへ向けて出帆《しゅっぱん》した。

ラバウルは、バリ島の東方二千五百浬、あまりの遠隔地《えんかく》であるため、さすがに脚の長い零戦でも空輸はできない。出港したその夜は、さっそく敵の潜水艦に追跡され、空では鬼をも恐れぬ猛者《もさ》たちも、小さな老朽《ろうきゅう》貨物船に、まるで家畜のように詰めこまれていては手も足も出ず、いたたまれぬ思いのしどおしだった。

しかも小牧丸の護衛といえば、千トン級の老朽駆潜艇《くせんてい》がたった一隻――。船は一晩中、キリキリと軋《きし》む無気味な音を立てながら、十二ノットの全速でジグザグ航進をつづけ、夜明けと共に、うまく敵潜の追跡をまいたらしい。われわれは、ほっと胸をなでおろした。妙なもので、空で死ぬのは天職と心得ているし、また滅多なことでは死にはせんぞという自信もあったが、この船倉に詰めこまれたまま無抵抗で死ぬのはやり切れないという気がしてならなかったのだ。

スーパーマリン・スピットファイア。イギリスの名戦闘機。写真はVB型で、ポートダーウィンなどで零戦と戦ったのはこの型

それからも船はジグザグ航進をつづけながら、絶えずキリキリと軋《きし》みながら進んでいた。そして護衛の駆潜艇の蹴《け》立《た》てる波をかぶるたびに、船はゆらゆらと揺れてかしぐ。

船内は、まるで焦熱地獄《しょうねつじごく》だった。その熱気には耐えがたいものがあり、二週間の航海中、さばさばした日はなかった。ジメジメ湿《しめ》った暑苦しい船内で、汗がからだじゅうから流れ出してくる。塗装《とそう》の臭いがツーンと鼻にまとわりつき、搭乗員たちは、みんなまるで半病人だった。

途中、チモール島のクーパンへ入港した。われわれは上陸をゆるされて飛行基地へ一泊したが、ここには高雄の三空が進出してきていて、豪州《ごうしゅう》ポートダーウィンを攻撃している最中で、新手の敵戦闘機スピットファイアをばたばたとなぎ倒して意気軒昂《いきけんこう》としていた。

ここで、同期生の岡崎《おかざき》一飛曹と再会したが、翌日にはふたたび乗船し、今度はたった一隻の護衛艦にも見放されて、単独航海でノロノロと一路、東へ東へ、もの憂《う》い航海がつづけられた。その頃から私は、なんとなく気分がすぐれず食欲もなくなり、いつとはなしに寝ついて起きられぬからだとなってしまった。

病気は日毎に悪化するばかりで、ときおり俺は死ぬんじゃなかろうかなどと思った。そして、こんな惨《みじ》めさから救われるなら、いっそ死んでしまった方がましだとさえ思った。

しかし、そのとき、ひとりの若い中尉が私の傍らにつきそって介抱してくれた。それは、わが隊の新分隊士笹井《ささい》中尉であった。中尉はこうして私の心に最も深い印象を刻みつけた。

私は、汗や体臭でむんむんとむれかえるような船倉で、心配そうに一心に介抱してくれている笹井中尉の、澄んだ瞳を、ときどきじっと見つめた。この中尉の友情と介抱が、やがて私を元気づけ、私を次第に快方に向かわせた。そして、一週間目には甲板に出られるようになった。

四月十六日、船はラバウルへ入港した。しかし、なんという光景なのだ。バリ島が楽園なら、ここラバウルはまるで地獄。——われわれの飛行場は、狭《せま》くるしく埃《ほこり》っぽい、いままでのどの基地よりも劣悪《れつあく》なものであり、しかもこの呪わしい飛行場の背後には、気味わるい火山が、ヌッと二百メートルの高さに突っ立っている。地面は絶えまなく震動《しんどう》して、火山はうめくように鳴りながら岩石をこぼし、黒煙をもくもくと噴き上げている、まさしく地獄の一丁目だ。

上陸すると、われわれはすぐに飛行場へ行った。埃っぽい道路が、軽い火山灰で一面に覆《おお》われている。

飛行場は荒涼《こうりょう》としていた。歩くすぐ後から埃と灰がもうもうと舞い上がる。基地とはまったくの名ばかりで、飛行機も使い古した零戦が数機おいてあるだけだった。そして、驚いたことには、旧式の九六艦戦までがおどけた恰好《かっこう》で配置されている。見るもののすべてが幻滅《げんめつ》だった。

一度張りつめた気持がゆるんだのか、私はまた寝込むような破目になり、山の上の海軍病院へ入院させられた。入院するほどの病気でもなかったのだろうが、こんなところへ流された嫌《いや》気《け》も手伝っていたのだ。

ところが、早くもわれわれの進出に気づいた豪州を基地とする敵空軍が、早速ご挨拶《あいさつ》に出向いてきた。入港した翌朝、B－26の編隊が来襲してきたのである。

私はラバウルが、想像していたような避難場所ではなかったことを知った。戦闘から離れているどころか、ラバウルは急速に戦闘の中心となりつつあったのである。

空襲警報に驚いて飛び起き、病院の窓から見上げると、十二機のB－26が、港の上空ひくく降下して、岸壁で積荷をおろしていた小牧丸めがけて、巧妙に爆弾を投下した。小牧丸は炎々と燃えながら沈没した。

すると今度は、豪州軍の標識をつけたこの爆撃機は、飛行場の滑走路や、そこにあった飛行機に襲いかかってきた。もちろん、基地をまもる味方戦闘機隊の手薄を知ってのことであるが、傍若無人《ぼうじゃくぶじん》の乱舞である。だが、これもしばらくだぞ、いまに見ていろと、私は病院の待避壕《たいひごう》からじっと見上げていた。

敵の空襲は三日にわたってつづけられた。私は、心身がカッカッと熱くなるように生き返ってくる気がした。これで俺も地上でブラブラしていた生活と縁を切ることができる。私はすぐに病院から出してくれるようにたのんだ。どうしても一日も早く、零戦の操縦桿がにぎりたかったのだ。

宿舎の準備もできた頃、私の病気も癒《い》えた。そして、その頃になってようやく、特設空母春日丸《かすがまる》によって、新しい零戦が、ソロモン群島の北部ブカの沖合に着いたのである。待ちに待った零戦が着いたのである。これを受け取りに行く、二十人のわれわれ搭乗員を乗せた旧式の四発飛行艇は、ラバウル湾をようやくの思いで離水し、一時間の後には春日丸のそばに着水し

九七式飛行艇。哨戒、爆撃、輸送に活躍した四発の大型飛行艇。民間機型は南洋航空路で活躍し、映画「南海の花束」で有名になった

た。

すでに飛行甲板には、完全に武装された零戦が、整然とならんで乗り手を待っていた。ただちに出航。母艦は風に立って——風上側に向かって——全速で走る。合成風速十五メートル、発艦準備完了、発艦指揮官の白旗一《いっ》閃《せん》、指揮官機を先頭に鮮やかなスタートをきって離艦し、ラバウルに帰った。

この日から、名も知れぬラバウル基地に、わが零戦隊の本格的な羽ばたきがはじまったのである。

きのうまで、わがもの顔にラバウルの空を跳梁《ちょうりょう》していた敵機が、これは少しようすが違うぞと気がついたときには、すでに遅かった。ラバウル基地の上空では、次から次と零戦のために血祭りに挙げられる敵機の数がふえ、ガダルカナル作戦の開始まで、ラバウル

基地への爆撃は絶対にゆるさなかったのである。

私はラバウル基地へきて半月もたたないうちに、バリ島出発のときの憂鬱《ゆううつ》な気分は、いっぺんにけしとんだ。勝手なもので、いまでは、あのとき内地へ帰さずに残してくれた司令に対して、感謝する気持さえ湧いてきた。そして、この基地の重要性と、零戦隊の任務の重大さを日増しに感じつつ、日毎に激しさを増す空の死闘に、いつしか引きずり込まれていったのである。

そして、ポツリポツリと欠けてゆく戦友をしのびながら、古参者はもちろん、比較的に若年の搭乗員たちも、一鎚《いっつい》ごとに鍛《きた》えられる日本刀のごとく、一戦ごとに不屈のラバウル魂が培われていったのである。

「空《エア》の毒蛇《コブラ》」を血祭り

ラバウルの陸、海、空の基地が整備されると共に、ニューギニア東部南岸の要衝《ようしょう》ポートモレスビー攻略の準備が、着々とすすめられていった。

だが、この作戦を成功させるためには、まず在ニューギニア米豪空軍を撃滅することが前提条件であり、そのためには、零戦隊の一部をモレスビーの反対側のラエ基地へ進出させる必要がある。そこで、私の列機の本田二飛曹と米川《よねかわ》三飛曹も、私をラバウルへ残してラエへ先行していった。

四月二十五日、私も命を受けてラバウルから新基地ラエに飛んだ。ところが、ラエに着いて、飛行場の上空を旋回しながら、私は思わずうなってしまった。格納庫も見当たらない。整備室も指揮塔もない。あるのは汚れた小さな滑走路だけで、まるで空母の甲板のように小さく、滑走路の三方はパプアン半島の峨々《がが》たる山脈に取りまかれ、私が接近した一方だけが海に面している。

私が着陸すると、数日前に到着していた二十一名の搭乗員たちが滑走路の端で出迎えてくれた。本田と米川が、真っ先に私を迎えた。

「小隊長、ここは面白いですよ」

本田は笑いながら、張り切って言った。

「なにしろここでは、毎日、空戦ができますからね。こんなに敵をやっつけられるところはほかにはありませんよ」

本田はさらに話をつづけて、私が到着する前の三日間に、このみすぼらしい基地が、どんなに大きな活躍をしたかについて語った。その話によると――。

四月二十二日、七機の爆撃機を護衛した四機の零戦が、ポートモレスビーを襲撃し、零戦一機を失ったが、敵戦闘機二機を撃墜した。翌日、同数のわが隊が出撃し、五機を撃墜して意気揚々と帰ってきた。そして二十四日には、零戦二機がマウマウ上空で敵爆撃機三機を待ちぶせ、二機を撃墜、一機を不確実撃墜したが、この日は零戦一機が撃墜された。

本田にとっては空戦だけが人生の第一義だった。飛行場がどんなに悪くとも、彼にはどうでもいいことだったのだ。

その日の午後、われわれは飛行場の指揮所に急いで集まった。それは指揮所などとは義理にも呼べないようなものであり、小屋と呼ぼうにも板壁もなく、ムシロがひらひらと今にも吹きとびそうにかかっていて、これが壁やカーテンや戸の代わりをしているというものだった。その部屋は、二十名の搭乗員がつめかけると一杯になってしまう。が、真ん中に、大きな木を叩き切ったままのテーブルが置いてあり、二、三本のろうそくと一個の石油ランプが点《とも》っていた。そして、電話用の電線が、近くの高射砲陣地や見張所からつないである。

斎藤正久司令から簡単な訓示を受けて、われわれは宿舎に帰ることとなった。指揮所の外には、ラエ基地から差し向けられた車が全部きている。古ぼけて錆《さび》かかったキイキイ音のするフォードとガタガタのトラック、それに燃料車が一台である。

宿舎へ帰る道すがら、本田も米川も楽しそうに歌をうたっている。米川が、基地防衛のための陣地を指さした。

二百名ほどの海兵が、飛行場の前に陣地をつくっている。この二百名と整備員約百名、それに二十数名の搭乗員——これだけが、ラエ基地における当時の日本軍のすべての勢力だったのである。

五月二日、ラエに勢ぞろいなったわが第二中隊は、中隊長笹井中尉以下九機が、強行偵察をかねて先制空襲をしかけることになった。

われわれは、三機ずつの三個編隊で、ポートモレスビー上空に向かった。海岸線に沿って飛びながら徐々に高度を上げた。天候がすばらしく、白い砂浜が島の海岸線に沿って打ち上げられ、散らばった白い骨の塊《かたまり》のように見えた。そして、オーエン・スタンリー山脈が、われわれの眼前に、海抜五千メートルの高さで聳《そび》えたっている。山頂に積雪は見当たらず、山腹は、恐ろしいジャングルの広大な壁のように見えた。

高度五千五百メートルでこの山腹の嶺《みね》を越えると、今度は忽然《こつぜん》と、眼下に新しい世界がひらけた。敵地である。珊瑚《さんご》海《かい》の広大な深緑の水域には、一隻の船も見当たらない。海は見渡すかぎり、目も覚めるばかりのインディゴ色だ。前面の山脈は、ラエ基地側の急傾斜とはちがって、ずっとゆるやかな傾斜で南海岸に延びている。他の部分はただ果てしない海である。

ラエを飛び立って四十五分後、モレスビー基地が翼下に現われた。たこの足のように何本もの細い道が、ジャン

ラバウルのリヒトホーヘンと称された笹井醇一中尉

グルの中へ延びている。その末端に、きっと敵機がかくされているにちがいない。しかし、地上に気をとられてはいけない。きっと敵機は、空中のどこかで、われわれを狙っているのだ。

——どこだっ、どこだっ！　私には久しぶりの出撃なので、自分の見張り能力が低下したのではないかと、少し心配になってきた。

高射砲はまだ撃ち上げてこない。おそらくわれわれが、その有効射程高度より上空を飛んでいるからだろう。

われわれは、モレスビーを通り越し、珊瑚海で旋回した。やがてわれわれは、ふたたび元のコースを通って、もう一度、敵基地の上空にきた。だが、敵の高射砲隊は、いっこうに反撃してこない。

われわれは、飛行場上空を飛び越した。今度は太陽をまっすぐに背に受けながら飛んだ。時は刻々とすぎる。きた、きた！　とうとうP－39四機が、左前方四十度、同高度反航で近づいてくる。距離約五千メートル。はじめて見る「空の毒蛇《エア・コブラ》」だ。

こちらが発見されているかどうかは、まだわからない。私は増槽《ぞうそう》を落とすと、エンジンをフル回転にした。列機は左右についてくる。私は指揮官機を横に誘って、この発見を笹井中尉に知らせ、攻撃の掩護をたのんだ——。

笹井中隊長が、前方に向けて手を振っている。行けの合図だ。確認した私は、列機を率いて、敵の左を押さえるように全速で突進した。一刻も早く、ラバウルでの撃墜第一号を記録し

「空の毒蛇」と呼ばれたベルP-39戦闘機。エンジンを操縦席の後方に積んでいる

たい意気に燃える私の心は、はやりにはやっている。私は、味方よりも敵を早く発見した特権とばかり、抜けがけの戦果を目ざしたのだ。

敵の機種は、初見参の「空の毒蛇」――。二機二機の編隊が二つだが、敵はまだ行動を開始していない。絶好のチャンスだ！　敵は真正面から、太陽を浴びているので、目がくらんで、わが編隊を見分けることができないのだ。

私は、本田二飛曹を私の右上方へ移して掩護に当たらせ、比較的経験の浅い米川三飛曹を左後方にしたがえて、ぐんぐん接近していった。そして、敵との距離が五百メートルに迫ったとき、私は左上方に旋回した。まず後ろの二機から片づけてやろうと思った。理由は簡単である。もしもこのとき前方の二機にかかったら、たとえこれを落としても後方の二機に喰われる危険があったからだ。

横距離五百メートル、敵機との角度が七十度になった。敵機が私の目前を右から左へ、急速に通りすぎようとする。敵はまだ気がつかないようだ。おかしな敵機、どこを見て飛んでいるんだ。私はここで、高度を上げて後上方から攻撃する空戦の常道《じょうどう》を破って、逆に操縦桿を左前方に突っ込んで左足を踏み込み、敵機の左後下方にもぐりこんだ。

この戦法は私が一番好んでとる戦法で、この位置は敵からは見えにくく、ここから槍《やり》を敵の左脇腹へ突きさすように撃ち上げるのだが、このつぼにはめてしまえば、もうこちらのものだ。その上、敵が気がついて急降下で逃げようとしても、その出鼻をピタリと押さえることができるという絶対の位置なのだ。

二機のP‐39は、翼もふれんばかりに接近して飛んでいる。私は撃ちたい気持を抑えながら、なおもグーンと近づいていった。

しかし、うかつな敵は、まだ気がついていない。ついに敵機までの距離五十メートル――このとき二機の敵機が完全に重なって照準器の中に入った。この瞬間をとらえて、私は発射把柄をにぎった。両翼から撃ちだされる二十ミリの弾丸が、黄色い尾を曳《ひ》いて、敵一番機の濃緑《のうりよく》色《しょく》の胴体の真ん中に吸い込まれ、ついでに狙った一番機にも同じように弾丸が命中して、敵の二機は仲よくもつれ合うように落ちていった。

その瞬間である。私の右上方から真っ赤なアイスキャンデーのようなものが飛んできて、私の機首をかすめ、すでに炎上しはじめている敵の一番機に、スルスルッと吸い込まれた。悪戯《いたずら》者で暴《あば》れん坊の本田が、私の掩護役という任務も忘れて撃ち込んだ二十ミリ弾だったのだ。

私は本田を叱《しか》るのも忘れて、はじめて得た二機同時撃墜という経験に躍り上がった。意外なほど簡単に後方の二機が片づいたので、ついでに前方の二機も喰ってやれという欲を出して、私は機首を立てなおした。

しかし、このときにはすでに、前方の二機もすっかり火炎に包まれていた。まったく手の速い連中である。後でわかったのだが、この二機を叩き落としたのは、二十三歳の西澤《にしざわ》と二十二歳の太田《おおた》の二人だった。

坂井の落穂《おちぼ》拾《ひろ》い戦法

ラエでは午前四時になると夜が明ける。もちろんその反対に、日の暮れるのも早い。戦闘機だけで攻撃をかける場合は、いつも五時頃に発進するのが通例であった。敵も早起きでこちらを狙っているからだ。ラエ基地のまわりは全部基地なので、われわれが飛び立つと、敵の見張りがすぐにモレスビーに知らせるので、ひそかに出発するということは、よほどこちらが曇っているような天候でないと不可能であった。

五月十二日、河合《かわい》大尉の指揮する零戦十二機は、午前五時十五分に出発し、高度六千メートルでモレスビー上空に突っ込んだ。しかし、この日はいつもと情況がちがっていた。モレスビー上空に進入すると同時に、われわれは、上空に浮かぶ敵機を発見したのである。

敵機の機数は味方と同数、高度もこちらと同高度の六千メートル。敵はすでにわが攻撃を予知して邀撃のために上がっていたのだ。

最初から、敵味方に殺気が流れていた。

敵は十二機のP－39「空の毒蛇」――彼我の距離は八千メートルだが、発見は例によってこちらの方が早かった。

私は敵発見と同時に、敵の方に機首を向けて大きく左右のバンクを繰り返し、七・七ミリを五、六十発ほど発射しながら増槽を落として、味方にこれを知らせた。指揮官河合大尉もすぐに敵機を発見したらしく、小さいバンクをして、「了解」の合図を送ってよこした。

全機はいっせいに、増槽を落とした。指揮官機は、敵を視界ギリギリいっぱいの距離――六、七千メートル――に入れながら、敵の動静に注意しつつ味方を優位に導いていく。つまり速力をなるべく落とさないようにしながら、どんどん高度を上げはじめた。

すでに横距離六、七千メートル、このまま行くとすぐにぶち当たるが、敵を横にかわして左に旋回し、高度六千五百メートルで、一度、敵を左にやりすごした。そして、じりっ、じりっと敵の後方へ回りこみ、やがて絶好の位置となる。

――よしっ！　きらりと翼を光らして指揮官機が左に切り返した。全機がこれにならう。指揮官機を先頭に十二機がいっせいに突っ込んだ。得意の後上方攻撃だ。必殺の殴《なぐ》り込《こ》み！　敵機群がぐんぐんと近づいてくる。

敵の全機は「空の毒蛇」だが、よく見るとマークがまちまちだ。星のマークもあれば英軍のマークもある。ははァ、これは米豪混合部隊だな、と思う。

そのときである。敵の一機が、ひらりと、大きく左の方へ切り返した。と、突然、ぱーっと急降下退避を開始した。ついに敵も気がついたらしい。この一機の行動で、たちまち敵の編隊に動揺が起こった。敵の編隊はばらばらにとけて各機が思い思いに急降下をはじめた。だが、そのときには、先頭の指揮官河合大尉機が、すでに敵の中へ躍り込んでいた。指揮官機の機銃が、ババッと火を吐いた。その瞬間、たったの一撃で、最後尾の敵の一機から、ぱっと火が散った。

「やった！」と見ている間に、二百メートルほど遅れてはいってきた指揮官の二番機が、つづいて一撃を浴びせかけた。しかし、それは当たらなかった。私はそのとき三番手の位置にいた。つづいて私の一撃という順番なのだが――そのときにはすでに、敵はぱーっと左右へ散って、ぐんぐん急降下していたので、第一撃に摑《つか》まえる相手がない。

私はいそいで、上下左右、四方を見回した。敵機の大部分は、すでに数千メートルも降下して逃げつつある。その中の三機ほどが黒煙の尾を曳いている。

上空にはすでに敵機の影もない。飛んでいるのは味方機ばかりである。もうちょっと敵の気のつきかたが遅かったなら、少なくとも三分の一、いや半分は撃墜できたかもしれないのに、と私は残念だった。しかし、空戦はもはや終わったのだ。ほんの瞬間の出来事だった。

指揮官機が大きな連続バンクを振っている。集合の合図である。だが、私の小隊は、このとき指揮官機と相当に離れていた。というのは、なんとかして敵の一機ぐらいは喰ってやれと思って、乱れた雁《かり》を追うように、あちこちと飛び回りすぎていたからだが、一発も撃たないうちに、集合命令が出てしまったのだ。

残念で仕方がない。だから私は、指揮官の集合命令を認めてはいたのだが、第六感のようなひらめきがあって、すぐにそれに従うことをためらっていた。そして、なおも逃げた敵の動静をじっと見ていた。蜘蛛《くも》の子を散らすように、という言葉があるが、まったくその通りで、あまりにもばらばらに散りすぎているために一機一機を目で追うことができない。

しかし、私には、このときある期待があった。確かに敵は翼をひるがえして、全機急降下退避で逃げ散ったが、一機くらいは急降下せずに、全速の水平飛行で逃げたものもあったように見えたのだ。

私のいままでの経験では、こういう多数機での空戦の場合には、空戦場から離脱する飛行機が、かならず一機か二機かはいるはずである。これは逃げているのか、それとも待機行動を命ぜられて、第二波、第三波を警戒しているのか、あるいはまた、敵味方の空戦を観察しているのか、あるいは空戦圏外にあって全軍を電話で指揮しているのか、それはわからないが、いつの空戦にも、かならずこういうことがあった。

偶然なのか、それとも、これが敵の戦法なのか、それはわからないまでも、そういう敵機は敵味方の空戦ぶりを観察していて、きっと、新しい戦訓の資料を提供する結果になるのだから、これは味方にとっては、一機といえども生かしては帰せない敵である。

きょうも、そういう敵機が、きっとどこかにひそんでいるに違いない。さっき水平飛行で逃げたように思えたのは、それに違いない。私はそれを見つけ出して喰ってやりたい。私のある期待というのは、それである。

私は、私の小隊の二番機、三番機を身近に呼び寄せて、もう一度、モレスビーの海上に出て、上下と前後左右の八方に見張りの目をくばりながら飛んでいた。

台南空のエースたち。後列は向かって左から中島、笹井、坂井、前列は左が太田、右が西澤（昭和17年、ラバウル東飛行場）

——すると、ついに発見した！　左前方、私たちより約千メートルほどの上空に、敵機らしい一機が、悠々と、巡航《じゅんこう》速度で飛んでいるではないか。自慢の私の視力が発見したのだから、もちろん敵は、まだこちらには気がつかない。

私たちは、全速で敵の真後ろにはいり、敵の死角（胴体の真下）にかくれながら、徐々に高度を上げていった。私のこの戦法を知っている部下は心得たもので、いつものとおり、二番機は左後上方、三番機は右後上方と、それぞれ二百メートルの間隔で私をまもってついてくる。

ここまできても、敵はまだ気がつかないらしく相変わらず巡航状態で飛んでいる。それに対して、こちらは全速で近づいていくのだから、一分もたたないうちに、敵の真下二百メートル、敵のかげになる下っ腹にくっついてしまった。

私はわくわくしてきた。これでも気がつかないのなら、もう少し、もう少しと、じりじり高度を上げて、ついに敵の飛行機の真下二十メートルくらいまでくっついてしまった。もちろん、敵が気づいて撃ってきた場合の応戦の方法も考慮に入れながらである。

私がこういう行動をやった目的は、ただ単に好奇心とか、冒険心とかいう気持からだけではない。われわれがしばしば空戦を交えるＰ‐39という敵の飛行機の形態や武装や構造を、この機会によく見ておきたいと思ったからである。いつもなら、胸からはなさずに持っているライカで、素早く撮影してしまうのだが、あまり近づきすぎていて具合がわるい。仕方がないので、セルロイド板に写生することにした。私は手早く要点を写し終わると、今度はスロットル・レバーをちょっとしぼって速度を落とした。

徐々にではあるが私の機は、敵機の真後ろに下がってゆき、やはり二十メートルくらいの距離をおいて、私はくっついていった。

驚いたことには、それでも敵は気がつかない。よほどぼんやりした搭乗員なのか、それとも安心しきって無心に飛んでいるのか。私はふき出しそうになった。

速力計を見ると百三十ノットを示している。ははあ、これが敵の巡航速度か。これによって全速のスピードも推定できる。なにしろ敵機の真後ろ二十メートルの距離でくっついていくので、敵のプロペラから流れ出る空気の渦流《かりゅう》に、翼があおられて、私の機はぐらっ、ぐらっと揺れる。

敵が、もしもそれで気がついたなら、すかさず撃ち落とすべく発射把柄を握りながら、今度は横滑《よこすべ》りの状態で、敵機の右三十度後方に出た。距離はやはり二十メートル。こうして私は、敵を下から、後ろから、横からと、飽《あ》かずに眺《なが》め回していたが、それでも敵は気がつかない。おまけに、この位置は敵にとっては絶体絶命の位置なのである。たとえいま気がついたとしても、もう絶対に逃げられもしないし、また反撃することもできない位置なのだ。あるものは、ただ私の一撃のみなのだ。

私はここで発射把柄を握ろうと思った。が、思い返して止めた。少しいたずら心が湧いてきたのである。これも絶対優位な立場にあるという心の余裕から生まれたのかもしれない。――この甘ちゃん敵機を何発で落とせるか？　私は二十ミリ機銃の威力をためしてみたくなったのである。できれば二十ミリ一発で落としてみたい。

そんなことを考えながら、私は敵機の操縦席を覗《のぞ》き込んでみた。真っ白い飛行帽をかぶった大きな図体の男が乗っている。頭も動かさないから見張りをしているようすもない。この戦場の空を、なんの目的で飛んでいるのだろう？　自分がいま殺されようとしているのに、安心しきって飛んでいる。エンジンだけが無心に回っている。私の指は、二十ミリ機銃の引き金にかかっているのだが、私はなんとなくこの男が不憫《ふびん》になってきた。

空戦のさなかであれば、お互いはただ敵愾心《てきがいしん》の塊《かたまり》みたいになって、喰うか喰われるかの死闘を演ずるだけで、敵を憐《あわ》れむような気持は微塵《みじん》も起こってこない。自分に襲いかかってくるものは〝敵〟であり、〝敵機〟である。私が襲いかかるものもまた〝敵〟であり、〝敵機〟であって、そこには〝人間〟という意識はぜんぜん生まれてこない。

しかし、いまは違う。私の二十ミリ機銃の銃口が狙いをつけているのは、正しく〝人間〟なのだ。私と同じに生命をもった人間なのだ。しかも私は、すでに発射把柄に手をかけている。それを握りさえすれば、次の瞬間には、この〝敵〟は単なる物質に化しているのだ。しかも惨《むご》たらしく血を流して……。

私は頭を振った。妄念《もうねん》を払《はら》いのけるように——。すると不思議なことに、また別の想念が浮かんできた。

——これでいいんだ、仕方ないんだ、これが戦争というものなんだ。なぜなら、答えは簡単である。彼は〝敵〟なのだ。たとえ一機でも、敵の戦力をそぐのが、われわれの任務であり、戦争というものだからだ。そればかりか、彼はいまこそこんな呑気《のんき》そうな顔をして、それこそ鼻唄まじりで、私の目の前を飛んでいるけれども、こいつも、いつかわれわれの味方を、あるいは戦友を喰った奴かもしれない。また生かしておけば、いつかはかならずわれわれの味方を、血を流さして殺す奴だ。

そんなことを考えたりしていると、ほんの一瞬、ＯＰＬ照準器から、敵機がはみ出してしまった。

――これはいかん！　思いなおして私は、発射把柄をぐっと握った。強い反動だ。左右の二十ミリ一発ずつで仕留めようと思ったのに、惰力で、ダンダンと二発ずつ弾丸が出てしまった。

こうなっては、命中を確認するも何もない。目の前で、右翼から飛びだした弾丸が、敵機の右翼の付け根で炸裂し、左翼から出た弾丸は、胴体の真ん中に命中した。そして、次の瞬間には、敵機が大きく揺れたと思うと、胴体の真ん中から、「く」の字形に折れてしまった。

あっ、衝突！　と思った一瞬、私はフットバーをぐっと踏み、操縦桿を右手前へ、ぐっと引いていた。私の機は、敵機の尾部の寸前をかすめて、ぐっと右上にかわり、かろうじて衝突をまぬがれた。私は上昇しながら、振り返って下を見た。すると、二個の金属製の物体が、互いにもつれ合いながら落下してゆく。

――いまにきっと、落下傘がぱっと飛び出すだろう。

そう期待しながら、私はその二つの塊をじっと見送っていた。

ラバウルの東飛行場の台南空の零戦二一型。ラエの零戦隊は、ときどきラバウルへ帰って英気を養った

二個の物体は、地上に近づくにつれて風圧のためにさらに解体し、やがてバラバラの破片になって私の視界から去っていった。

落下傘はとうとう飛び出さなかった。あの呑気な搭乗員はどうしたのだろう。なにも知らずにいたところを、いきなり撃たれて、そのショックで死んでしまったのだろうか。

私はあのとき、まったく瞬間の心理のうごきで、照準器の十字から、あの男をズラした。狙ったのは機体だった。そして、間違いなく機体にだけ当たったはずだ。たった四発の弾丸だから、まちがうはずはない。私は、あの男を殺さなかったはずだ。

だから私は、落下してゆく敵機の中から、ぱっと落下傘の飛び出すのを、心ひそかに願っていたではないか。

そんな想念が、映画のフラッシュバックの

ように、落下していった敵機の情景と重なり合って、ぱっぱっと私の心をかすめた。らくな戦いであったはずなのに、それでも私の額には汗がべっとりにじんでいた。長い時間だったように思うけれども、時計を見ると、わずか五、六分間の出来事である。五、六分間の出来事――娑婆《しゃば》ではめし一膳《いちぜん》かっこむぐらいの時間だが、その間に、ここの空中では、飛行機が一機墜落し、人間がひとり死んだ……。

本隊から離れた私の小隊三機だけが、遅れてラエ基地に帰投した。私の報告を聞いていた中島飛行隊長は、「また、貴様やったか。貴様はよくそういう敵をみつけるな」と笑った。中島少佐は、私が非常にらくに点を稼いできているように思っているらしい。そして、やがてその話は、「坂井の落穂《おちぼ》拾《ひろ》い戦法」と名づけられて、ラバウルでもラエでも搭乗員の笑い話のタネにされてしまった。

もっとも、これは不思議に私だけの経験で、私はすでに六、七回、こういうことをやっているが、それというのも私自身が空戦の場数をふんで、慣れたというか、心の余裕ができてきたのと、それにもう一つは、自分の列機にできるだけ勉強させてやりたい。

とくに経験の浅い三番機に、落ち着いた気持で空戦を観察する機会を与えてやりたい、そして、できれば一機喰わしてやりたい、という気持があったからでもあった。

しかし、なんといっても、こういうチャンスが私にのみ多く与えられたのも、私の特別な視力のせいだったと思う。

あやうし、笹井中尉

ラエ基地の戦闘機隊は、それからも連日にわたって、ポートモレスビーの敵飛行基地に空襲をかけていた。その目的は、一式陸攻隊の爆撃を容易ならしめるためでもあったが、同時にまた、邀撃する敵機が非常に多いと予想された場合、陸攻隊の出撃をしばらくひかえさせて戦闘機だけが出撃し、敵の邀撃戦闘機を一掃し、敵のいなくなった間隙をねらって爆撃隊がまた出動していく……というような作戦を、繰り返して行なっていたためでもあったのである。

そんなある日のことであった。数次にわたる掃蕩《そうとう》戦で、モレスビー基地の敵の戦闘機は非常に少なくなったと想像されていたが、あすは一式陸攻隊が出撃する予定日なので、なお一応、確かめておく必要があるというので、笹井中尉を指揮官とするわが第二中隊九機が、偵察を兼ねて出撃することになった。

いつもの通り午前六時にラエ基地を出発し、四十五分の後には、もうモレスビーの上空六千メートルを旋回しつつ索敵を開始した。推定したとおりモレスビー飛行場には、まったく敵機影を認めない。空にも機影を認められない。むなしく数回往復しているうちに予定の時刻がきたので、きょうは手ぶらで帰るのかと思いつつ、引き返そうとした。

そのときである。われわれの編隊から五百メートルほど下方の前方二千メートルのあたりに、わが編隊の進路と直角に進航《しんこう》している三個の機影を発見した。いずれもP－39で、それが二百メートルくらいの間隔をおいて、一機ずつの縦陣《じゅうじん》で飛んでいる。あまりに機数が少ないので、まだほかにも敵がいないかと、上下、左右、前後をくまなく見張りしてみたが、まずこの三機以外に、敵はいないものと判断された。

私は少しずつ速力を増して、中隊長機のそばへ寄り添い、風防をあけて笹井中尉に敵三機発見を知らせ、さらに、「あの敵は中隊長にさしあげます。私たちはここで見ています」という意味の手まね信号を送った。

笹井中尉はニコッと笑って、「了解」の左手をかるく挙げたかと思うと、ただちに右へ急旋回して編隊から離れていってしまった。

私は、少しあわてた。もちろん、私がいま中隊長に言ったことは、かならずしも冗談《じょうだん》ばかりではなかった。私は、本当のところ、この笹井中尉の人柄を非常に好もしく思い、心服もし、尊敬もしていた。しかし、この若い中隊長は、もちろん飛行機乗りとしては、私より経験が浅い。とくに空戦の経験が少ない。それだけに私は、この親愛なる中隊長に、立派な空戦指揮官になってもらいたかった。それには、敵機撃墜の経験を、豊富にしてもらいたい……。そういう日頃からの考えが胸底にあったので、きょうの敵こそ、中隊長が腕をみがく絶好のチャンス

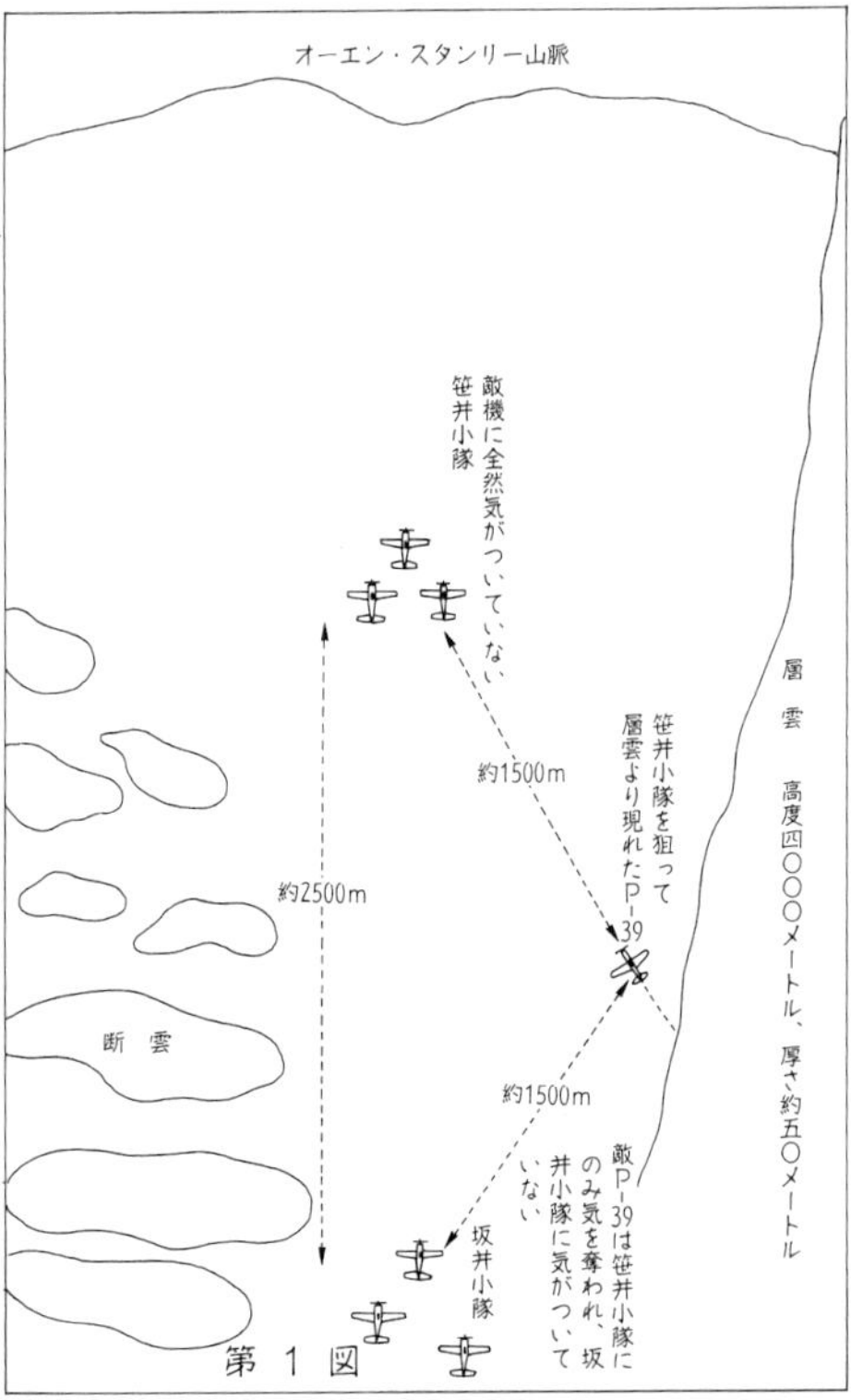

第1図

と思い、冗談ともなく、ついあんなことを言ってしまったのだ。

ところが、笹井中尉は簡単にオーケーで行ってしまった。そうなると、今度は言いだした私の方が心配でならなくなった。私はここで見ています、などとは言ったものの、まさかそんなわけにもいかない。そこで私は、中隊長機の後上方六百メートルくらいに位置し、いざというときには、いつでも飛びだせる態勢で、中隊長機をまもるようにしてついて行った。

チラッと振り返って、私がついているのを認めた中隊長は、「いいか、見ておれ」といわんばかりに、ぐいぐいと気速をのばして敵に近づいていった。

しかし、敵はまったく気がつかないらしい。笹井機は、はやくも最後尾の敵の後上方絶好の位置にたどりついた。とみるや、いきなり右へ大きくひねりこんで敵に襲いかかった。それは、さながら雀をねらう鷹の気魄《きはく》にも似ていた。ぱっぱっと、中隊長機の翼端から二十ミリが火を吐いた。

「やった、やった！」と見ているまに、敵の三番機はほとばしる火炎とともに空中分解し、火炎の塊と機の破片がバラバラッと下界に落ちてゆく。ただ一撃で、思いのほかもろく相手を空中分解させた中隊長機は、その余勢でキューンと急上昇していったが、その位置は、ちょうど敵の二番機の左後方五百メートルくらいのところである。

と見るまにグンと機首を下げ、ふたたび右へひねりこんで、いまとまったく同じ攻撃法で、確実に二十ミリで敵機をつかんだ。

今度は操縦員がやられたらしく、機は大きな錐揉み状態で落ちていった。落下傘も飛び出さない。そのあいだに笹井機は、またもや、いまと同じ要領で上昇し、すでに一番機の左後上方に肉薄《にくはく》している。さすがに私も息をのんで、この放れ業《わざ》を見つめていた。すると、笹井機は間《かん》髪《はつ》をいれず、またもや右へひねりこんだ。

「うまい！　また喰ったぞ！」

思わず私も拳をにぎった瞬間、敵機にわずかな動揺が起こった。さすがに敵も指揮官機、気

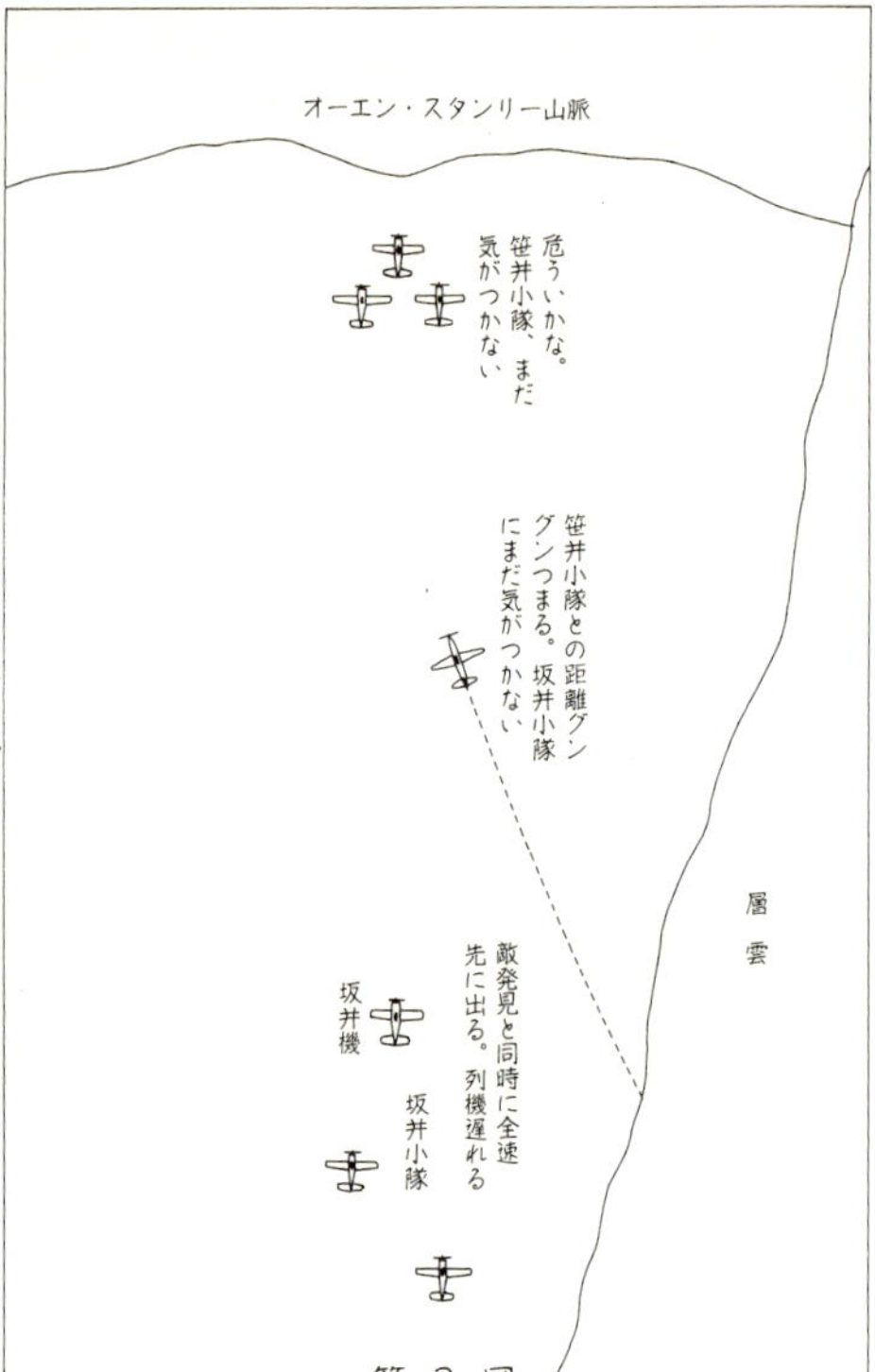
オーエン・スタンリー山脈
危ういかな。笹井小隊、まだ気がつかない
笹井小隊との距離グングンつまる。坂井小隊にまだ気がつかない
層雲
敵発見と同時に全速先に出る。列機遅れる
坂井機
坂井小隊
第２図

がついたらしい。と見るまにグッと機首を上げ、宙返りの姿勢になった。

「あっ、反撃！」

私は思わずそう口走った。

しかし、その宙返りのために、大きく、直角に、笹井機に対して背中をさらしたその瞬間、笹井機の二十ミリがきわめて至近《しきん》の距離から、敵機の要部を撃ち抜いた。この姿勢では、Gがぐっとかかっているために、緊張しきった敵機は、もろくも左の尾翼の付け根からふっ飛び、片翼になった機が、くるくると風車のように回りながら落ちていった。

私は思わず操縦桿も何もおっぽり出して、空中から拍手を送った。単機よく三段跳びで三機を撃墜す――こんなことは、おそらく世界の空戦史にも例のないことであろう。

私は、自分がすすめて笹井中隊長にやらせたのだが、まさかそんな放れ業になろうとは夢にも思わなかった。こうなってみると、ひとにやらせたのがいささか惜しいような気もしてきたが、しかし、私はほかの人だったらやらせなかったであろうし、いや、もっと端的《たんてき》にいえば、好きだったからやらせたのである。その意味では、惜しかったけれども、非常に嬉しくもあった。

もっとも、私は戦闘機乗りとしては、すでに相当の古参者となっていたので、いまさら若いもののように功を争うというような気持よりも、なんとかして味方に多く稼がせてやりたい。そして、全軍を強くしなくてはいけない、という気持が強くなっていた。そういう心理に自分で気づき、「俺も古くなったなあ」と苦笑したことも、しばしばであった。

かくして、この日、空中に浮かんでいた三機の敵機は、笹井中尉一人で、もののみごとに片づけてしまった。これで、もはや地上にも空中にも敵はいない。笹井中隊長は、ふたたび編隊をまとめて帰路についた。

九機編隊、巡航速度――ところが、どういうものか指揮官笹井中尉機の速度が、いつもの巡航速度より速い。「やっぱり嬉しいんだなあ」と私は思った。

なにか嬉しいことがあると、子供はかならず駆けて家へ帰る。あの心理だと思って、私は微《ほほ》笑《え》ましくなった。だが、微笑ましいではすまされないことが――この油断のために、それから間もなくして起こったのだ。

もう戦闘はすんだのだし、それに敵の出るおそれは、もうなかろうと判断していたし、それに、何よりもきょうのすばらしい戦果に気をよくし、自然と私も気をゆるめていたのであろう。指揮官機の速度は少し速いとは思いながらも、私の小隊だけは、ぶらぶらと巡航速度でついていった。

そのために、いつのまにか私の小隊は、笹井小隊から二千五百メートルも遅れてしまった。戦闘行動中の編隊の原則からいえば、これは非常にいけないのだが、このときにかぎって、きわめて自然な状態においてそうなってしまったのだ。ところが、これがまた幸いしたのである。

この日の空は、もうすぐスタンリー山脈を越えるというあたり、高さ約四千メートル付近に相当の層雲《そううん》があり、この層雲の下をすれすれにかすめて、編隊はラエに向かっていた。だんだん離れてゆく笹井小隊を見送りながら、巡航速度の水平飛行で、のんびりと飛んでいた私も、戦闘機乗りの本能として、やはり見張りだけは絶えずやっていたものらしい。

ふと、前方の層雲のあいだから、飛行機が一機ポツンと現われたかと思うと、それがツーッと一直線に、矢のような速さで笹井編隊を追ってゆくのを見た。

——「空の毒蛇」だ！　送り狼《おおかみ》という奴だ！　帰心矢《きしんや》のごとき笹井中隊長は、おそらく後方の敵には気がついていないだろう。真後ろはとくに見張りがしにくいのだ。

私は思わず、「中隊長、危ないっ！」と叫んだ。

しかし、どうすればいいのだ？　すでに笹井編隊との距離は、二千メートルもはなれてしまっている。敵機は、雲の上から一直線に突っ込んできているので、ものすごいスピードがついている。追いつこうにも方法がないのだ。

しかし、それでも私は、スロットル・レバーを叩くように前に倒して、エンジンを全開にし、全速かけて狂気のようにこの敵機を追った。聞こえるはずもないのに、「中隊長、危ないっ！」と連呼しながら……。

そのあいだにも、敵機は、ぐんぐんと笹井編隊に迫ってゆく。そして、私がいつもやるように真後ろの下方へもぐりこんでゆく。笹井機を下から突き上げるように……。

いよいよ危ない！　このままでは、味方は三機とも確実に喰われてしまうおそれがある。そうなっては、そのままさっきの仕返しだ。これはどうにもならない。またしても私は、電話のないことに地団駄《じだんだ》ふむ思いを味わった。だが、いまはどうなるものでもない。私は、さらに速力をつけるために、機首を突っ込んだ。

笹井編隊―敵―私と、一直線上に並んで追いかけっこだ。私と敵機との距離は、それでも徐々につまって、もう七百メートルくらいになった。しかし、笹井編隊は、まだ敵に狙われていることに気がついていない。だから、相も変わらずいくらか早めの巡航速度で飛んでいる。

私と敵機との距離もつまったが、それ以上に敵機と笹井編隊との距離もつまっている。もうついに射距離寸前まできてしまった。

「もう方法はない！　駄目か！」

観念しかけたとき、ふと思いついたことがある。それは、敵機が自分の後方に、私という敵機がいることに、気がついていないということである。

――そうだ！　貴様の後ろに零戦がいるぞ、ということを、この敵機に知らせなくてはならない。そして狼狽《ろうばい》させなくてはいけない。事ここにいたっては、それ以外に方法はない。

とっさにそう思いついたが、さて、どうしてそれを知らせたらいいのか。思考がものすごい早さで回転する。

――機銃を撃つ……そうだ、それ以外に方法はない……。敵に対して私の機銃弾が弾道《だんどう》を示さなくてはいけない……。だが、敵をそのまま狙ってとどくか……。この距離、この速さ……。お互いに全速で同方向へ走っている。

ここまで考えたとき私は、これは危ないけれども、笹井機を狙わないと敵機へとどかないことに気がついた。笹井機との距離は七、八百メートル。これだけ離れていれば、たぶん当たらないとは思ったが、しかし、当たるかもしれない、という危険感も強い。

しかし、もう一瞬の躊躇《ちゆうちよ》も許されない。事態は切迫している。やむなく私は、目をつむるような思いで、笹井機を照準器に入れた。そして引き金を引いた。

この日、私はまだ一発も弾丸を撃っていない。これが初めての射弾だ。私は、発射把柄を引きっ放しに撃ちながら迫った。にもかかわらず、敵機は気がつかない。おそらく敵機も兎を追う猟犬のごとく夢中なのであろうか。とうとう二十ミリを全弾撃ちつくした頃、やっと気がついた。が、それは、敵機ではなく、笹井機の方だった。笹井機は機銃音と弾丸の流れに気づき、敵機に撃たれたと思って驚き、編隊のままで急激な左斜め宙返りを打って射弾を回避した。零戦は上昇力に自信があった。

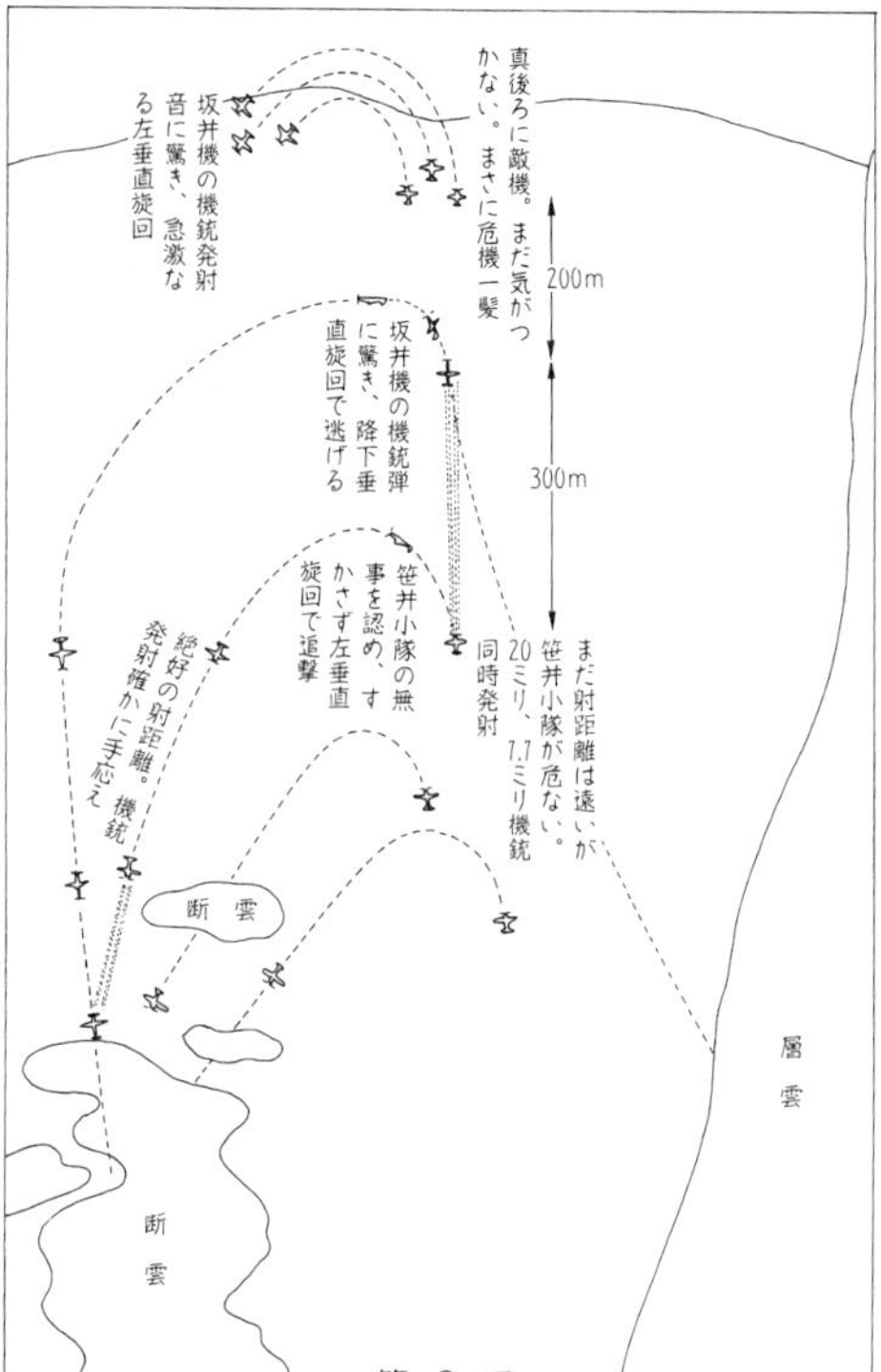

真後ろに敵機。まだ気がつかない。まさに危機一髪
坂井機の機銃発射音に驚き、急激なる左垂直旋回
200m
300m
坂井機の機銃弾に驚き、降下垂直旋回で逃げる
まだ射距離は遠いが笹井小隊が危ない。20ミリ、7.7ミリ機銃同時発射
笹井小隊の無事を認め、すかさず左垂直旋回で追撃
絶好の射距離。機銃発射確かに手応え
断雲
断雲
層雲

第３図

その瞬間、敵機も私の機銃の音に気がついたらしく、これも左斜め宙返りを打った。

　ここにチャンスが到来した。私はいきなり左垂直旋回で、敵機が宙返りから落ちてくる下へ突っ込んでいった。ちょうど待ち伏せをかけるような恰好《かっこう》で敵の進路を押さえた。

敵機は、私の行動に狼狽《ろうばい》したか、旋回しながら左へひねりこんで、機首をぐんぐん突っ込み、降下の姿勢で逃げはじめた。私は、敵機におおいかぶさるようにしてこれを追った。

もう目の前がスタンリー山脈である。敵機は、スタンリー山脈に腹を擦《こす》るようにして逃げる。私も山脈すれすれまで低く降りて追う。そのあいだに、私からはるかに遅れていた私の二番機、三番機が、敵の進路に先回りしてその出鼻を押さえた。

——なかなか気の利いたことをやるわい。と私は内心、感心し、よし、これなら大丈夫、逃がさないとの確信がもてたので、思いきり危険な低空飛行にはいって敵に肉薄した。

しかし、降下姿勢をとっているためにまだ敵の方がいくらかスピードが早い。敵との距離百五十メートル。まだ早いとは思ったが逃げられてはたまらない。引き金を引いた。二十ミリは撃ちつくしていたので、七・七ミリだけだ。感じにして二百発ほど撃ち込んだと思われた頃、敵機は少し黒煙を吐きながら、ジグザグ飛行をはじめた。そのために、私との距離が急速につまった。百メートル……五十メートル……よし、ここだ！　と、もう一度、いつもの私の戦法——斜め後ろから撃ち上げた。この射弾は、確かに手応えがあった。だが、敵機はまだ落ちない。

そのとき、きれぎれの雨雲が、さあーっとおおいかぶさってきて、私はなにも見えなくなり、そのまま敵機を見失ってしまった。残念ながら私は、敵機を取り逃がしてしまったのだ。

この奇襲にこりて、それからわれわれは、全機ぴたりと編隊を組んで飛んだ。

私は機上で独り想う。

──古参戦闘機乗りともあろうものが、場所もあろうに戦場の空で、指揮官から二千メートルも遅れて飛んでいた。なんたる心の驕《おご》りか。だが、それは幸いしたのである。そうでなかったら、わが親愛なる笹井中隊長を救えなかったかもしれぬ。いや、運がわるければ自分が喰われたかもしれぬ。生も死も、戦場ではほんの紙一重の差である。運命とはなんと不思議なものだろうか。

こうして基地に着陸するや否や、私は駆け足で笹井中尉のところへとんでいった。

「中隊長、さっきは危なかったですなあ」

この若い中隊長は、少し恥ずかしそうな笑顔で頭に手をやりながら、

「やあ、すまん、すまん。ありがとう、ありがとう、もういうことはないよ。恩にきるよ」

と、「すまん」の連発で、三機連続撃墜などは帳消しになったような恐縮ぶりである。

私は、もっといじめてやろうか、といういたずら心も起こったが、その無邪気な笑顔を見せられては、こっちも笑ってしまった。

そこへ二番機の本田二飛曹が着陸してきた。本田も駆け足でとんできた。

「中隊長、さっきは危なかったですなあ」と同じことを言う。もう言わんでくれ、というよう

な笹井中隊長の顔である。

「ところで小隊長、あの敵機はどうなったと思いますか」と本田は私に聞く。

「うむ。あれは残念ながら逃がしたな。確かに当てたつもりだが……まあ、いいよ。中隊長が助かったんだから」

本田はニコッとわらった。

「いや、あれは落ちましたばい。私が確認しとりますたい」

「ほんとか？」

「はい、私が先回りして、雲の合間から出たところへ、あいつもひょこっと出てきたですたい。いきなり鉢合わせになりよったので、私もすぐ撃とうと構えたら、変ですぞ、私がまだ撃たんのに、あいつは変な操作をやりながら、勝手にジャングルの中に落ちていってしまったですたい。それで、ははア、こりゃあ小隊長の弾丸でやられていたんだな、ということがわかったです」

「ふむ……そうかねえ」

「じゃ、小隊長は、ほんとに逃がしたと思ってたんですか」

「まあね」

するとと、本田は、いたずらっぽく目を輝かして言うのである。

「そんじゃあ、あの撃墜は私にくれんですか」

まるで子供が、おねだりするときと同じである。私はわざと意地わるく答えてやった。

「貴様、一発でも撃ったんならやるけれども、現にいま、ぜんぜん撃たないのに落ちていったと言ったじゃないか。それじゃやれないな。俺も苦心惨憺《さんたん》して落としたんだからな」

本田は言い負かされたかたちで、ちょっと口ごもっていたが、やがて、

「そんなことというたって、小隊長、もし私が見ておらなかったら、小隊長の今日の撃墜は、撃墜になっておらんですたい」と屁理屈《へりくつ》をこねた。

「よし、では貴様にゆずることにするか」

本田はそれを聞くなり、ニッコリ笑って自分の頭を一つペタンと叩き、指揮所のほうへ一目散に駆けていった。

半田飛曹長のなみだ

それより前、五月一日のことだった。内地からの輸送機が一機、ラバウルの飛行場に着いた。そしてその機から、ひょっこり降り立ってきたのが、なんと半田飛曹長《はんだひそうちょう》である。

この人は、われわれ戦闘機乗りの大先輩で、海軍きっての空戦の名人と謳《うた》われた人で、複葉機時代に海軍戦闘機隊の名物だった源田《げんだ》サーカス（当時源田實《げんだみのる》大尉、青木与一《あおきよいち》空曹、半田亘理《はんだわたり》三空曹）の一員だった。

半田飛曹長は、単機格闘戦の達人で、われわれの目には偉大なる英雄のように仰がれていた。私もかつてはこの人の指導を受け、またお世話にもなった。

半田飛曹長は、走りよって迎えた私を見て、懐かしそうな笑みを陽やけした顔にたたえ、「よう、坂井、頑張っているそうだな。内地で話を聞いたぞ」と言って、私の肩を叩いた。私はこの人の風貌《ふうぼう》に接しただけでも、百万の味方を得たような心強さを感じた。

彼は言った。

「手伝いにきたぞ。おれも君たちの仲間入りだ。よろしく頼むよ」

この頃のラバウルはまだこれからというところで、われわれもまだ意気《いき》軒昂《けんこう》たるときであった。しかし、同時に毎日の空中戦はいよいよ激しくなりつつある真っ最中でもあった。だから、こういう大事な時機に、こういう強い空戦の達人が応援にきてくれたことは、非常に心強く思われ、またこういう挨拶をされたのには、なんとなく面映《おもは》ゆい気もしたのである。

半田飛曹長は、日華事変いらいの空戦の達人であり、戦闘機乗りの英雄として仰がれてはいたものの、相当長い時期にわたって内地の訓練部隊ばかりに勤務していたので、太平洋戦争にはいってから展開しつつある激しい実戦の場には、はじめて顔を出したわけである。

したがって、日華事変とはまったくくらべものにならぬ桁《けた》ちがいの戦場の様相に、さすがに度肝《どぎも》を抜かれたふうであったが、しかし、さすがは練達《れんたつ》の士だけあって、落ち着きはらって日日の空戦の実際をよく観察し、持ち前の熱心な研究心から、その対策などに種々の工夫をこらしておられた。そして、われわれの士気もまた、このただ一人の人がきたというだけで、一段と上がったように見受けられた。

半田飛曹長は、一週間もたたないうちに、新戦場の空気をのみこみ、さすがはベテラン、私たちにまじって、さっそく大活躍をはじめた。その働きぶりに、私は西澤《にしざわ》、太田《おおた》らと、またちがった風格を感じていた。

五月の十日前後、モレスビー飛行場には、ほとんど敵機を見ないような情況だったので、われわれも空襲をしばらく休んでいたのだが、ふたたび攻撃を開始することとなり、その強行偵察の任務が、英雄・半田飛曹長に与えられた。

この出撃には、半田飛曹長を小隊長として、二番機には、モレスビーの情況に非常にくわしい、私の最も愛する本田二飛曹が所望され、新井《あらい》三飛曹が三番機について、第二小隊長にベテランの西澤がついた。

本田は、開戦以来、私の片腕として、常に私の二番機をつとめ、終始生死をともにしてきた間柄なので、私にとっては戦友愛以上——いや、骨肉《こつにく》以上のものを彼には感じていた。彼もまた私に対して同様であったと思う。だから、たとえ一時とはいえ、私から離れて他の上官の列機として出撃するということには、気のすすまないものがあったのも、無理はない。

ましてや飛行機乗りの出撃は、いつも「死」との取り引きだ。死なばもろとも——というよりは、私とともに死ぬのが与えられた運命であるかのごとく信じ込んでいる彼にとっては、空の英雄とともに出撃する光栄もさりながら、やはりなにか心にわだかまるものがあったらしい。

だが、いよいよ英雄・半田の出撃の日がきた。

五月十三日の朝十時十五分——それが出撃の時刻だった。その時刻もぎりぎりに迫ったころ、本田二飛曹が、私のそばへやってきた。心なしか、少しションボリしているように思えた。それでも、顔だけは、いつものように笑っていた。

「小隊長！　きょうは小隊長と一緒でないのが残念です」

私もわざと笑ってそれをうけた。

「バカを言え、きょうは空戦の神さまの初の御出撃だぞ！　それにお伴できるなんて、ねがってもない戦闘機乗りの冥加《みょうが》だ。ありがたく思え」

冗談めかして強く言ってはみたものの、なぜか私の心もやはり寂しかった。そこで私はまた言葉を変えた。

「なあ本田。きょうのは、まだ敵地になれない半田飛曹長の初めての出撃であり、しかも強行偵察でもある。隠密にやらなけりゃならん。そのために六機しか行けないんだ。だから俺もついて行けないんだ。俺も残念だよ」

本田は黙ってうなずいた。私はさらに言葉をつづけた。

「でもなあ、本田。半田飛曹長は、まだこの辺の地理や情況に慣れておられない。貴様たち二人がそれをまもってゆくのだから、任務は非常に重いぞ。いいか、しっかり頼むぞ。俺にかわって、しっかりやってこいよ」

言い聞かせるともなく、励ますともなく、私がそんなことを言うと、

「はい、わかりました。元気でいってきます」と私の目を覗《のぞ》き込むようにしながら答えた。

この日はまったく素晴らしい天気だった。ラエからモレスビーへかけての空には、ただよう雲ひとつさえない。その晴れ渡った空へ、六機の戦闘機が爆音も勇ましく飛び立っていった。そして、みるみる空の蒼《あお》さのなかへ、その姿は見えなくなってしまった。

空戦の神さまといわれた半田飛曹長の列機として、本田機が飛びたってから、基地には二時間の時間が流れた。そろそろ帰還の予定時刻なので、基地の人々が飛行場に出て、空を仰いで待っていた。

——やがてかすかに爆音が聞こえ、小さい機影が空から生まれてきた。だが、どうしたというのだ！　その機影は五つしかない。

一つ、二つ、三つ、四つ……いくらかぞえても五機しかいない。後からくるのかと、じっと機影の後方の空間をみつめてみても見えてこない。双眼鏡をあてて探してみるのだが、レンズに映るものは、むなしい空間だけ。そのうちにも、機影はしだいに大きくなってくる。

編隊の形をみれば、欠けているのが二番機なのは、一目瞭然《りょうぜん》である。二番機が還《かえ》らない！

私はわれ知らず飛行場に駆けだしていた。近づいてくる前の二機に向かって手を上げ、絶叫《ぜっきょう》す

坂井の列機として行動した本田敏秋二飛曹

るような恰好《かっこう》で駆けだしたのだ。

二機はぐんぐんと高度を下げてきた。私はその飛行機とならんで懸命に駆けている。

飛行機の車輪が地に着いた。私はいっそう必死になって駆ける。飛行機は地上滑走にうつり、だんだん速力が落ちる。だが、私はその止まるのが待ちきれずに、二機を追いかけて走った。

やがて、飛行機は停止した。風防をあけて半田飛曹長が姿を現わした。私はその姿に向かって、下から大声をあげて呼びかけた。

「本田は、本田はどうしました？」

半田飛曹長は私に気づくと、突然、首をうなだれた。そして、機から降りてきた彼は、私の手をとるなり、

「申しわけない。本田は喰われてしまった。俺の不注意からだ。済まない、許してくれ」と言った。

私はこの大先輩から、悲痛な面持でこう詫《わ》びられて、もうそれ以上返す言葉はなかった。私

は呆然《ぼうぜん》としていた。信じられない。本田がやられた？ あんないい奴が……。

半田飛曹長は私から顔をそむけると、地面をじっと見ていたが、やがて指揮所の方へ、とぼとぼと歩いていく。私も後から黙ってついていった。

半田飛曹長は、指揮所で次のように報告した。

「モレスビーの上空へは、六機単縦陣、高度四千メートルで進入しました。もちろん、進入する前に見張りを厳《げん》にして、敵戦闘機のわれを邀撃《ようげき》するもののないことを確認して進入したのであります。われわれは、敵基地地上の状態を一層よく確かめるために、単縦陣のまま大きく左旋回し、徐々に降下に移って高度二千メートルのあたりまで下げたとき、いきなり上空から、P‐39数機が降ってきたのであります。それまで上空には、敵機一機もなし、と思って安心していたのは、私の不覚でありました。

私は敵戦闘機の機銃音で、はじめて敵の攻撃に気がつき、とっさに敵の射弾を回避しました。三番機の新井三飛曹もこれにならい、幸いに射弾は回避しました。しかるに二番機の本田二飛曹は……本田は……一番後であったために、敵数機の集中銃火を浴びて……一瞬の間に、そうです、あっという間に火だるまになって落ちていってしまったのです……」

私は、その報告を傍らで聞きながら、本田が敵地上空で火炎に包まれて落ちてゆく姿が目に見えるようで、また、その心中の無念さが思われて、堪《た》えられない気持だった。しかし、それよりも、自分がもしも一緒だったら、こんなことにはならなかったろうにと、それが口惜しかった。同時に、いかに先輩の懇願《こんがん》とはいいながら、本田を貸したことが取り返しのつかない失策だったと激しい自責の念にかられた。「申しわけない、心苦しい」と詫びる半田飛曹長を怨《うら》む気はないが、あの気のすすまないらしい本田を、無理にはげまして出してやった自分が怨めしい。そして、本田がかわいそうでたまらない。

この出来事以来、正直なところ、半田飛曹長は空の英雄としての光彩《こうさい》を失ったように思えた。事実、彼は空戦の達人ではあったが、しかしそれは、悠長《ゆうちょう》なる日華事変時代のイメージであった。いまわれわれの頭上の空で、日夜たたかわれている空戦は、もはや半田飛曹長を置き去りにしていたのである。

敵も、飛行機も、戦法もちがう。まったく異質の戦いの中に急に飛び込んで、さすがのベテランも思わざる不覚をとったのだ。実際にどのような事情があったにせよ、彼は本田を失ったことについて一切の罪を、自分に負わせた。そして、その日以来、半田飛曹長は、すっかり沈んでしまった。ついには結核に冒《おか》されて内地に送還された。終戦後、私は、半田飛曹長の奥さんから、手紙をもらった。それには次のように書かれていた。

「御初に御手紙を致します。私は半田亘理の妻でございます。不躾《ぶしつけ》の程何卒《なにとぞ》悪しからず御赦《ゆる》し下さいませ。私、坂井三郎空戦記録を読まして頂き、亡き夫を御存じの方だと本当になつかしくペンをとりました。夫の戦場でのことはただ想像するのみにてくわしくは聞いておりませんが、昭和十七年八月、内地に帰還しまして佐世保に一週間、それより民間の病院にて療養を致しましたけれども悪化するばかりですので、私も戦場でのことは、出来るだけわすれさせることに骨折りましたが、療養の甲斐《かい》もなく亡くなりました。夫は最後にあなた様にお手紙を差し上げてくれと申しました。どうぞ夫のためにお許し願います。夫は最後まであなた様の列機を失わせたことを気に病んでおりました。息をひきとるとき、夫は最後にこう言いました。

――俺は一生涯はなばなしく戦った。しかし、ラエで坂井の部下を死なせたことだけは自分を許すことができない。

溜息《ためいき》の中から夫が言い残したこの声は、いまも私の耳に残っています」

本田は福岡県飯塚《いいづか》の出身で、やっと二十歳を越したばかりの若者だったが、性質は天真爛《てんしんらん》漫《まん》、朗らかで無邪気で、その点ではむしろまだ少年だった。

本田の戦死した夜、戦友一同は、彼の宿舎に集まって十二時すぎまでお通夜をした。本田が遺《のこ》していった肌着、洗面道具、その他なんでも身の回りの遺品を集めて、それを遺骨のかわりに机の上に飾った。花を手向《たむ》けてやりたいと思っても、この南海のジャングルにかこまれた飛行場には、手折《たお》って供《そな》うべき花もない。しかし、それを寂しいなどと思うものは、一人もいなかった。遺骨のないのもかえって飛行機乗りの最期らしくサバサバしていていい、などと言っているものもいる。飛行機乗りの運命は、誰の胸の底にも、わかりすぎるほどわかっている。きょうの本田の運命が、あすの自分の運命でないと誰が言えようか。こう割りきっているわれわれは、何事にもくよくよしない癖がいつのまにか養われていた。

机の上に飾られた本田二飛曹の遺品には、まだ彼の体温が感じられるようで、じめじめとした悲しみの空気を生みだすかわりに、若い搭乗員たちのあいだには、かえってはげしい敵愾心《てきがいしん》をあおりたてていた。

「おい、本田！　貴様の仇は、きっと俺がとってやるぞ」

若い搭乗員たちが拳《こぶし》を握りしめている。しかし、表面は元気そうにしてはいても、私の内心は打ちひしがれていた。本田は、地上でも空でも強い男だった。喧嘩ばかりやったが、笹井中隊では一番人気のある男だった。私は本田が大好きだった。彼の列機としての活躍ぶりはみごとだったし、やがては一流の猛者《もさ》になるだろうと見込んでいた。

私は考えこんでしまった。四月十七日以来、わが中隊からはじめての犠牲者を出したので、みんなは復讐《ふくしゅう》をかけると息巻いていた。だが、私の耳にははいらなかった。

私は、いままで一度も列機を失ったことはなかったのだ。本田は、開戦以来、私の二番機として、激しい空戦にも数十回連れていったが、いつも彼は私の尻にくっついて、戦果をあげては生きて還ってきた。それがいま、私の手から、たった一度、しかもわずか二時間ばかり手放したばかりに、彼は忽然《こつぜん》と消えてしまった。私は掌中《しょうちゅう》の珠を奪われたように、ぼんやりと言いようのない悲痛感にさいなまれていた。

本田はずんぐりとしていて、搭乗員としてはぎりぎりいっぱいの規格で合格したというほどの身長で、その点でも子供子供していて、うちの隊では一番丈《たけ》が低かった。

ところが、この子供のように可愛い彼も、いっぱい飲むと持ち前の陽気さを発散させた。門司《もじ》が近かったせいか、夜店《よみせ》のバナナ売りのまねが上手で、宴会のときなどは、私とのコンビでこれをやると一座を圧倒したものである。私を兄か親のごとく慕《した》い、私のためなら理非曲直《りひきょくちょく》はなかったのだ。

――こんなことがあった。太平洋戦争のはじまる前の晩であった。

わが台南航空隊も灯火管制で真っ暗であった。私は煙草盆《たばこぼん》をそばに据えつけて、小さな火縄から火をうつして煙草を一服すった。とたんに私は怒鳴られた。怒鳴ったのは他の隊の者だが、暗闇なので誰だかわからない。いくら灯火管制だって煙草の火くらいは問題でないと思ったので、私は怒鳴った闇の中の男に向かって何か口答えをした。するとその男は、いきなり立ってきて、喧嘩をふっかけてきた――と思った瞬間、どこから飛んで出たのか、「俺の小隊長に喧嘩を売るとは生意気だ、俺は二番機だぞ」と、叫ぶ本田の声がしたと思うと、あっという間にその闇の中の男をノシてしまった。からだは小さいが、腕力の非常に強い本田は、そういう男であった。そしてみんなに可愛がられたよい子だった。血肉《ちにく》分けたる仲ではないが、なぜか気が合うて忘れられぬ――私と本田の仲はこれ以上であった。

本田二飛曹を失った私は、彼の代わりとして遠藤桝秋《えんどうますあき》三飛曹をもらいうけた。彼も以前から私の小隊員になりたくて、駄々をこねていた男なので、私が日頃から可愛がっていた。それを

3000〜4000メートルの高峰がつらなるスタンリー山脈

知っている中島飛行長が、さっそく本田の代わりとして、私の二番機に遠藤をくれたのであろう。

本田二飛曹のお通夜の晩に、「貴様の仇はきっと俺たちでとってやるぞ」とみんなで誓ったが、その弔い合戦のときは意外に早くやってきた。

あくる五月十四日、本田の弔い合戦の日だ。単に弔い合戦などというと、いかにも古風でおかしいが、事実そうならざるをえない敵が出現したのだ。何であれ、とにかく敵が現われた以上は、そいつをひとまず一掃すべきだということになり、その朝に出撃することになった。出撃は零戦十二機、指揮官は笹井中尉だった。

午前六時出発、きょうも天気に恵まれて、ラエの空もモレスビーの空も申し分ない快晴である。わが編隊は、スタンリー山脈を越えて、まっしぐらにモレスビー上空へ侵入した。編隊は、例によって敵の飛行場上空を一航過《こうか》する。

しかし、飛行場には敵機はない。

編隊は左へ反転して、ふたたびモレスビー上空を一航過する。そして、ふたたび敵飛行場の真上あたりにきたとき、ついに敵機が出現した。もちろん上空にだ。

ところが、この日の敵の出方は、すこぶる奇妙である。わが編隊の右に二、三機あらわれたかと思うと、左側にも二、三機、前方にも二、三機という具合に、わが編隊を包囲するかのように、広い空域を二、三機ずつバラバラに位置している。

――どうも変だな。いささか勝手のちがった感じである。

どの敵にかかるべきか、思い惑わざるをえない。敵にこういう出方をされたのははじめてである。笹井指揮官は面喰らっているらしい。近い敵はほとんど同高度で、距離は三、四千メートル、遠いので五、六千メートルくらいだ。

結局、手近な敵からかかることにして、私の小隊三機だけは、指揮官機からぐっと前に出て、指揮官に、「あれにかかります」という意味の合図をするなり、左前方にいる二機に対して同高度で反航戦を挑んでいった。

敵は、いまからでは空中でまとまって大編隊を組む暇《ひま》はないはずだ。またほかに待機している大編隊の敵機群も、いまのところは認められない。

――よし、それなら、味方がバラバラになって敵に戦いを挑んでも大丈夫だ。私はとっさにそう判断した。

すると、味方のほかの小隊も、私の小隊のこの行動を見るや、思い思いに敵を求めて分散していった。

私は二番機の遠藤、三番機の羽藤《うとう》に、手信号で後上方へ行けと合図し、後上方四百メートルくらいのところに配置した。これでわが小隊は、敵を左前方に見、それに反航をかける位置になった。幸いなことに、敵はまだ私たちを発見していないらしい。私たちはぐんぐん敵に迫っていった。そして敵との横距離約千メートルくらいにつまったところから、まっしぐらに反航をかけ、行きかわった瞬間に、大きく旋回して左後方に喰い下がった。同時にぐんぐんと距離をつめていく。二百メートル、百五十メートル、百メートル――よしっと私の二十ミリと七・七ミリが、いっせいに火を吐いた。

だが、弾丸は一発も当たらない。大きく旋回していたために弾丸が流れてしまったのだ。

私は少しあわてた。同時に敵もあわてた。――というのは私の機銃音で、向こうもはじめて敵が現われたということに気がついたらしく、敵の一番機が、とたんに例のごとく、ひらりと背を見せたかと思うと、そのまま垂直降下に移って一目散に逃げだしたのだ。

二番機も同じ手で逃げるなと思ったので、私はすかさず左旋回しながら、高度を下げて敵機の真下へはいった。敵機はこっちの予想どおり背面飛行にはいったものの、私が下から押さえているので逃げようにも逃げられない態勢になってしまった。絶体絶命！　しかし、敵も必死だ。左に傾いたかと思うと、そのまま垂直旋回で逃げはじめた。その瞬間、私はちらりと後上方を見かえった。

二番機の遠藤が、ぴったりと私の後にくっついている。それで出発前に、遠藤に言ったことを思い出した。

「遠藤、貴様は、きょうが俺との初出撃だから、何かプレゼントをやろう。もしもきょうの空戦が非常に暇だったら、適当な獲物を、俺が若干いためてから貴様に渡すから、貴様はそれをぬかりなく落とせ。いいか、そのつもりで油断なく俺についてくるんだぞ」

遠藤はそれを忘れずに、私の後にぴったりくっついて待機しているんだ。目を輝かして張り切っているだろう遠藤の顔が、目に見えるようだ。私は、すばやく情況を判断して、よし、と大きく右旋回して、逃げる敵をやり過ごしておいて、さっと身をかわした。待ちかねていた遠藤は、心得た、とばかりに飛びかかっていった。このとき高度は、四千メートル足らずだった。私は、すぐ彼と入れ代わって、遠藤機の後上方二百メートルくらいのところにくっついて、いざという場合には、いつでも助太刀《すけだち》に出られるような構えで、彼のお手なみを見ていた。

ところが、敵は、ぐんぐん左旋回で逃げはじめる。遠藤はその真後ろにくいついて懸命に追いながら、ダダダ……と撃ち込んでいるのが見えるが、弾丸はなかなか当たらない。

遠藤は敵機をぐんぐん追いつめて、彼我の距離三十メートルくらいのところを、くっついたり離れたりしながら、巴戦《ともえせん》にはいり、二機ともつれあうような恰好で高度を下げていく。

(格闘戦になると必然的に高度は下がる)

だが、敵地の上空で、高度を一定の高さ以下に下げるのは一番危険なことで、上空の敵機から撃たれる危険も増大するし、また地上砲火の餌食《えじき》となる危険も大きい。それは戦闘機乗りなら誰でも心得ている常識である。

ところが、遠藤はそれも忘れて、もう夢中だ。

「もう危ない! やめろ!」と怒鳴りたいのだが、怒鳴ったって聞こえるはずもなし、こうなったら仕方がないので、私も一生懸命に上空を警戒しながらついていった。

三千メートル……二千メートル……千メートル……と高度はどんどん下がってゆくが、いつまでたっても犬の喧嘩みたいにやめない。私はとうとうふき出してしまった。〝鹿を追う猟師山を見ず〟とはまさにこのことである。まして気負いたっている若い戦闘機搭乗員が、初の撃墜という金的《きんてき》を射止めるかどうかのチャンスだから、夢中になるのもやむを得まい。しかし、こういう情況では、いつどこから敵が降ってくるかわからない。私はこみ上げるおかしさのなかにも、それが心配でならない。

しかし、はらはらしながら四辺を警戒するよりほかに手がない。二機の格闘ぶりを見ていると、遠藤が落とされるというような心配は、絶対になさそうだ。だが、一体どこまで行ったらケリがつくのかしら、そんな興味も湧いてきたので、私も、一緒になってくっついていった。

とうとうジャングルすれすれのところまで降りてゆき、もうそれ以上は下がれない。どうするのかしらと見ていたら、敵機はひらりと身を翻《ひるがえ》したかと思うと、今度はジャングルの梢をかすめるようにして逃げはじめた。

そのときである。遠藤はすかさず一連射を浴びせかけた。よくもまあ弾丸を持っていたものだと私が感心したほどだから、おそらくは最後の弾丸であろうか。それが当たったのだ。敵機は、ぐらぐらっと揺れたかと思うと、火も吐かず煙も出さずスポンとジャングルの中に呑み込まれてしまった。

突然、目の前の敵機を失った遠藤は、勢いあまってしばらくはジャングルの上を飛んでいたが、やがて気を取りなおしたかのように、今度は夢中になって、上昇しはじめた。高度を下げすぎるのは危険だ、という日頃の教訓を思い出したのかもしれない。私はわざと知らん顔をして、遠藤の後ろにぴったりとくっついていった。

しばらく行くと、なんと思ったのか遠藤は、急に全速を出して逃げはじめた。おそらくは自分の後ろから飛行機のくる気配を感じ、瞬間、それを敵機と勘《かん》ちがいしたものらしい。これには困って、私も全速を出して彼の後上方へ昇り、右へ飛行機を傾けて機翼の日の丸を見せてやった。

遠藤はやっとそれで気がつき、今度はヤレヤレ安心といったふうに私の後についてきた。危ないからとにかく海上へ出ようと、私は高度をとりながら海の方へ機首を向けた。

途中、彼と翼を並べながら、私は風防をひらいて、「顔を見せろ」と合図すると、彼も風防をひらいて顔を出した。その顔の何と深刻なることよ、精も根も尽き果てたというような表情だ。私が、「どうだったか」という素《そ》ぶりをして見せたら、彼は下を指さしながら、「どうやら落ちたらしい」という身ぶりをする。「よかった、よかった」と私が喜んでやると、彼は初めてニッコリ笑った。ここで私たちは、小隊を整えて基地へ帰投の途についた。

着陸してから、私は思い出したように遠藤を呼んだ。そして、きょうの空戦の模様を聞いてみた。

「貴様は、あの飛行機を落としたと思うか、落とさなかったと思うか」

遠藤三飛曹は、ちょっと考えるようにしていたが、

「はい、最後の一撃で、確かにジャングルに突っ込みました。……確かに落ちたのを見ました」と確信ありげに答えた。

「よし、それはわかった。それでは敵の機種はなんだ?」

この質問に対しては、ぜんぜん覚えていない。

「とにかく、味方ではありません。なんだかまっ黒いような飛行機と取っ組み合いをやって落としました」と答えるだけである。これには私も苦笑した。

「それでは双発の飛行機だったか、それとも単発の戦闘機だったか」

私はさらに一歩、突っ込んで聞いてみたが、それもぜんぜんわからない。ただ日本の飛行機じゃないものと取っ組み合って落としたということだけしかわかっていない。まだ年少の彼の初撃墜だから、ほとんど無我夢中だったのだろう。無理もないと思って、これ以上いじめるのはかわいそうな気がしてきたが、しかし、それでは教育にならんと思ったので、私はさらに意地わるく聞いてみた。

「高度何メートルで落としたと思うか」

もちろん、わかりっこない。

「よし、それじゃあ、落としたときに貴様の飛行機は、この地図のどこの場所にいたか」

彼の困惑《こんわく》したような顔をみていると、さすがに、私はおかしくなってきて、もうやめにした。実際のところ、彼はただもう夢中で、ほとんどなにも覚えていない。なにしろ喉はカラカラに渇いてくるし、目は回ってくるし、というフラフラ状態の中で、ともかくも敵機を落としたということだけを、しっかり心に抱いているだけである。

あのとき、もしも私に連れて帰ってもらわなかったら、どうなっていたかも怪《あや》しいものである。

いままでにも、空戦を何回もやっているのだが、小隊長に離れないようにするのが精いっぱいで、敵を落とす暇はなかったのである。

その遠藤が、きょう初めて敵機を撃墜したのだから、彼はもう有頂天《うちょうてん》である。

「おかげさまで一機落とさしてもらいました。こんな嬉しいことはありません。初めて飛行機乗りになった日よりも、きょうの方が嬉しいです」と、彼は無邪気に言うのである。

こうして、叩き上げられていくうちに、若い搭乗員たちも、回を経るごとに自信を強め、いつしか戦場のベテランに成長していくのであるが、激しい大空の死闘の中で、きのうは一機、きょうは二機と、彼らは南海の空を紅《くれない》に染めて散っていった。

ああ山口中尉の最期《さいご》

五月十七日のことだった。やはりモレスビー攻撃の帰途であった。零戦隊は、目前にせまったスタンリーを越えるために、徐々に高度を上げていった。脚下は、山麓《さんろく》地帯を埋める一面の樹海《じゅかい》である。その、果てしない新緑の樹海を見渡すともなく見ていたところ、ふと私の目が一機の飛行機を捉《とら》えた。その機は、私の機の右下にあり、高度五百メートルくらいで、私たちと同じ方向へゆっくり飛んでいる。まぎれもなく零戦である。

単機でこういうところを飛んでいるのは、飛行機が被弾しているか、搭乗員が負傷しているか、いずれにしてもよくない状態にあることは間違いない。

私はスロットル・レバーをしぼるようにして、徐々に速力を落としながら、その零戦のそばへ寄っていった。もちろんこの傷ついた味方機が、敵機に喰われないように、四方八方に気をくばりながら……。そして、この零戦に寄り添い、彼と編隊を組もうと思い、できるだけエンジンをしぼって速力を落としてみたのだが、その零戦の速力はさらに遅く、編隊が組めない。仕方がないので、私は思いきり大きく左へ反転して、その飛行機の後ろに回った。もうモレスビーからは相当距離がはなれているので、敵機の追ってくる公算は少ないと判断したので、私はその飛行機にぐっと近寄っていった。

見たところは燃料を噴《ふ》いているようすもないのだが、速力がきわめて遅い。ほとんどフラフラになって飛んでいる。

私は列機を上にやって、私だけが近寄っていったが、いくら速力を落としても、なおも前へのめるので、やむをえず着陸の前のようにフラップを下ろして速力を落とし、互いに翼が触れ合うばかりに近接して雁行《がんこう》した。

すると、その飛行機の風防が開いて、若い搭乗員が顔を出した。見ると山口中尉である。

山口中尉は、最近われわれの戦列に参加したばかりの、新参の搭乗員である。ものを言えば聞こえそうな距離で、お互いに顔を見合わせながら、言葉で意思を通じ合えないというのは、なんというもどかしさだろう。

「どうしましたあっー」と、聞く意味で、私は耳に手を当てて、首をかしげてみせる。その身振りの言葉がすぐに通じて山口中尉はエンジンを指さしながら、「これがやられて、もうだめだ」とこれも身振りで答える。そのためなのであろう。山口中尉機の速力は、百ノットも出ていないのか、ほとんど失速寸前の状態で飛行をつづけている。いま落ちるか、いま落ちるか気が気でないが、どうすることもできない。ただオロオロと心配しながら、そばに寄り添って飛んでいってあげる以外に、なにも手はない。

そうこうしているうちに、空戦をすまして同じく帰還の途についた友軍機が、各方面から集まってきて、やはり山口中尉機を見つけ、次から次と、心配して、周りに集まってきた。その数は七、八機にも達した。そして、山口中尉の周りをぐるりぐるりと回りながら、風防をあけて手まねや大声で、「頑張れ、頑張れ」と励ましている。

とにかく、スタンリー山脈をなんとかして越さなければならない。だが、この失速の飛行機でどうやって越させたらいいのだろう。私は思い悩むのだが、いい知恵も出ない。

それでも三分か四分くらいは飛んでいた。しかし、もういよいよ山の斜面が眼前に迫ってきた。この山脈を越えるためには、ここらで徐々に機首を上げなければならない。山口中尉も、必死になって上昇したいのだが、なにぶんにも速力がないのでどうにもならない。といって、私たちもこのまま飛んでいるわけにもいかない。そのとき山口中尉は、決然とした顔をして、私たちを見た。そして、何か身振りを示した。

「駄目だ。自分は敵地に引き返して自爆する。諸君は自分にかまわず行ってくれ。友情に感謝する」

その手振りは、こう言っているのである。

――ああ、どうしたらいいんだ。私は飛行機の中で足踏みした。

他の友軍機も、それを見るや、

「自爆してはいかん、頑張れ、頑張れ」と手で押してやるような気持で、山口中尉機に寄り添うのだが、山口機はさらに速力が落ちていき、ほとんど失速寸前で、フラリフラリと機翼が揺れだした。

と見るや、山口機は、急に右へ大きく反転して、モレスビー港の方へ向かって引き返しはじめた。それを見て私は、「ああ、綱がほしい」と、心で叫ばずにはいられなかった。

綱でもあればそれを投げて、自分の飛行機で曳航《えいこう》してゆきたい――そんな出来もしないことを考えて焦燥にかられるのだが、現実にはどうにもならない。

山口中尉のからだには負傷ひとつないのだ。ただエンジンだけが被弾したのだ。ただ、それだけのために、それだけの原因のために、いまここで、若い、尊い生命を棄《す》てようとしている。そんなバカなことってあるか。そんなもったいないことってあるか。そう思って私は躍起《やっき》となるのだが、それでは一体どうしたらいいのか。

落下傘という考えも、もちろん浮かんだ。しかし、もちろん落下傘を持っているはずはない。落下傘さえあれば、ここで一個の貴重な生命を救えたかもしれないのに……。

当時の日本の飛行機乗りは、誰も落下傘を持っていなかった。とくに戦闘機乗りは、戦闘に絶対に必要なもの以外は、すべて出撃のときに棄てたのだ。すこしでも機を軽くして、空戦性能をよくするようにと、ただそれだけしか考えなかった。そして、もしも敵地において被弾したら、ただ自爆するだけさ。そういった、あっさりした観念を、いつのまにか植えつけられていた。

これは、戦いに出ることは死ぬことと決めてかかっていた日本人特有の〈思想〉からきていたのかもしれない。また飛行機乗りには、とくにこの思想が強かったのかもしれない。私たちのあいだには〈生きる〉ということを考えていたものは、一人もいなかった。死ぬことを飛行機乗りの当然の運命のように甘受《かんじゅ》していた。

だから、いささかでも空戦において生命を惜しんだと思われるような行動は、誰もとりたくなかったのだ。

落下傘を携行《けいこう》しないということも、戦闘能力を殺《そ》ぐからという理由のほかに、このような心理的な理由もあったのだ。だから落下傘さえあれば助かったかもしれない幾多の貴重な生命が、ムザムザと棄てられたのである。いま私の眼前に起こりつつある悲壮な事態も、このような飛行機乗りの宿命以外の何ものでもない。

機首をめぐらして引き返しはじめた山口中尉機は、そのとき急にプロペラの回転が目にみえて弱ってきた。

「ああ、これはいけないな」と思った瞬間、山口中尉はわれわれの方を振り返った。そして、大きく左手を上げた。訣別《けつべつ》の挨拶である。

私は悲しいとか辛いとかという言葉で、そのときの感情を表わすことはできない。口惜しいというか、いや、むしろ、憤《いきどお》ろしい感情で頭がいっぱいであった。なんに対する憤りであるか、そのときはよくわからなかったが、結局それは、本来、助かるべき生命を助け得ないというもどかしさからだったかもしれない。

こうして、息をのんで凝視《ぎょうし》している多くの戦友機の目の前で、山口中尉機は、フラリフラリと降下し、やがてこんもり繁ったジャングルの中へ吸いこまれるように静かにはいっていってしまった。しかも不思議なことには、落ちた地点には、火災も見えず、煙も上がらず、ただ真っ黒いジャングルの中に消えてしまったのである。

「残念でしょう。山口中尉!」

私は思わずこう呟《つぶや》いて目をつぶった。私自身も無念やるかたない気持である。それから私は急いで航空図に、いま山口中尉機が吸い込まれるように消えた地点を書き入れた……。

すべては終わった。言いようもない。

悲痛な気持で、友軍機は編隊を組みなおした。そして機上から、その黒々と静かなジャングルに訣別《けつべつ》をして、機首を上げた。

なにごともなかったように、スタンリー山脈の上空は晴れている。その空に浮かんで、私たちは翼をそろえてラエに向かった。そして、まもなくラエ基地に還りついた。報告のために指揮所に駆け足で行く途中で、

「おい、ちょっと待てよ」と誰かが言った。

「きょうの山口中尉の落ちていった場所なあ。お互いの推定がちがってるといかんぞ」というのである。

これは、みんなの気になっていたことだった。そこで早速、みんなで航空図を出して見せ合った。

幸いなことに、大体において、みんなの記した位置が一致していたので、笹井中隊長からきょうの経過一切を報告し、これに加えて、われわれの判断では、山口機は非常に静かに吸いこまれて行ったから、ヒョッとしたら助かっているかもしれない、急いで食糧投下を行なって頂きたいと申し入れた。

この願いは聴《き》き入れられて、私と笹井中尉の二人がすぐ引き返すことになった。乾麺麭《かんパン》、ビスケットなどの食糧に、繃帯その他の医療具、それから水筒に入れた水、とぼしい中から出し合った煙草などを投下用に梱包《こんぽう》したものを積み、まだ生々しい記憶と地図をたよりに、この付近と思われるところを、何回も何回も旋回したのち、どうか生きていてくれ、これで助かってくれ、と心に念じながら、それを樹海の上へ、そっと投下した。

梱包はくるくると回りながら、だんだん小さくなって、やがて深いジャングルの中へ吸い込まれていった。

私たちはそれを何度も何度も見かえりながら帰途についた。私たちはこの悲劇を一刻も早く忘れようとした。

なぜなら、また明日の戦闘があるからだ。

本田が十三日、その翌日が大島徹一《おおしまとおる》飛曹、そして、きょうまた山口中尉の戦死、これが戦争なのだ。

（下巻に続く）

用語解説

本書をお読みになるかたのご参考までに、本文中に登場する、地名、航空隊名、機名、人名などについて簡単に解説いたします。

『大空のサムライ』では、地名は、蘭印、ソロモン群島などのように、大戦中に坂井さんたちが使っていた呼び名で記されていますが、戦後、呼び方が変わったものもありますので、この用語解説の欄で、現在の呼び名などを紹介しました。

特に、中国の地名は、漢字で表記した場合は、わが国でも中国でも同じでしたが、呼び方は、上海（シャンハイ）、南京（ナンキン）のように、中国語の発音どおり呼んでいたものもあれば、重慶（じゅうけい、中国語ではツォンチン）や漢口（かんこう、中国語ではハンカオ、ハンコウ）のように日本語流の呼び方をしたところもありました。

そして、ルビ（地名の横のふりがな）をふるときは、中国語の呼び方の場合はカタカナ、日本語流の呼び方の場合はひらがなで表記するのが普通でした。

この用語解説の欄では、ルビが当時の日本での呼び名で、地名の下のカッコの中が中国語による呼び方を示しています。

なお、中国語や英語などの発音をカタカナで表記したものは、辞書などによって若干異なっています。

ここでは、中国の地名については主として『最新中国地名事典』(張治国監修、日外アソシエーツ刊、一九九四年)によりましたが、同書に掲載されていないものは、『支那事変 戦跡の栞』(陸軍省情報部監修、陸軍画報社刊、昭和十四年)、『コンサイス外国地名事典』〈第三版〉(三省堂刊、一九九八年)などによりました。

また、現在の南方の地名は、主として『コンサイス外国地名事典』によりました。

(秋本《あきもと》實《みのる》)

◉地名

【中国方面】

満州《まんしゅう》(マンチョ) 戦前から終戦まで、わが国では、現在の中国東北地区《ちゅうごくとうほくちく》(ドンベイディチュイ、トウォンペイディチュイ)《黒竜江省《こくりゅうこうしょう》(ヘイロンジャンセン)、吉林省《きつりんしょう》(ジーリンセン)、遼寧省《りょうねいしょう》(リャオニンセン)》から内蒙古自治区《うちモンゴルじちく》(ネイモングーズーズーチュイ)の一部へかけての地域を独立国として扱い「満州国」と呼んでいた。満洲と記すこともある。

北支《ほくし》 中国北部の地を北支那《きたしな》と称した頃の略称。日本軍は、現在の華北地区《かほくちく》(ホワベイディチュイ、ホワペイディチュイ)の大部分《北京市《ペキンし》(ベイジンシー、ペキンシー)、天津市《てんしんし》(ティェンジンシー)、山東省《さんとうしょう》(サンドンセン)、山西省《さんせいしょう》(サンシーセン)》のほか、西北地区《せいほくちく》(シーベイディチュイ、シーペイディチュイ)の陝西省《せんせいしょう》(サンシーセン)、甘粛省《かんしゅくしょう》(ガンシューセン)、青海省《せいかいしょう》(チンハイセン)を含めた地域を北支那あるいは北支と呼んでいた。

中支《ちゅうし》 中国中部の地を中部支那《ちゅうぶしな》と称した頃の略称。日本軍は、現在の華中地区《かちゅうちく》(ホワゾンディチュイ、ホワチュォンディチュイ)《湖北省《こほくしょう》(フーベイセン、フーペイセン)、湖南省《こなんしょう》(フーナンセン)、江西省《こうせいしょう》(ジャンシーセン)》のほか、華北《かほく》地区の河南省《かなんしょう》(ホーナンセン)や華東地区《かとうちく》(ホワドンディチュイ)《上海市《シャンハイし》(サンハイシー)、江蘇省《こうそしょう》(ジャンスーセン)、浙江省《せっこうしょう》(ズェジャンセン)、安徽省《あんきしょう》(アンホイセン)》を含めた地域を中支那《なかしな》あるいは中支と呼んでおり、便宜、西南地区《せいなんちく》(シーナンディチュイ)の四川省《しせんしょう》(スーツワンセン)や重慶市《じゅうけいし》(ツォンチンシー)も中支に含めることもあった。

南支《なんし》 中国南部の地を南支那《みなみしな》と称した頃の略称。日本軍は、現在の華南地区《かなんちく》(ホワナンディチュイ)《広東省《カントンしょう》(クワンドンセン)、福建省《ふっけんしょう》(フージェンセン）、海南省《かいなんしょう》（ハイナンセン）》のほか西南地区《せいなんちく》（シーナンディチュイ）の貴州省《きしゅうしょう》（グイゾゥセン）や雲《うん》南省《なんしょう》（ユンナンセン）も含めた地域を南支那《みなみしな》あるいは南支と呼んでいた。

黄河《こうが》（ホワンホー） 青海《せいかい》省中部の雅拉《ヤーラ》達沢山《ダーズエサン》（ヤグラダグツエサン、雅《ヤ》合《ホ》拉《ラ》達《タ》合沢山《ホツアンサン》＝ヤホラタホツオサン）の東麓《とうろく》に源を発し、中国北部を貫流《かんりゅう》して渤《ぼっ》海湾《かいわん》（ボーハイワン）に注ぐ中国第二の大河。

揚子江《ようすこう》（ヤンズージャン） チベット高原の北東部に源を発し、中国大陸を横断、東シナ海に注ぐ中国最大の河川。揚子江という名称は欧米や日本で用いた名称で、中国では古来「長江《ちょうこう》」（ツァンジアン）と呼んでいる。

渭水《いすい》（ウェイスゥイ） 渭河《いが》（ウェイホー）。中国西北地区東部を流れる黄河の一支流。蘭州《らんしゅう》北西の岷《みん》山《ざん》（ミンサン）山脈の北麓《ほくろく》に発し、東流して潼関《どうかん》県《けん》（トングアンシェン）の東方で黄河に合流する。

中条山脈《ちゅうじょうさんみゃく》 山西省南部の山脈。蒲州《ほしゅう》（プーチォ）の東南に起こり、黄河の北を東北に連なっている。

蘭州《らんしゅう》（ランゾゥ） 西北地区南東部、甘粛省《かんしゅく》の省《しょう》都《と》。省の東部に位置し、黄河上流の南岸に臨んでいる。飛行場は中国空軍の重要基地の一つとなっていた。

天水《てんすい》（ティェンスゥイ） 西北地区東部、甘粛《かんしゅく》省南東部の都市。渭水《いすい》上流の右岸に位置している。中国空軍の基地があった。

潼関《どうかん》（トングアン） 西北地区東部、陝西《せんせい》省東端の県。龍門《りゅうもん》（ロンメン）から南流してきた黄河が東に向かう屈曲点《くっきょくてん》に位置する。

西寧《せいねい》（シーニン） 西北地区南部、青海《せいかい》省の省都。省の東部、蘭州北西一八〇キロメートル、黄河支流の湟水《こうすい》（ホワンスゥイ）の南岸に位置する。

青海《せいかい》（チンハイ） 青海《せいかい》省北東部にある中国最大の塩湖《えんこ》。ココノール（青い湖）とも呼ばれている。

函谷関《かんこくかん》（ハンクークアン） 華北地区南部、河南省北西部の山中にある交通の要地。関所が設けられていた。両岸が切りたって函《はこ》（箱）のような地形から、この名がうまれた。

運城《うんじょう》（ユンツン）　華北地区西部、山西省南部の都市。運城飛行場（第十五基地）は蘭州進攻《しんこう》などの基地として使用された。

安慶《あんけい》（アンチン）　華東地区西部、安徽省《あんき》南部の揚子江中流北岸にある河港都市《かこうとし》。陸上飛行場と水上飛行場があり、十二空の派遣隊（艦攻隊・水偵隊）が展開していたこともあり、I基地と呼ばれた。

南京《ナンキン》（ナンジン）　江蘇省《こうそ》の省都。同省南西部、揚子江南岸の都市。戦前から、城外に大校場《だいこうじょう》（タァシイアオチァン）飛行場、城内に明故宮《みんこきゅう》（ミングーゴン）飛行場、下流に燕子磯《えんしき》（イェンズーシー）飛行場が設けられていた。占領後、海軍は大校場飛行場をP基地と呼んだ。

蕪湖《ぶこ》（ウーフー）　安徽省南東部の都市。揚子江の東岸、青弋江《せいよくこう》（チンイチィアン）との合流点《ごうりゅうてん》にある。戦前から飛行場が設けられており、占領後、海軍は蕪湖飛行場はQ基地と呼んだ。

上海《シャンハイ》（サンハイ）　揚子江の河口近くの南岸《なんがん》、支流の黄浦江《こうほこう》（ホワンプージャン）が揚子江と合流する地点に位置する都市。戦前から国際都市《こくさいとし》として発達してきた。現在は中央直轄《ちょっかつ》の都市。戦前から、虹橋《こうきょう》（ホンチャオ）などに飛行場が設けられていたが、日本軍は、さらに周辺の数箇所に飛行場を設け、公大《クンタ》飛行場を甲《こう》基地、虹橋《こうきょう》飛行場を乙《おつ》基地、呉淞《ウースン》飛行場を丙《へい》基地、昭和島《しょうわとう》飛行場を丁《てい》基地、江湾《こうわん》（ジャンワン）飛行場を戊《ぼ》基地、玉賓《ぎょくひん》（ユイビン）飛行場を己《き》基地と呼んでいた。

龍華《りゅうか》（ロンホワ）　名刹龍華寺《めいさつりゅうかじ》（ロンホワスー）で知られた上海西南部の黄浦江沿岸の地。当時は龍《りゅう》華鎮《かちん》（ロンホワズン）と呼んでいた。戦前から飛行場が設けられており、海軍も基地として使用した。

九江《きゅうこう》（ジュジャン）　華中地区南東部、江西省北部の都市、鄱陽湖《はようこ》（ポーヤンフー）に近く揚子江南岸に臨む河港《かこう》。戦前から飛行場が設けられており、占領後、海軍は九江飛行場をV基地と呼称した。

南昌《なんしょう》（ナンツァン）　華中地区南東部、江西省の省都。贛江《かんこう》（ガンジァン）の東岸、鄱陽湖《はようこ》（ポーヤンフー）の南西に近い。戦前から飛行場が設けられており、中国空軍の中心基地となっていた。占領後、海軍は南昌の飛行場をT基地と呼称した。

漢口《かんこう》（ハンコウ、ハンカオ）　華中地区北部、湖北《こほく》省東部の都市。揚子江と漢水《かんすい》（ハンスゥイ）の合流点の北岸に位置する。当時は、揚子江を挟《はさ》んだ対岸の武昌《ぶしょう》（ウーツァン）、漢陽《かんよう》（ハンヤン）と合わせて武漢三鎮《ぶかんさんちん》と呼ばれ、現在は武漢市《ぶかんし》（ウーハンシー）を形成している。戦前から漢口にも武昌にも飛行場が設けられており、占領後、漢口飛行場はW基地と名付けられ陸海軍で共用し、武昌飛行場は陸軍が使用した。

宜昌《ぎしょう》（イーツァン）　華中地区北部、湖北《こほく》省の西部の都市。四川盆地《しせんぼんち》（スーツワンペンディ）に出入する要衝《ようしょう》。戦前から市街の西郊《せいこう》に飛行場が設けられており、占領後、陸海軍が共用した。海軍では第二十一基地と呼んでおり、奥地進攻の中継基地として活用した。

四川省《しせんしょう》（スーツワンセン）　南西地区北部の省。揚子江の上流域《じょうりゅういき》に位置している。面積は約五七万平方キロメートル。

重慶《じゅうけい》（ツォンチン）　四川省南東部の都市。揚子江と嘉陵江《かりょうこう》（ジャリンジャン）の合流点に位置している。日華事変（日中戦争）中は国民政府の臨時の首都であった。現在は中央直轄市。周辺には広《こう》陽覇《ようは》（グワンヤンパー）、白市《はくし》（パイシー）、石馬州《せきばしゅう》（シーマーゾゥ）、九龍覇《きゅうりゅうは》（ジュロンパー）、珊瑚覇《さんごは》（シャンフパー）などの飛行場が設けられていた。

成都《せいと》（ツンドゥー）　四川省の省都。省の中央部、成都盆地の南東部にあたる。日華事変（日中戦争）

中は、周辺に鳳凰山《ほうおうざん》（フォンホワンサン）、温江《おんこう》（ウェンジャン）、双流《そうりゅう》（シュワンリュ）、太平寺《たいへいじ》（タイピンスー）、新津《しんしん》（シンジン）などの飛行場が設けられており、中国空軍の根拠地の一つとなっていた。

温江《おんこう》（ウェンジャン）　四川省中部の都市。成都の西方にあり、温江飛行場は成都周辺飛行場群の一つとなっていた。

万県《ばんけん》（ワンシェン）　四川省東部の都市。揚子江中流左岸にあり、古来、揚子江経由で四川省に入る門戸となっていた。

松潘《しょうはん》（ソンパン）　四川省北部の町（現在は県名）。成都北方の岷江《みんこう》（ミンジャン）上流の山間に位置する。飛行場は最も奥地の飛行場であった。

海南島《かいなんとう》（ハイナンダオ）　広東省雷州半島《らいしゅうはんとう》（レイゾゥバンダオ）の南、南シナ海にある島。面積三万四〇〇〇平方キロメートル。海口《かいこう》（ハイコウ）の飛行場は第七基地、三亜《さんあ》（サンヤー）の飛行場は第九基地と呼ばれた。

［台湾《たいわん》方面］

台北《たいほく》（タイベイ、タイペイ）　台湾北部の都市。台湾の政治経済の中心地。日本領だったころは台湾総督府《そうとくふ》が置かれていた。海軍は台北飛行場は第二基地と呼んでいた。

新竹《しんちく》（シンチュー）　台湾北西部の都市。台北と台《たい》中《ちゅう》（タイゾン）のほぼ中間に位置する。

台中《たいちゅう》（タイゾン、タイチウォン）　台湾中西部の都市。台中盆地中央部に位置する。海軍は台中飛行場を第三十六基地と呼んでいた。

嘉義《かぎ》（ジャイー）　台湾中西部の都市。台中の南南西七五キロメートルに位置する。陸軍の飛行場があった。

台南《たいなん》（タイナン）　台湾南西部の台湾最古《さいこ》の都市。高雄《たかお》（ガオション）の北四〇キロメートルに位置し、台南飛行場は台南空の根拠基地であった。

高雄《たかお》（ガオション）　台湾南部の港湾都市《こうわんとし》。高雄飛行場は高雄空の根拠基地となっていた。

恒春《こうしゅん》（ホンチュエン）　台湾最南端《さいなんたん》、恒春半島《こうしゅんはんとう》（ホンチュエンバンダオ）の南西部に位置する町。

ガランピー岬　鵞鑾鼻《がらんび》（オロアンピー）。台湾最南端の岬。

［南方《なんぽう》方面］

仏印《ふついん》　仏領印度支那《ふつりょういんどしな》の略。インドシナ半島東部にあった旧フランス領植民地《しょくみんち》をいう。

比島《ひとう》　フィリピン。アジア大陸の東方、ルソン島を主島に西太平洋上に散在《さんざい》する七千余の島嶼《とうしょ》からなる国家。開戦当時はアメリカ領であった。

ビガン　ルソン島北西部のアブラ川の河口にある町。

ホロ島　フィリピン南西部のスールー諸島《しょとう》の主島でスールー島ともいう。ホロ島の飛行場は第三一六基地と呼ばれた。

バンジェルマシン　ボルネオ島南部、南カリマンタン州の主都《しゅと》。バリト川の河口より約一六キロ上流、マルタプラ川との合流点に位置する。

蘭軍《らんぐん》　オランダ軍。蘭《らん》は和蘭《おらんだ》（オランダ）の略。

蘭印《らんいん》　蘭領印度《らんりょういんど》の略。大戦中は、スマトラ島、ジャワ島、バリ島、ボルネオ島、セレベス島などのマレー諸島の島々やニューギニア島のオランダ領部分を蘭領印度と呼んでいた。現在のインドネシア。

バリクパパン　ボルネオ島東部、マカッサル海峡に臨んだ都市。大油田《ゆでん》の所在地として有名。飛行場は第三二二基地と呼ばれた。

チラチャップ　ジャワ島中部南岸にある港湾都市。

マラン　ジャワ島東部のスラバヤの南八〇キロメートルの高原地帯にある都市。

スマラン　ジャワ島中部のジャワ海に臨んだ港湾都市。サマランともいう。

スラバヤ　ジャワ島北東部のスラバヤ海峡に面した都市。

タラカン　インドネシア中北部のカリマンタン島北東部のセサヤプ川の河口にあるタラカン島にある港。タラカンの飛行場は第三二一基地と呼ばれた。

濠州《ごうしゅう》（オーストラリア）　東はサンゴ海・タスマン海、南と西はインド洋、北はアラフラ海・チモール海に囲まれた南半球の大陸。豪州と書くこともある。

ラバウル　南西太平洋のビスマーク諸島《しょとう》の主島であるニューブリテン島北東端の港町。戦前はオーストラリア領ニューギニアの首都であった。地名はマングローブという意味。

ラエ　戦前はオーストラリア領であった北東ニューギニア（現在のパプアニューギニア）の東岸の町。戦前から飛行場があった。

モレスビー　ポートモレスビーの略称。ニューギニア島南東岸の都市。ニューギニア東部の政治、経済、交通、軍事の中心地。

オーエン・スタンリー山脈　ニューギニア島南東部の半島部を縦断《じゅうだん》する山脈。最高峰《さいこうほう》は四〇七三メートルのビクトリア山。

ブナ　ニューギニア北東岸の港町。日本軍はポートモレスビー攻略作戦の拠点とした。

ソロモン群島《ぐんとう》　南西太平洋のブーゲンビル島とブカ島を頂点《ちょうてん》とし、一五〇〇キロメートルにわたって南東方に二列にならんだ島々。現在はソロモン諸島と呼ばれている。

ガダル　ガダルカナル島の略称。さらに略してガ島と呼ばれている。ソロモン諸島の島々の一つでソロモン諸島南東部にある。第二次大戦中の激戦《げきせん》地《ち》の一つで、戦いの末期、補給を断《た》たれたため多くの日本軍将兵が飢《う》えと病に倒《たお》れたので、ガ島をもじって餓島《がとう》と呼ばれたこともある。

ルンガ泊地《はくち》　ガダルカナル島北部のルンガ岬付近の泊地。

ニュージョージア島　ブーゲンビル島とガダルカナル島の中間にある島。

ベララベラ島　ニュージョージア島の北西にある島。

ルッセル島　ソロモン諸島の一つ。ガダルカナル島の北方。

ニューアイルランド島　ニューブリテン島の東方に北西から南東にのびている帯状《おびじょう》の細長い島。北端のカビエンには飛行場が設けられていた。

[本土]

硫黄島《いおうとう》　小笠原群島の南方、硫黄列島《いおうれっとう》中の火山《かざん》島《とう》。別称「中硫黄島《なかいおうとう》」。第一、第二の二つの飛行場が設けられており、第五十二基地と呼ばれた。

◉航空隊

高雄空《たかおくう》　高雄海軍航空隊。初代と二代があり、本書に登場するのは昭和十三年（一九三八年）四月開隊の初代高雄空。開隊時は陸攻《りくこう》隊。

第十二空《だいじゅうにくう》　第十二航空隊。初代と二代があり、本書に登場するのは昭和十二年（一九三七年）七月開隊の初代第十二空。開隊時は艦戦《かんせん》、艦爆《かんばく》、艦攻《かんこう》隊。

台南空《たいなんくう》　台南海軍航空隊。初代と二代があり、本書に登場するのは昭和十六年（一九四一年）十月開隊の初代台南空。開隊時は艦戦隊。陸偵《りくてい》隊を付す。

第三空《だいさんくう》　第三航空隊。昭和十六年（一九四一年）四月開隊。開隊時は陸攻隊であったが、間もなく艦戦隊に改編。陸偵隊を付す。

第四空《だいよんくう》　第四航空隊。昭和十七年（一九四二年）二月開隊。開隊時は陸攻隊。

浜空《はまくう》　横浜海軍航空隊。昭和十一年（一九三六年）十月開隊。飛行艇隊。

横空《よこくう》　横須賀海軍航空隊。大正五年（一九一六年）四月開隊。各種機種を装備し、海軍航空隊の中枢《ちゅうすう》となっていた。

第十四空《だいじゅうよんくう》　第十四航空隊。初代と二代があり、本書に登場するのは昭和十三年（一九三八年）四月開隊の初代第十四空。開隊時は艦戦、艦爆、艦攻隊。

鹿屋空《かのやくう》　鹿屋海軍航空隊。初代と二代があり、本書に登場するのは昭和十一年（一九三六年）四月開隊の初代鹿屋空。開隊時は陸攻隊。

木更津空《きさらづくう》　木更津海軍航空隊。昭和十一年（一九三六年）四月開隊。陸攻隊。

神風特攻隊《しんぷうとっこうたい》　神風特別攻撃隊。太平洋戦争末期、日本軍は爆装した飛行機による敵艦への体当たり戦法を採用。昭和十九年（一九四四年）十月末、レイテ沖海戦で第一航空艦隊が体当たり攻撃隊を編成、神風特別攻撃隊と呼称した。後日、「カミカゼ」と通称された。

◉航空機

九〇式艦上《きゅうれいしきかんじょう》戦闘機《せんとうき》　昭和七年（一九三二年）に制式採用された複葉固定脚式《ふくようこていきゃくしき》の単座《たんざ》戦闘機。運動性《うんどうせい》がすぐれており源田《げんだ》サーカスの使用機として親しまれた。第一線を退いたのちは練習戦闘機《れんしゅうせんとうき》として使用。最大速度二九三キロ／時。七・七ミリ銃二丁。設計は中島。略称九〇《きゅうまる》艦戦。

九五戦　九五式艦上戦闘機の略称。九五艦戦ともいった。九〇艦戦の後継機として昭和十年（一九三五年）に制式採用されたが、翌年、九六艦戦が出現したため、短期間で第一線を退き、練習戦闘機として使用された。最大速度三五二キロ／時。七・七ミリ銃二丁。設計は中島。

九六戦　九六式艦上戦闘機の略称。九六艦戦ともいった。日本海軍最初の全金属製低翼単葉式の戦闘機。独創的な新機軸をとりいれて当時の世界の水準をこえる高性能を達成していた。本機と九六陸攻の出現により、海軍航空は外国の模倣を脱し、一躍、世界のトップレベルに躍り出た。昭和十一年（一九三六年）制式採用。最大速度四〇六〜四三五キロ／時。七・七ミリ銃二丁。設計は三菱。

十五試練習戦闘機　制式名称は二式練習用戦闘機。九六艦戦を複座の練習用戦闘機に改造したもので、昭和十七年（一九四二年）に制式採用された。最大速度三七八キロ／時。七・七ミリ銃一丁。改造設計は渡辺（のちの九州飛行機）が担当。

九七式戦闘機　日華事変（日中戦争）初期から大戦初期まで活躍した陸軍の傑作戦闘機。低翼単葉単座固定脚式。運動性は非常に優れていた。昭和十二年（一九三七年）に制式採用。最大速度四六八キロ／時。七・七ミリ銃二丁。設計は中島。

零戦　零式《れいしき》艦上戦闘機の略称。ふつう「ゼロせん」と読んでいるが、正式には「れいせん」と読んだ。空戦性能が抜群で、出現当時は速度、火力なども世界の艦上戦闘機の水準をこえていた。昭和十五年（一九四〇年）の初陣以来、終戦まで、日本海軍の主力戦闘機として縦横の活躍をし、その優秀性を彼我双方から讃えられた。昭和十六年（一九四一年）制式採用。一一型と二一型は最大速度五三三キロ／時。七・七ミリ銃、二〇ミリ銃各二丁。五二型は最大速度五六五キロ／時。七・七ミリ銃、二〇ミリ銃各二丁。設計は三菱。

零式練習戦闘機　正式には零式練習用戦闘機。零戦を複座の練習用戦闘機に改造したもので、昭和十九年（一九四四年）に制式採用された。最大速度四七六キロ／時。七・七ミリ銃二丁。改造設計は第二十一航空廠が担当。

紫電《しでん》　局地戦闘機「紫電」。水上戦闘機「強風《きょうふう》」を陸上戦闘機に改造した海軍最初の二〇〇〇馬力級戦闘機。速度、火力、防御力は零戦より勝っていたが、空戦性能は及ばなかった。昭和十九年（一九四四年）に制式採用。一一甲型は最大速度五八三キロ／時。二〇ミリ銃四丁。設計は川西。

中攻　双発の中型陸上攻撃機の略称で「陸攻」とも呼んだ。

九六陸攻　九六式陸上攻撃機の略称。日華事変（日中戦争）初期の渡洋爆撃でデビューし、「魚雷型攻撃機」として親しまれた全金属製双発攻撃機。昭和十一年（一九三六年）制式採用されたころは、海軍用の陸上攻爆撃機としては世界最高の性能を持っていた。開戦冒頭のマレー沖海戦では、索敵、雷撃、爆撃に活躍した。二二型は最大速度三七三キロ／時。航続距離四三八〇キロメートル。七・七ミリ旋回銃三丁、二〇ミリ旋回銃一丁、魚雷一発または爆弾八〇〇キロ。設計は三菱。

一式陸攻　一式陸上攻撃機の略称。九六陸攻の後継機として開発され、日華事変（日中戦争）後期から終戦まで日本海軍の主力攻撃機として活躍した。航続力や操縦性は双発の攻爆撃機としては抜群であったが、防弾防火装置が貧弱なのが泣き所であった。一一型は最大速度四二八キロ／時。航続距離四二八七キロメートル。七・七ミリ旋回銃四丁、二〇ミリ旋回銃一丁、魚雷一発または爆弾八〇〇キロ。設計は三菱。

神風《かみかぜ》偵察機《ていさつき》　長距離の敵状偵察、天候偵察、戦闘機隊誘導などに使用された複座の長距離高速偵察機。欧亜連絡飛行に成功して有名になった朝日新聞社の高速連絡機「神風号」は陸軍の九七式一型司令部偵察機の民間型で、海軍は「神風号」の姉妹機の「朝風号」を徴用して偵察に使用したのち、九七式一型司偵の改良型（二型）を海軍式に改造したものを昭和十四年（一九三九年）に制式採用した。神風型偵察機という名は、もともとは試作中の仮称で、正式の名称は九八式陸上偵察機であるが、制式採用後も神風偵察機として親しまれた。最大速度四六九キロ／時。航続距離一一六七キロメートル。七・七ミリ銃一丁。設計は三菱。

九〇水偵　九〇式二号水上偵察機二型の略称。カタパルト射出が可能な単発複葉複座式の近距離用水偵。運動性は水上機としては抜群で、ある程度の空中戦闘や急降下爆撃も可能であった。最大速度二三二キロ／時。七・七ミリ固定銃、同旋回銃各一丁、爆弾六〇キロ。設計は中島。

九四水偵　九四式水上偵察機の略称。単発複葉双浮舟三座式の長距離水偵。航続力、安定性、操縦性のすぐれた実用性の高い機体であった。一号は最大速度二三九キロ／時。七・七ミリ固定銃一丁、同旋回銃二丁、爆弾一二〇キロ。設計は川西。

九七大艇　九七式飛行艇の略称。日本人が設計製作した最初の四発機。日華事変（日中戦争）後半から全戦域で哨戒、偵察、爆撃、輸送に使われた。大戦後期には速度と防御力の不足が目立ったが、操縦性、安定性がすぐれており、出現当時は速度も航続力も飛行艇としてはトップクラスであった。本書に登場するのは輸送機型の九七式輸送飛行艇で、最大速度三三三キロ／時。航続距離四三二八キロメートル。乗員八名、乗客一四〜一八名。設計は川西。

天山《てんざん》艦攻《かんこう》　艦上攻撃機「天山」。太平洋戦争中期から登場した三座の艦上攻撃機。同時代の艦攻のなかでは一、二を争う高性能機であったが、母艦の不足と搭乗員の技量の低下により本来の性能を発揮できなかった。一二甲型は最大速度四八二キロ／時。七・九二ミリ旋回銃、一三ミリ旋回銃各一丁、魚雷一発または爆弾八〇〇キロ。設計は中島。

三式初歩練習機　三式陸上初歩練習機。長年使用されてきたアブロ練習機に代わり、昭和五年（一九三〇年）に制式採用となった複葉複座の初歩練習機。発動機を「神風」に換装した改良型を三式二号陸上初歩練習機と呼んだこともある。最大速度一五六キロ／時。設計は横須賀工廠。

中間練習機　初歩練習機の課程を修了した搭乗員が高等飛行などを習得するための練習機。本書では九三式陸上中間練習機を指している。「赤トンボ」の名で親しまれた複葉複座の練習機で、昭和九年（一九三四年）に制式採用された。最大速度二一九キロ／時。設計は航空廠。

イ－15　中国空軍が多数使用したソ連製の複葉単発単座の戦闘機。ポリカルポフの設計したI－15系列の戦闘機には上翼がガル・タイプになったI－15、ガル・タイプの上翼をやめ普通の複葉式にしたイ－152、引込脚を採用したイ－153などがあったが、中国空軍が使用したのは主としてイ－152とイ－153であった。総合性能は零戦はもちろんのこと九六艦戦にも及ばなかった。イ－152は最大速度三四六～三七一キロ／時。七・六二ミリ銃四丁。

昭和十五年（一九四〇年）まで、ソ連では戦闘機にИ（イー）という機種記号を割り当て、これに設計番号を組み合わせてИ15、И16などと呼んでいた。日本語ではこの文字の発音に近いイというカタカナを充当し、イ－15、イ－16などと表記していた。英語ではIという字をあてていたが、Eと表記したケースもあった。

イ－16　ポリカルポフI－16戦闘機。日華事変（日中戦争）中、イ－15とともに中国空軍の主力戦闘機として使われたソ連製の低翼単葉単座の戦闘機。重武装、重装甲で速度や急降下性能がすぐれていたが、運動性は日本戦闘機にくらべると格段に劣っていた。最大速度四七〇キロ／時。七・六二ミリ銃二丁、二〇ミリ砲二門。

P－36　カーチスP－36モホーク。第二次大戦初期の米陸軍単座戦闘機。発動機は空冷式。米陸軍ではあまり使われず、輸出型のホーク75がフランス、ノルウェー、オランダ、イギリスなどに輸出され、活躍した。最大速度五〇〇キロ／時。七・七ミリ銃三丁、一二・七ミリ銃一丁（C型）。

P－38 ロッキードP－38ライトニング。双発双胴の米陸軍戦闘機。発動機は液冷式。大型、高速、重武装で高空性能や急降下性能がすぐれていた。ヨーロッパ戦線では「双胴の悪魔」と呼ばれ猛威をふるった。最大速度六六七キロ／時。一二・七ミリ銃四丁、二〇ミリ砲一門（J型）。

P－39 ベルP－39エア・コブラ。日本では「空の毒蛇」とも呼んでいた米陸軍の戦闘機。操縦席背後に液冷式エンジンを置き、延長軸で機首のプロペラを駆動するという革新的な設計を採用していた。三七ミリ砲をプロペラ軸の中心から発射できるようになっていたのも特徴であったが、高空性能が悪く、上昇力不足で、運動性も零戦に及ばなかった。エアラコブラともいった。最大速度五九〇キロ／時。七・七ミリ銃四丁、三七ミリ砲一門（D型）。

P－40 カーチスP－40ウォーホーク。太平洋戦争初期の米陸軍主力戦闘機。P－36の発動機を液冷式に変更したほか、各部が改良されていた。性能的には二流であったが、実用性が高く、量産性がすぐれていたため大戦末期まで広く使われた。最大速度五五六キロ／時。七・七ミリ銃四丁（C型）。

バッファロー ブリュスターF2Aバッファロー。米海軍最初の単葉艦上戦闘機。大戦初期、米海兵隊機がミッドウェーで使用したほか、イギリスやオランダに輸出された輸出型（B339型）がマレー方面や蘭印方面で零戦と戦ったが、性能がはるかに劣り、まったく太刀打ちできなかった。最大速度五二〇キロ／時。一二・七ミリ銃四丁（2型）。

ワイルドキャット グラマンF4Fワイルドキャット。グラマン社最初の単葉機。太平洋戦争前半の米海軍の主力戦闘機。零戦に圧倒されたが、性能的には零戦と互角に近い戦闘を行えた唯一の米軍機。最大速度五一五キロ／時。一二・七ミリ銃六丁（4型）。

ヘルキャット　グラマンF6Fヘルキャット。F4Fより重量、馬力とも一回り大きい。太平洋戦争中期以降、米海軍の主力艦上戦闘機として活躍、零戦の強敵となり戦局の挽回に大きく貢献した。最大速度五九四キロ／時。一二・七ミリ銃六丁または一二・七ミリ銃四丁と二〇ミリ砲二門（5型）。

スピットファイア　スーパーマリン・スピットファイア。英軍機の中ではもっとも多数生産された機種。均整のとれた性能を持ち、第二次大戦の名戦闘機の一つにあげられている。発動機は液冷式。太平洋戦線に登場したのは昭和十八年（一九四三年）。本書第五章の「英国新鋭機《スピットファイア》あらわる」に登場するスピットファイアらしいイギリスの新鋭機はP-39を誤認したものである。最大速度五九〇キロ／時。七・七ミリ銃八丁または七・七ミリ銃四丁と二〇ミリ砲二門（V型）。

エスベー双発爆撃機　ツポレフSB-2爆撃機。ソ連の代表的な液冷双発式の中型高速爆撃機。日華事変（日中戦争）当時、中国軍が使用。最大速度四二三キロ／時。七・六二ミリ銃四丁、爆弾六〇〇キロ。昭和十五年（一九四〇年）まで、ソ連では中距離爆撃機にCБ（エスベー）という機種記号を割り当て、これに設計番号を組み合わせてCБ2、CБ3などと呼んでいた。わが国では、ふつうはロシア語の発音にしたがってエスベーと表記していたが、英語ではSBという字をあてていたため、エスビーと呼ぶこともあった。

ボーイングB-17　ボーイングB-17フライング・フォートレス。米陸軍の爆撃機。「空の要塞」の名にふさわしい重武装重装甲の四発大型機で撃墜が困難であった。ヨーロッパ戦線ではドイツ戦略爆撃の主力として活躍。最大速度五一一キロ／時。七・七ミリ銃一〜二丁、一二・七ミリ銃八〜一二丁、爆弾二七二〇〜四九〇〇キロ（E型）。

B-25 ノースアメリカンB-25ミッチェル。双発の米陸軍爆撃機。第二次大戦中のアメリカ双発爆撃機としては、もっとも成功した機体で、太平洋の全戦域で戦術爆撃、艦船攻撃に活躍。昭和十七年（一九四二年）四月、ドーリットル爆撃隊の日本本土初空襲にも使用された。最大速度四三八キロ／時。一二・七ミリ銃一二丁、爆弾一三六〇キロ、ロケット弾八発（J型）。

B-26 マーチンB-26マローダー。双発の米陸軍高速爆撃機。主として、地上軍援護用の戦術爆撃機として活躍した。最大速度四五五キロ／時。一二・七ミリ銃一二丁、爆弾一三六〇キロ（C型）。

ダグラスA-20A ダグラスA-20Aハボック。B-25やB-26と同様に肩翼片持単葉双発形式を採用した米陸軍の攻撃機。対日戦では、主として南太平洋戦線で活動した。夜間戦闘機としても使用。最大速度五五八キロ／時。七・七ミリ銃七丁、爆弾一一七〇キロ。

ロッキード双発爆撃機 ロッキード・ハドソン。ロッキード14エレクトラ輸送機を爆撃機に改造したもので、米陸軍名はA-28およびA-29。イギリス空軍やオーストラリア空軍でも使用し。本書に登場するのはオーストラリア空軍機。米海軍も哨戒機として使用。最大速度四五五キロ／時。七・七ミリ銃五〜七丁、爆弾三三八キロ（I型）。

SBDドーントレス ダグラスSBDドーントレス。空母搭載の急降下爆撃機。開戦当時の米海軍機動部隊の主力機。ミッドウェー海戦で日本空母陣に大打撃を与えるなど、第二次大戦の米海軍機中、最も活躍した機の一つである。最大速度四一二キロ／時。七・七ミリ銃二丁、一二・七ミリ銃二丁、爆弾五四四キロ（3型）。

ＴＢＦアベンジャー　グラマンＴＢＦアベンジャー。米海軍機動部隊の主力艦上雷撃機。爆撃にも使用された。最大速度四三〇キロ／時。一二・七ミリ銃三丁、爆弾九〇〇キロまたは魚雷一発（3型）。

ＰＢＹ飛行艇　コンソリデーテッドＰＢＹカタリナ。第二次世界大戦中、もっとも多く生産された双発の飛行艇。低速だが安定性と実用性は抜群で、全戦域で哨戒、偵察、爆撃、輸送、対潜、救助に活躍。最大速度二七八キロ／時。七・七ミリ銃二〜三丁、一二・七ミリ銃二丁、爆弾一八〇〇キロまたは魚雷二発（5型）。

ＰＢＭ飛行艇　マーチンＰＢＭマリーナ。開戦当時は比島方面には配備されておらず、本書第二章の「基地零戦隊健在なり」に登場する偵察のため台湾に飛来した米飛行艇はＰＢＭではなくＰＢＹである。

フォッカー水上偵察機　本書第三章の「なんじ心おごりしか」に登場するフロートをつけた複座、複葉の敵偵察機はオランダのフォッカー社で設計製作したフォッカーＣ14－Ｗ水上偵察機と見られている。最大速度二三〇キロ／時。

ダグラス輸送機　本書第三章の「なんじ心おごりしか」に登場するダグラス輸送機は、民間型のダグラスＤＣ－３型、軍用型のＣ－47、イギリス空軍用のダコタのいずれかと思われる。『零戦の運命』（講談社刊）の第五章の「五十三年目の真実」では四発のＤＣ－４型となっているが、就役時期から見て双発のＤＣ－３型の可能性が強い。

◉艦船

霧島《きりしま》　基準排水量三万二〇〇〇トン級の高速戦艦。昭和八年（一九三三年）に海兵団を終えた坂井が乗り組みを命じられたころは、第二次改装を行う前で、三六センチ砲八門、一五センチ砲一六門、八センチ高角砲七門、速力二九・五ノットであったが、その後、第二次改装が行われ、三六センチ砲八門、一五センチ砲一四門、一二・七センチ高角砲八門、二五ミリ高角機銃二〇丁、速力三〇・五ノットとなった。カタパルト一基、水偵三機搭載可能。

榛名《はるな》　霧島の姉妹艦。昭和十年（一九三五年）に坂井が主砲分隊に配属されたころは、霧島より一足先に第二次改装を終えていた。

春日丸《かすがまる》　日本郵船の欧州航路用の豪華客船として建造中に海軍で徴用して特設航空母艦に改装。昭和十六年（一九四一年）八月に完成。翌十七年八月に正規航空母艦となり、大鷹《たいよう》と名付けられた。基準排水量一万七八三〇トン。速力二一ノット。

小牧丸《こまきまる》　総トン数八五二四トン、速力一六ノットの国際汽船の貨物船。徴用された航空機運搬艦乙として南方部隊の航空部隊に配属されていた。昭和十七年（一九四二年）四月十八日ラバウル空襲により沈没。

高砂丸《たかさごまる》　大阪商船の台湾航路用客船。大戦中は病院船として徴用され、戦後は引き揚げ者輸送に従事した。

●人物

相生高秀《あいおいたかひで》　最終階級は中佐。海軍の名指揮官の一人。昭和十三年（一九三八年）三月、十二空分隊長として華中戦線に出動、初陣は四月二十九日の漢口攻撃で、その際に初戦果を記録した。以後、空母赤城《あかぎ》などの分隊長、空母龍驤《りゅうじょう》、三空、二〇二空の飛行隊長、六〇一空飛行長を歴任、三四三空副長で終戦を迎えた。

浅井正雄《あさいまさお》　最終階級は大尉。台南空分隊長。昭和十七年（一九四二年）二月十九日、スラバヤ上空で戦死。戦死後、二階級特進して中佐。

羽藤一志《うとうかずし》　最終階級は三飛曹。戦死後、二飛曹。坂井の列機の一人で、昭和十七年（一九四二年）八月七日のガダルカナル進攻で坂井が負傷したときは三番機を務めていた。昭和十七年（一九四二年）四月十日に初戦果を記録、半年間で一九機を撃墜したが、同年九月十三日にガダルカナル島方面で戦死。

遠藤桝秋《えんどうますあき》 最終階級は二飛曹。戦死後、一飛曹。本田三飛曹（戦死後、一飛曹）の戦死後、坂井の列機となり、五月十四日のモレスビー進攻で初戦果を記録した。昭和十八年（一九四三年）六月七日、ルッセル島進攻のさい、P－38一機を撃墜したのち、P－40に体当たりして戦死。撃墜総数一四機。

大木《おおき》**芳雄**《よしお》 最終階級は飛曹長。戦死後、少尉。日華事変（日中戦争）以来のベテラン。昭和十五年（一九四〇年）九月十三日、零戦が重慶上空で初戦果をあげたときは、真っ先に敵機を発見して勝利のいとぐちを開いた。昭和十八年（一九四三年）六月十六日、ルッセル島上空で戦死。撃墜総数一七機。

太田《おおた》**敏夫**《としお》 最終階級は一飛曹。戦死後、飛曹長。昭和十七年（一九四二年）十月二十一日、戦死。撃墜総数は三四機。

樫村寛一《かしむらかんいち》 最終階級は飛曹長。昭和十二年（一九三七年）十二月九日、南昌上空で空戦中、敵機と接触、左翼の三分の二を失ったが、たくみな操縦で帰還して有名となった。昭和十八年（一九四三年）三月六日、ルッセル島上空で戦死。戦死後、少尉。撃墜総数一二機。

上別府義則 二飛曹。偵察機操縦員。日華事変（日中戦争）中は第十三空、高雄空、第十二空の偵察機隊で九八式陸偵を駆って中国要地の偵察に活躍した。昭和十六年（一九四一年）十月、台南空に転じ、比島、蘭印、ソロモン諸島などの偵察に従事した。

小園安名《こぞのやすな》 最終階級は大佐。日華事変（日中戦争）以来の歴戦の名指揮官。龍驤飛行隊長、十二空飛行隊長、台南空副長兼飛行長、二五一空司令、三〇二空司令などを歴任。

小町定《こまちさだむ》　最終階級は飛曹長。空母翔鶴《しょうかく》、二五三空、横空などで戦ったベテラン。二五三空時代に三号爆弾によるB－24迎撃戦で司令表彰を受けた。撃墜総数一八機。

斎藤正久《さいとうまさひさ》　最終階級は大佐。海軍のパイロットの長老で、大戦中は、台南空、二五一空、二二一空、二五二空司令などを歴任した。

酒井俊行《さかいとしゆき》　台南空の四人の〝サカイ〟の一人。一飛曹。昭和十七年（一九四二年）一月二十九日、バリクパパン上空で戦死。戦死後、二階級特進。

酒井東洋夫《さかいとよお》　台南空の四人の〝サカイ〟の一人。一飛曹。昭和十七年（一九四二年）二月二十七日、インド洋で空母ラングレー攻撃の際に戦死。戦死後、二階級特進。

笹井醇一《ささいじゅんいち》　最終階級は中尉。台南空の分隊長。ラバウルのリヒトホーヘンとも称されていたが、昭和十七年（一九四二年）八月二十六日、ガダルカナル上空で戦死。戦死後、二階級特進して少佐。撃墜総数二七機。

杉田庄一《すぎたしょういち》　最終階級は上飛曹。昭和二十年（一九四五年）四月十五日、鹿屋で戦死。戦死後、二階級特進して少尉となった。その際の布告によると単独撃墜七〇機、協同撃墜四〇機。

田中國義《たなかくによし》　最終階級は少尉。撃墜総数一七機、うち一二機は日華事変（日中戦争）中の戦果というベテラン。

中島正《なかじまただし》　最終階級は中佐。空母加賀《かが》の分隊長時代の昭和十二年（一九三七年）九月四日に上海上空でカーチス・ホーク戦闘機を撃墜して九六艦戦の初戦果をあげた。以後、台南空飛行隊長、二五一空飛行隊長、横須賀空飛行隊長、二〇一空飛行長、三四三空副長などを歴任。

南郷茂章《なんごうもちふみ》　大尉。十三空の戦闘機分隊長。昭和十三年（一九三八年）七月十八日、南昌上空で空戦中、落下してきた敵機に衝突して墜落戦死。戦死後、少佐に昇進、武勲をたたえて軍神南郷少佐として有名になった。撃墜総数は八機。

西澤《にしざわ》廣義《ひろよし》　海軍のトップ・エース。最終階級は飛曹長。昭和十九年（一九四四年）十月二十六日、ミンドロ島上空で輸送機上で戦死。二階級特進して中尉となったが、その際の布告によると協同撃墜二九機、協同撃破四二九機、単独撃墜三六機、単独撃破二機。

羽《は》切《ぎり》松雄《まつお》　昭和十五年（一九四〇年）十月四日の成都攻撃の際、敵飛行場に着陸して、在地機を焼き打ちするという離れ業を演じて有名となった。最終階級は中尉。撃墜総数一三機。

半田《はんだ》亘理《わたり》　最終階級は中尉。日華事変（日中戦争）のエースの一人で、撃墜総数一三機のうち六機は日華事変中の戦果。

古川　渉　陸偵偵察員。最終階級は飛曹長。日華事変（日中戦争）中は高雄空、第十二空の偵察機隊で活躍した。開戦直前、台南空偵察機隊に転じ、比島、蘭印などの偵察に従事していたが、昭和十七年（一九四二年）二月一日、スラバヤ方面で戦死。戦死後、偵察機搭乗員としては初の二階級特進し、中尉に任ぜられた。

本田《ほんだ》敏秋《としあき》　二飛曹。坂井三郎の列機。昭和十七年（一九四二年）五月十三日、モレスビー上空で戦死。戦死後、二階級特進して飛曹長。その際の布告によると単独撃墜五機、協同撃墜一八機、協同炎上二五機、協同撃破二三機。

宮崎《みやざき》儀《ぎ》太《た》郎《ろう》　坂井三郎の同期の親友。飛曹長。昭和十七年（一九四二年）六月一日、モレスビーで戦死。二階級特進して中尉となる。撃墜総数は一三機。

武《む》藤《とう》金義《かねよし》　最終階級は少尉。昭和二十年（一九四五年）七月二十四日、豊後水道上空で戦死。戦死後、中尉。日華事変（日中戦争）以来の名パイロット。撃墜総数は二八機。

米川《よねかわ》正夫《まさお》　二飛曹。坂井の列機を務めた搭乗員の一人。笹井中尉の列機を務めたこともあるが、昭和十七年（一九四二年）十月末、悪性の虫垂炎のため、病院船高砂丸で戦病死。

◉その他

浬《マイル》（ノーティカルマイル）　海里。航空や航海の距離の単位。航空図（海図）の緯度一度分の長さを一浬という。一浬は一・八五二キロメートル。

ノット　航空機や艦船の速度の単位。一時間に一浬進む速度を一ノットという。

◉日本海軍の准士官以下の搭乗員の階級の呼び方（カッコ内は略称）

○昭和十四年（一九三九年）五月十日から昭和十六年（一九四一年）五月三十一日まで

航空兵曹長（空曹長）、一等航空兵曹（一空曹）、二等航空兵曹（二空曹）、三等航空兵曹（三空曹）、一等航空兵（一空）、二等航空兵（二空）、三等航空兵（三空）、四等航空兵（四空）

○昭和十六年（一九四一年）六月一日から昭和十七年（一九四二年）十月三十一日まで

飛行兵曹長（飛曹長）、一等飛行兵曹（一飛曹）、二等飛行兵曹（二飛曹）、三等飛行兵曹（三飛曹）、一等飛行兵（一飛）、二等飛行兵（二飛）、三等飛行兵（三飛）、四等飛行兵（四飛）

○昭和十七年（一九四二年）十一月一日以降

飛行兵曹長（飛曹長）、上等飛行兵曹（上飛曹）、一等飛行兵曹（一飛曹）、二等飛行兵曹（二飛曹）、飛行兵長（飛長）、上等飛行兵（上飛）、一等飛行兵（一飛）、二等飛行兵（二飛）

本作品は光人社から刊行された『大空のサムライ』を、
文庫収録にあたり、再編集し、二分冊にしました。

坂井三郎─1916年、佐賀県生まれ。青山学院中学部を中退し、1933年に海軍に入る。戦艦霧島、榛名の砲手を経て、1937年に霞ヶ浦海軍航空隊操縦練習生となり首席で卒業、戦闘機操縦者となる。初陣の1938年以来、九六艦戦、零戦を駆って太平洋戦争の最後まで大空で活躍。200回以上の空戦で敵機大小64機を撃墜したエース（撃墜王）。2000年9月逝去。

講談社+α文庫 大空《おおぞら》のサムライ㊤
── 死闘の果てに悔いなし
坂《さか》井《い》三郎《さぶろう》

2001年4月20日第1刷発行
2022年8月25日第33刷発行

発行者──────鈴木章一
発行所──────株式会社 講談社
東京都文京区音羽2-12-21 〒112-8001
電話 編集(03)5395-3532
販売(03)5395-4415
業務(03)5395-3615

デザイン─────鈴木成一デザイン室
カバー印刷────凸版印刷株式会社
印刷──────株式会社新藤慶昌堂
製本──────株式会社国宝社

KODANSHA

落丁本・乱丁本は購入書店名を明記のうえ、小社業務あてにお送りください。
送料は小社負担にてお取り替えします。
なお、この本の内容についてのお問い合わせは
第一事業局企画部「+α文庫」あてにお願いいたします。
Printed in Japan ISBN4-06-256513-7
定価はカバーに表示してあります。

講談社+α文庫 Ⓖビジネス・ノンフィクション

書名	著者	内容	価格	番号
ネタになる「統計データ」	松尾貴史	ふだんはあまり気にしないような統計情報。松尾貴史が、縦横無尽に統計データを「怪析」	571円	G 226-1
原子力神話からの解放 日本を滅ぼす九つの呪縛	高木仁三郎	原子力という「パンドラの箱」を開けた人類に明日は来るのか。人類が選ぶべき道とは?	762円	G 227-1
大きな成功をつくる超具体的「88」の習慣	小宮一慶	将来の大きな目標達成のために、今日からできる目標設定の方法と、簡単な日常習慣を紹介	562円	G 228-1
「仁義なき戦い」悪の金言	平成仁義ビジネス研究所 編	名作『仁義なき戦い』五部作から、無秩序の中を生き抜く「悪」の知恵を学ぶ!	724円	G 229-1
エネルギー危機からの脱出	枝廣淳子	目指せ「幸せ最大、エネルギー最小社会」。データと成功事例に探る「未来ある日本」の姿	714円	G 230-1
世界と日本の絶対支配者ルシフェリアン	ベンジャミン・フルフォード	著者初めての文庫化。ユダヤでもフリーメーソンでもない闇の勢力…次の狙いは日本だ!	695円	G 232-1
「3年で辞めさせない!」採用	樋口弘和	膨大な費用損失を生む「離職率が入社3年で3割」の若者たちを、戦力化するノウハウ	600円	G 233-1
管理職になる人が知っておくべきこと	内海正人	伸びる組織は、部下に仕事を任せる。人事コンサルタントがすすめる、裾野からの成長戦略	638円	G 234-1
IDEA HACKS! 今日スグ役立つ仕事のコツと習慣	原尻淳一 小山龍介	次々アイデアを創造する人の知的生産力を高める89のハッキング・ツールとテクニック!	733円	G 0-1
TIME HACKS! 劇的に生産性を上げる「時間管理」のコツと習慣	小山龍介	同じ努力で3倍の効果が出る! 創造的な時間を生み出すライフハッカーの秘密の方法!!	733円	G 0-2

*印は書き下ろし・オリジナル作品

表示価格はすべて本体価格(税別)です。本体価格は変更することがあります